Innovación

Innovación

100 consejos para inspirarla
y gestionarla

Enric Barba

Prólogo de Carles Torrecilla

Libros de Cabecera
www.librosdecabecera.com

1ª edición: abril 2011
1ª reimpresión: septiembre 2011
2ª reimpresión: febrero 2014
3ª reimpresión: junio 2014
4ª reimpresión: enero 2015
5ª reimpresión: septiembre 2015
6ª reimpresión: mayo 2016
7ª reimpresión: mayo 2017
8ª reimpresión: febrero 2019
9ª reimpresión: mayo 2019

Rambla de Catalunya, 53, ático
08007 Barcelona (España)
www.librosdecabecera.com

Diseño de la colección: Erola Boix
Editores: Virtuts Angulo y Paco López
ISBN: 978-84-938303-3-5
ISBN PDF: 978-84-938303-4-2
ISBN EBOOK: 978-84-938303-5-9
Depósito Legal: B-13.152-2011

Impresión: DC PLUS, Serveis editorials, scp
Impreso en España - *Printed in Spain*

Agradecimientos

Agradezco sobre todo a Javier Amézola, ex socio de la consultora Accenture y buen amigo desde hace más de una década, que me presentara a Paco López, el editor de Libros de Cabecera, y que ambos me animaran a escribir este libro y a dedicarle las muchas horas que ha requerido su redacción. Por esto último, le doy las gracias en particular a mi esposa Pepi, por su paciencia y comprensión durante estos últimos meses, a mi hijo Enric, por su ayuda en la edición de esta obra, y a mi hija Laia, por la información facilitada.

Índice

Prólogo 13
Introducción 17

PARTE I: Consejos para directores generales y empresarios

Sobre la estrategia de innovación

1. No basta con los costes y la productividad 39
2. El falso mito de que gastar más en I+D+i aumenta los beneficios 46
3. Simplificación de la gama de productos 50
4. En busca de la sencillez 53
5. Innovación abierta o la búsqueda de colaboración externa 59
6. Cocreación o innovación distribuida con expertos en Internet 76
7. Innovación con una comunidad de usuarios 82
8. Equilibrio innovación/riesgo 84
9. La curva de experiencia 86
10. Innovación en producto 92
11. Los plazos de la innovación radical 94
12. Innovación incremental o las múltiples variantes del producto 97
13. Aplique el *kakushin* 100
14. Hibridación de productos y tecnologías 110
15. Estrategia orientada a las ventajas competitivas 114
16. La innovación basada en costes o diferenciación 118
17. Productos y tecnologías hacia las ventajas competitivas 123
18. ¿Líder o seguidor? 126
19. Ser el líder en función de sus capacidades 131
20. El líder endemoniadamente rápido 133
21. ¿Es positivo ser el líder? 136

22. La estrategia tecnológica sobre el papel 138
23. El acceso a nuevas tecnologías 140
24. La venta de licencias de tecnología propia 141
25. Selección y estudio de los competidores más peligrosos 142
26. La hoja de ruta de la innovación 143
27. Incremento de la cuota de mercado global 144
28. Colaboración con proveedores y clientes 146

Sobre la organización para innovar
29. La necesidad de un director de innovación 148
30. Un líder fuerte y motivador 155
31. Una organización competitiva 160
32. La simplificación de la organización para ganar velocidad 162
33. Las mujeres en la innovación 163
34. Simplificación en la toma de decisiones 167

Sobre la cultura empresarial para innovar
35. El contacto directo con los consumidores 168
36. Es más fácil crear una nueva empresa que cambiar una consolidada 172
37. Olvide sus éxitos 177
38. Confianza en la suerte… y en el trabajo duro 179
39. La cultura de Silicon Valley 182

Sobre la gestión de proyectos de innovación
40. La rentabilidad a través de la curva de *payback* 185
41. Prioridad a la velocidad 198
42. La agilidad de los directores eficaces y de los equipos de ingeniería concurrente 200
43. El método del valor acumulado 206
44. Uso de indicadores de eficiencia 208

Sobre la gestión de personas

45. Cooperación interna contra la competencia 212
46. Una estrategia de innovación comprensible 214
47. Transparencia con el equipo de innovación sobre la marcha del negocio 217
48. Inversión en talento y en su retención 219
49. La emoción como motivador 224
50. El cuidado de los creativos 228

Parte II: Consejos para directores de innovación, directores de proyecto, equipos de innovación y comités de nuevos productos

Sobre la estrategia de innovación

51. Simplificación del portafolio de productos 233
52. La hoja de ruta hacia el futuro 235
53. Definición de la estrategia y asignación de presupuesto 236
54. Reducción de la complejidad 237
55. Diseño de productos fáciles de usar 240
56. Caídas de precios compensadas con nuevas prestaciones 244
57. Visión a largo plazo basada en mejoras continuas graduales 248
58. Aplicación de *Six Sigma* en la mejora de la calidad 250
59. Reducción de la tasa de defectos año tras año 253
60. Planificación de múltiples generaciones del producto 255
61. Arquitectura de diseño modular 257
62. Orientación del diseño a la fabricación y al montaje 258
63. Orientación del diseño a servicio y mantenimiento 261
64. Personalización en la fase final de producción 262
65. Reducción de proveedores e incorporación de socios estratégicos 264
66. El proceso y los equipos de producción estándar 266
67. La importancia de la I+D+i y de la marca 267

Sobre la organización para innovar

68. Programa de innovación continua en toda la cadena de valor 272
69. Los equipos multifuncionales y el *Project Leader* 273
70. La experiencia industrial en el área de I+D+i 276

Sobre la cultura empresarial para innovar

71. Promoción de la cultura de la innovación y aceptación de los errores 277
72. En busca de la excelencia 281
73. Inversión del 5% del presupuesto en ideas locas 282
74. Elección de los proveedores por tecnología, calidad y fiabilidad 284
75. Obsesión por los clientes y su opinión 287

Sobre la gestión de proyectos de innovación

76. El primer eslabón: la planificación del programa de I+D+i 289
77. La visualización de la innovación en los prototipos 291
78. Decisiones con criterio 295
79. Soluciones en paralelo 297
80. Concentración de fuerzas y evitación de multitareas 299
81. Los cuellos de botella 304
82. Planificación realista y ejecución sin retrasos 309
83. Finalización de las especificaciones 312
84. Evitación de riesgos 314
85. Posibles riesgos y planes alternativos 316
86. Innovación en producto o en proceso 318
87. Implicación de todos los interesados desde el principio 320
88. Los sistemas informáticos 322
89. Innovación progresiva y personal cualificado 324
90. Calidad en el proyecto 326
91. Proveedores implicados como socios 330
92. Codiseño con proveedores 331
93. Bases de datos de diseño y de proceso 333
94. Reducción del *time to market* 335

Sobre la gestión de personas

95. El equipo cohesionado 336
96. Búsqueda del mejor producto, no del consenso 337
97. Cooperación con los proveedores 338
98. Formación de los proveedores en *Lean* y *Six Sigma* 339
99. Cooperación interna en la implatación de nuevas tecnologías 340
100. Delegación de responsabilidad en los equipos 341

Epílogo: Los principios de la innovación según Steve Jobs 343
Bibliografía 347

Prólogo

Conozco al autor, Enric Barba, desde una ponencia conjunta que hicimos en Tarragona hace cuatro años. Aunque quizás lo más oportuno para el lector sea empezar presentándole a Enric.

Tras terminar, a los 22 años, sus estudios de ingeniería de telecomunicaciones, con el número uno de la promoción, y ganar un premio nacional al mejor becario, su pasión por la electrónica le llevó a dedicarse durante una década a la I+D pura y dura, aplicada al diseño de televisores —a partir de 4º curso de carrera ya trabajaba para la marca Vanguard—. Fue allí donde descubrió la importancia de reducir la complejidad. Más tarde diseñó equipos de radiología. Me contaba que no ha diseñado nada más complejo y de mayor calidad que un mamógrafo. Si se irradia en exceso puede causar cáncer, pero si el nivel es insuficiente no lo detectará. Sin embargo, pocas quejas se oyen sobre estos equipos. Los fabricantes de mamógrafos y, en general el sector de la electromedicina, son una excelente escuela de innovación y calidad, y así lo fueron para Enric.

Posteriormente, un *headhunter* lo llevó al sector del aire acondicionado. En su tarjeta se leía por primera vez: *Jefe de ingeniería e innovación*. Cursó un postgrado en climatización, un MBA y se doctoró con una tesis sobre innovación de productos, gracias a los estudios sobre Ingeniería Concurrente que había recibido en Japón. Allí visitó, entre otros, los centros de I+D de Toyota, Sony, Nissan y Daikin, para aprender cómo innovaban las empresas japonesas de primer nivel. Especialmente, le gustó Sony y pensó que sería una suerte trabajar algún día para ellos.

El periódico *La Vanguardia* le otorgó un semáforo verde, en 1993, por ganar un premio de una escuela de negocios. El galardón fue concedido por un trabajo sobre diseño de nuevos productos en un entorno de ingeniería concurrente. Ese obra se tradujo en la publicación de su primer libro sobre innovación —*La excelencia en el proceso de desarrollo de nuevos productos*—.

Empezó entonces a dedicar parte de su tiempo a la docencia, como colaborador académico en temas de innovación, en la escuela de negocios ESADE y en la Fundación Politécnica de Catalunya.

Hay que vigilar con lo que deseas, porque te puede ser concedido. De esta manera, Sony le propuso dirigir la producción de televisores en su única planta en España: 10.000 aparatos al día, producidos bajo una gran presión de calidad y coste. Y como el gran filósofo Nietzsche dijo: *Lo que no te mata, te hace más fuerte.* Así pues, Enric puso en marcha equipos de ingeniería concurrente, colaborando con el área de I+D en la creación de un nuevo procedimiento de desarrollo de productos, basado en el plan de innovación expuesto en su libro y que acabó implantándose con éxito.

La serendipia —descubrimiento afortunado e inesperado—, es un fenómeno bastante frecuente en el mundo de la innovación y que también funcionó en su carrera. Sony le envió a Estados Unidos (1998) a formarse como *Black Belt* en una nueva metodología de gestión basada en el análisis estadístico de datos que era referente en General Electric y lo sería luego en Sony: la posteriormente famosa metodología *Six Sigma*. Aprovechó esa época para formarse sobre estrategias de innovación en el Sony Technology Center de San Diego, con el profesor Reinertsen del California Institute of Technology.

Fue seleccionado entre los mejores *Black Belts* de Sony del mundo para recibir formación adicional en Tokyo, hasta lograr el nivel máximo en *Six Sigma*, el de *Master Black Belt*, además de aprender cómo aplicar dichos conceptos al diseño de productos *—Design For Six Sigma—*. Esta formación marcaría su futuro profesional. Él es desde entonces un devoto practicante del *Evidence Based Management*—Gestión basada en la evidencia—, es decir, de la toma de decisiones basada en el análisis de datos.

Le ofrecieron implantar *Six Sigma* en la mayor empresa española de Internet y ser el director de ingeniería global, y aceptó el reto. De modo que se dedicó durante cinco años a la innovación y calidad de los servicios de Internet, luchando contra competidores como Yahoo, Microsoft y Google. Además de contar con los recursos de empresas consultoras externas, dirigía sus propios equipos de técnicos en Madrid, Waltham, San Francisco, Monterrey, Santiago de Chile y Portoalegre, lo que, por cierto, le permitió calibrar el excelente nivel de los ingenieros latinoamericanos. Durante aquella época aprovechaba sus frecuentes viajes a Estados Unidos para visitar las bibliotecas de las universidades de Harvard y Stanford. En esta última cursó un postgrado sobre dirección de proyectos.

Superó con éxito un cáncer de próstata e innovó, como lo hizo Andy Grove, el cofundador de Intel, en los 90, contando su experiencia en un libro y en los medios para fomentar la detección precoz.

En la actualidad, Enric es director general de la división B2B de Cirsa, la empresa multinacional española referente en el sector del juego. Su tarea consiste en liderar la innovación, diseñando nuevos productos y servicios, hibridando conceptos y tecnologías de sectores en los que ha trabajado previamente, aplicando con éxito muchos de los consejos expuestos en este libro.

Con todo este currículum ya se habrá hecho una idea de la *altura* del autor. Cuando en marketing hablamos de la *altura* de una marca, nos referimos a la fortaleza, el fundamento, la capacidad de contener y también la generosidad. Estos son exactamente los atributos de Enric, que además se ven reflejados en todas sus obras, no solo en esta.

Si todavía está dudando si adquirir este libro: ¡hágalo ya! No se arrepentirá. La trayectoria de Enric es la garantía. Tiene la ocasión de que el repetidas veces nº 1 le cuente lo que viene por delante. Además lo hace con un estilo reflejo de su naturaleza ejecutiva, sin rodeos, al grano, conciso, listo para que lo pueda aplicar. Es pues, justo lo que necesitamos ahora, reinventarnos sobre bases más sólidas.

Tengo la sensación que una vez leído no se convertirá en un libro aparcado en la biblioteca, sino que estará en muchos despachos, puesto que se va a convertir en una referencia de consulta y/o contraste de las decisiones diarias.

Carles Torrecilla
Profesor de ESADE Business School

Introducción

Lo que sé, es lo que creo
Ludwig Wittgenstein (1889-1951)

Hay una maldición china que dice: *Ojalá vivas en una época interesante*. Pues bien, a nosotros nos ha tocado. Que sea una maldición o no, dependerá de nuestra actitud.

La economía global ha cambiado dramáticamente en los últimos años, así como las prioridades de los consumidores. Las perspectivas de muchos proyectos de I+D+i (investigación, desarrollo e innovación) se han desvanecido. Cada vez es más probable, en muchos sectores, que la recesión derivada de la crisis financiera de 2008 tenga una duración mayor que un ciclo completo de desarrollo de nuevos productos. En general, el modo en que los directores generales y los directores de innovación respondamos a los cambios imprevistos, determinará nuestro futuro, tanto a corto como a largo plazo.

Innovar en la adversidad

En crisis económicas previas, muchas empresas innovadoras respondieron recortando rápidamente sus presupuestos de I+D, sin importarles su impacto a largo plazo. Ignoraron los cambios en la economía de los clientes y en sus hábitos de compra y continuaron produciendo bienes que nadie valoraba. Muchas de esas empresas desaparecieron y pocos las recuerdan —estoy pensando en Commodore, RCA, Zenith y tantas otras—.

Sin embargo, la historia demuestra que las mayores innovaciones se han producido en épocas de estrés económico. Por ejemplo, la televisión y la radio en FM surgieron durante la Gran

Depresión. Por otro lado, en 1937 la empresa química DuPont obtenía un 40% de su cifra de ventas de productos diseñados durante la crisis —de 1930 en adelante— y ha seguido innovando desde entonces, logrando un crecimiento sostenido.

Dos rasgos comunes a todas las empresas innovadoras, tanto antes como ahora, son el uso de sus fortalezas frente a la adversidad y la búsqueda de nuevas oportunidades que generen valor. Estas empresas aprovechan las crisis económicas para reestructurar sus inversiones en I+D y adaptan sus innovaciones a las nuevas realidades del mercado. Apuestan fuerte por nuevas tecnologías competitivas y al mismo tiempo recortan proyectos no rentables en mercados no viables.

A medida que las empresas empiezan a pensar de nuevo en crecer, la innovación en nuevos productos y servicios vuelve a ser una prioridad. Una encuesta realizada por la consultora McKinsey en 2010 a 2.000 directivos de todo el mundo, indicaba que para el 84% de ellos la innovación era extremadamente importante o muy importante en su estrategia de crecimiento. Parece un resultado obvio.

En cambio, los datos sobre el gasto de I+D+i en España en 2008 lo cuantifican en un 1,35% del PIB, del cual solo un 0,74% es ejecutado por el sector empresarial —el resto proviene del sector público—, lo que significa que la innovación en general es poco relevante en la agenda de muchos directivos españoles. La situación es similar o se agrava en la mayoría de países latinoamericanos.

Poca innovación en España y Latinoamérica

El presidente de *COTEC —Fundación para la innovación tecnológica—*, José Ángel Sánchez Asiaín, explicaba que en los últimos 20 años la productividad de la economía española había crecido prácticamente la mitad que las de Francia, Alemania o Reino Unido. Por otro lado, la contribución de los sectores de alta tecnología al PIB se había mantenido por debajo del 1%, cuando la media europea era tres veces superior, y los sectores de tecnología media-alta no superaron el 4% del PIB, la mitad de la media europea.

Lo mismo transmitía el discurso de su director general, Juan Mulet, al señalar que el valor del *Índice Cotec 2009*, que refleja la opinión de 150 expertos sobre la situación y evolución de la innovación en España, se situaba en 0,928, el valor más bajo de su historia, entre otros motivos *por la escasa consideración de la I+D+i como factor de competitividad.*

Por el contrario, los altos ejecutivos norteamericanos consideran la innovación y los clientes como prioridades en sus agendas. Asumen que la pugna impuesta por la globalización es un fenómeno que está lejos de detenerse, que las presiones competitivas se han disparado, y que el éxito o la supervivencia están vinculados a la innovación en productos y servicios y la satisfacción de los clientes.

Las empresas sufren el riesgo de ser barridas del mercado por nuevos jugadores si no son capaces de cuestionarse continuamente y hallar respuestas a las siguientes preguntas:

- ¿Qué necesidades reales de los clientes resuelven con su producto o servicio?
- ¿Qué alternativas tienen esos clientes para satisfacer esas necesidades?
- ¿En el futuro, en qué deben convertirse los productos y servicios para adaptarlos a las necesidades cambiantes de los clientes y batir a la competencia?

La subsistencia y el éxito de las empresas dependerá de su competitividad, y esta, a su vez, de su capacidad para desarrollar y adaptar nuevas tecnologías en productos, procesos y servicios. Se trata de innovar o desaparecer.

La innovación debe ser rentable, multifuncional y orientada al cliente

A pesar de lo expuesto anteriormente, existen otras encuestas norteamericanas que revelan que la mitad de sus directivos se sienten decepcionados por los resultados de sus apuestas estratégicas en innovación. Posiblemente esa sea la razón por la que en 2010 las partidas de I+D+i fueran las que sufrieron más recortes, después de marketing y publicidad.

Un estudio de la consultora McKinsey en el sector de bienes de gran consumo, evidenció que cada año se lanzan al mercado más de 10.000 nuevos productos, de los cuales solo cerca de un 5% son auténticas innovaciones, con un cambio radical de nivel, una ruptura en las prestaciones de los productos. El resultado final de estas innovaciones es que son seis más veces productivas, medidas como porcentaje de ventas dentro de una categoría, que las típicas innovaciones incrementales.

La dicotomía entre considerar la innovación una prioridad estratégica o sentir decepción por el bajo retorno de la inversión es obvia: la innovación sigue siendo un factor clave para el crecimiento, la rentabilidad y la diferenciación, aunque la forma en que muchas empresas la han llevado a la práctica no ha dado los frutos esperados. Algunas de las metodologías empleadas se han convertido en ortodoxias que refuerzan el *status quo* e impiden la adopción de nuevos enfoques del propio proceso de innovación. ¡Hay que innovar la innovación!

La realidad es que la mayoría de los proyectos de innovación generan un retorno insuficiente del capital invertido e incluso, en algunos casos, no logran recuperarlo. Las innovaciones radicales o de ruptura, además, suelen requerir un largo período de tiempo entre inversión y beneficio y eso desorienta a altos directivos y accionistas. Esa es la razón por la que muchos directivos solo optan por proyectos de innovación incremental. Es lógico: su horizonte temporal de promoción personal o de obtención de un bonus salarial se limita a un par de años, de modo que no se arriesgan a invertir en ideas más innovadoras, que requieren más de dos años en materializarse.

Peter Drucker decía sabiamente que *la innovación es el acto que dota a los recursos con nuevas capacidades para generar riqueza*. De modo que la innovación, en un contexto empresarial, debe ser rentable. La rentabilidad es el único indicador decisivo para una empresa innovadora. Y para conseguirla se requiere la definición de un modelo de negocio rentable, la fijación de unos objetivos claros, un procedimiento de ejecución disciplinado, alinear la organización con la innovación y ejercer un liderazgo que la fomente.

Lo importante no es hablar sobre la innovación, lo hace todo el mundo. Lo importante es sistematizarla dentro de las empresas y orientarla a resultados

Un estudio de la consultora Accenture (2009) muestra que un 44% de las empresas carecen de un enfoque holístico del proceso de desarrollo de nuevos productos y de una estrategia de innovación bien definida. En general, suelen tener demasiada aversión al riesgo, no aprenden de sus errores, se enfocan demasiado en mejoras incrementales y tienen demasiados empleados que no cooperan entre sí, encerrados entre las paredes de sus departamentos funcionales.

La encuesta de la consultora McKinsey a la que hicimos referencia anteriormente, ponía de manifiesto que el primer desafío para los directivos consultados era mejorar el modo en que la propia empresa se organizaba para innovar, perfeccionando los procesos implicados en la innovación: la relación entre la función de I+D y el resto de funciones (marketing, etc.), el proceso de transformación de una idea en un prototipo y el propio proceso de producción. El segundo desafío era la creación de un clima interno que impulsara la innovación. Solo un 27% de esas empresas afirmaban tener directivos de negocio formalmente responsables del resultado de la innovación y un 30% declaraban tener prioridades de innovación definidas en su plan estratégico. Por último, un 39% creían ser buenos comercializando nuevos productos o servicios.

La innovación es un proceso empresarial global, que requiere situar el foco en el retorno de la inversión. Lamentablemente, en las empresas en que el proceso de innovación no está controlado por la dirección general, sino exclusivamente por el área de I+D+i, con un enfoque técnico, el resultado es incierto.

Finalmente, cabe decir que el que habla de la innovación de forma aislada, como la panacea universal, es que no la ha aplicado nunca. Innovar es un reto complejo y solo es manejable si se sabe cómo hacerlo y, aún así, el viaje está lleno de riesgos.

Desechar viejos tópicos

Es necesario rechazar dos viejos tópicos asociados a la innovación. El primero es que innovar es lo mismo que generar ideas. Las ideas son necesarias aunque insuficientes. Innovar es generar ideas y transformarlas en productos y servicios que le aporten valor al cliente, mejorando su experiencia de uso, y generar una rentabilidad sostenible para la empresa. Si no hay ventas con beneficios, si no hay un retorno de la inversión en innovación, solo nos quedarán las ideas, y con las ideas nos haremos sabios pero no ricos.

> **Lo que no se venda no quiero inventarlo.** Thomas Alva Edison

El segundo tópico es que la innovación debe recaer fundamentalmente en manos de científicos e ingenieros. Muchas de las empresas que tienen problemas con el bajo retorno de su inversión en innovación es debido a esta visión limitada. Es imposible innovar en productos y servicios sin tener en cuenta al destinatario final: el cliente, y por tanto a las dos áreas que se ocupan directamente de él: marketing y ventas. De modo que la innovación debe ser multifuncional y enfocada en el cliente.

La innovación *en un sentido amplio*

Hasta las últimas décadas del siglo XX, la innovación se asociaba fundamentalmente a la tecnología, a pesar de que el economista J. Schumpeter ya se refería a todo tipo de innovación en 1911. Las innovaciones tecnológicas han prevalecido sobre todas las demás, tanto por sus efectos en nuevos productos como en nuevos procesos. No obstante, innovar va incluso más allá del lanzamiento de un nuevo producto o servicio al mercado.

No hay que confundir la I+D+i con innovación. Si tomamos el caso de España, por ejemplo, son muy pocas las empresas que realmente llevan a cabo actividades de Investigación y Desarrollo. En cambio, muchas pymes (pequeñas y medianas empresas) innovan. Realizan desarrollos inéditos en su sector o en su área de influencia y emprenden nuevas ideas y nuevos proyectos, en su país o en el extranjero, aplicando ideas originales o inspiradas en las mejores prácticas de otras empresas o de otros sectores.

Generalmente, los países han ido aumentando su competitividad por la innovación derivada, no solo del aumento del conocimiento tecnológico sino también de conocimientos comerciales y gerenciales. De modo que cabe hablar, como hace COTEC en su estudio *La innovación en un sentido amplio: un modelo empresarial*, desde esa perspectiva, abordando la innovación como una manifestación empresarial de amplio alcance, capaz de convertir en riqueza distintos tipos de conocimientos.

La innovación, en este concepto amplio, representa una nueva manera de hacer las cosas que resulta en un cambio positivo para la empresa y para sus clientes. La innovación sería todo cambio basado en conocimiento que generara valor, tanto de la propia empresa como de su oferta. En el primer caso contribuiría a mejorar la cuenta de resultados y, como producto final, su valor de empresa; en el segundo, aumentaría la cuota de mercado o los precios de venta. Este libro aborda la gestión de la innovación en este sentido amplio.

El cambio es la vía para la innovación. En cualquier empresa ese cambio podrá tener lugar, entre otros aspectos, en sus productos y servicios, en sus procesos de producción y de logística, en su forma de organizarse o en la manera de relacionarse con sus clientes y proveedores.

Innovación tecnológica, organizativa o comercial

La innovación se origina en el conocimiento que existe en la empresa o que procede de su entorno. En función del tipo de conocimiento, la innovación será tecnológica, comercial o gerencial, y en algunos casos se requerirá la suma de los tres. Observaremos cómo grandes productos de éxito han sido el resultado de la excelencia en la innovación en los tres campos a la vez.

Las innovaciones tecnológicas se basan en la utilización de nuevo conocimiento tecnológico y/o de nuevas tecnologías, o en nuevos usos o combinaciones de conocimiento o tecnologías ya existentes. Estas innovaciones se materializan en productos y servicios tecnológicamente nuevos o mejorados con nuevas funciones que logran éxito en el mercado, así como en procesos novedosos que se incorporan a la producción y/o a la logística de modo eficiente.

Las innovaciones gerenciales u organizativas se basan en conocimiento gerencial y consisten en la implantación de nuevas formas de organización de los procesos de negocio en la empresa; en el reparto de responsabilidades o reestructuración de actividades; y en la manera de gestionar las relaciones externas de la empresa con proveedores y clientes. Este libro contiene numerosos consejos al respecto.

Las innovaciones comerciales se basan en conocimientos de marketing, para usar nuevos métodos de comercialización, en sus canales de venta, en su promoción o en la asignación de precios.

Los consejos de este libro pretenden ayudar a mejorar la gestión de la innovación en ese sentido amplio, siendo irrelevante qué tipo o tipos de conocimiento usamos, porque lo que pretendemos es impulsar el cambio y hacerlo realidad, sea en forma de productos, de servicios, de procesos o de nuevos métodos organizativos.

De modo que, aunque la magnitud de la innovación pueda ser grande o pequeña, siempre consiste en pensar de un modo diferente, lograr hacer nuevas conexiones y lograr productos o servicios mejores y rentables.

Innovación radical o incremental

En función del grado de novedad, una innovación será radical si supone la aparición de algo totalmente nuevo, o bien, incremental si es una mejora significativa de algo existente. La primera será la más difícil de generar y puede conllevar un liderazgo en el mercado. Abordaremos ambos tipos en el libro.

A su vez, el grado de novedad permite distinguir entre las innovaciones que son nuevas para la empresa, de las que lo son para el mercado en el que opera, y de las que lo son en un ámbito mundial. Las primeras suelen ser las habituales en muchas pyme, y no por ello dejan de ser innovaciones.

Innovar es arriesgar

Innovar no es solo pensar, sino también ejecutar. La ejecución es lo que diferencia a los buenos de los malos directivos, y eso es aún más evidente en las áreas de innovación. Cuanto mayor sea el ámbito de la innovación y la dimensión del cambio, mayor será el riesgo.

Nicolás Maquiavelo, en su obra *El Príncipe*, advertía a Lorenzo de Medici (1513) de los peligros del innovador en política. Sus observaciones siguen siendo válidas en el mundo empresarial de hoy, en particular en las innovaciones organizativas:

> Tengamos en cuenta que no hay cosa más difícil de tratar, ni en la que el éxito sea más dudoso, ni más peligrosa de manejar, que convertirse en responsable de un nuevo orden político; porque todo innovador tienen como enemigos a cuantos el viejo orden beneficia y como tibios defensores a aquellos a los que las nuevas leyes beneficiarían.
>
> Esta tibieza nace, en parte, por miedo a los adversarios, que tienen las leyes a su favor, y, en parte, por la incredulidad de los hombres, que en realidad no confían en las novedades hasta que la experiencia no se las confirma; de ahí viene que cada vez que los que son enemigos tienen ocasión de atacar, lo hacen con pasión facciosa, mientras los otros se defienden tibiamente; de manera que, con ellos, se corre verdadero peligro.
>
> Conviene, por lo tanto, si se quiere tratar bien el tema, examinar si estos innovadores tienen fuerza propia o si dependen de otros; es decir, si para

> llevar a cabo su obra tienen que rogar o pueden forzar. En el primer caso acaban siempre mal y no llegan a ninguna conclusión; pero cuando dependen de sí mismos..., raras veces corren peligro.

Una perspectiva personal, como profesional de la innovación

Este es mi cuarto libro sobre gestión de la innovación. Por primera vez expongo mis ideas desde la perspectiva de la dirección general. La mayoría de los numerosos libros que actualmente aparecen sobre innovación están escritos por académicos y por consultores, es decir, paradójicamente, por intelectuales que en muchos casos nunca han diseñado, fabricado ni vendido un producto o servicio —excepto venderse a ellos mismos—, ni nunca han sido responsables de una cuenta de resultados, excepto de la de su propia actividad profesional. Sin embargo, algunos autores marcan tendencia por el impacto mediático y suelen crear modas de gestión, que resultan ser más o menos duraderas, en función de lo que cueste implantarlas.

En cambio, este libro pretende exponer los aprendizajes de un directivo con una experiencia profesional de más de 30 años, obtenida en múltiples sectores y en distintas funciones relacionadas con la innovación: I+D+i, ingeniería, producción, calidad y dirección general, siempre con responsabilidad directa sobre el resultado económico de dicha innovación.

Ante la toma de decisión de un lector potencial acerca de la elección de un libro, sea escrito por un directivo o por un académico, aparecen las siguientes preguntas: *¿qué me va a aportar que no pueda yo buscar en Internet? ¿Qué valor tienen los* *consejos de un individuo de más de 50 años? ¿Cómo puede hablar de innovación si alguien a esa edad está ya obsoleto?*

Hay un refrán inglés que dice que 40 años de experiencia, en realidad, no son más que 40 años haciendo lo mismo. En la actualidad, si de verdad vivimos en la economía del conocimiento y uno sigue siempre estudiando y acumulando nuevas experiencias de gestión, la edad se convierte en un activo y no un pasivo. En mi caso siento que es así. El lector juzgará.

Estoy convencido de que es necesario seguir aprendiendo siempre y que debería ser un objetivo para todos. Por eso lo sigo haciendo. El aprendizaje continuo ya no es una opción, es una necesidad profesional, como muchos empiezan a aceptar. A cualquier edad: 20, 30, 40, 50 ó 60 años. Hay que seguir estudiando, leyendo y reflexionando sobre cómo mejorar el desempeño profesional.

Estoy totalmente de acuerdo con que algunos de los libros sobre innovación contienen ideas valiosas —que yo mismo he puesto en práctica en el trabajo—, aunque hay que separar el grano de la paja y eso requiere tiempo, estudio y reflexión. Este libro incluye el resultado de esa investigación y análisis. Al final de este, una bibliografía recoge una lista de excelentes obras sobre la gestión de la innovación, que permitirán al lector ahondar más en el tema.

En los tres años anteriores a la redacción de este libro, me he dedicado a estudiar con mucha atención a expertos del ámbito de la innovación, para captar qué había de útil y de práctico en sus ideas, y con un único objetivo: pasar de la teoría a la práctica, para lograr la mayor rentabilidad de la inversión en actividades de I+D+i en la empresa que dirijo. He adoptado las mejores prácticas, validadas por su impacto positivo en la cuenta de resultados. No hay más secretos.

En particular me considero un seguidor de Jack Welch, James Womack y Henry Chesbrough, con quienes he tenido el placer de conversar personalmente e intercambiar ideas. También estoy alineado con Tom Peters y Michael Porter, de los que he aprendido mucho leyendo sus libros. Varios de los consejos que presento incluyen conceptos aprendidos con dos grandes consultores: Yamashina (Tokyo) y Reinertsen (San Diego, California).

Comparto con el lector una síntesis de sus ideas con las mías, a fin de demostrar que el éxito en la innovación, como en otros campos, no es fruto de la casualidad, sino que responde a un proceso sistemático que necesita ser gestionado.

Me he pasado mucho tiempo meditando sobre escribir acerca de la necesidad de *volver a lo básico* en el campo de la innovación, en un sentido más allá del I+D+i. Es una reacción lógica, por un lado, a la crisis financiera y, por otro, probablemente por mi edad, a esa exagerada pretensión de que *absolutamente todo lo que sabemos ha cambiado*, que rodea a muchos de los seguidores de las redes sociales. Creo que hay que volver a lo básico en muchos aspectos y también en el mundo de la innovación. Lo básico sigue siendo válido, permanece.

El lector encontrará algunos consejos relacionados con las redes sociales, porque creo que estas herramientas de la llamada Web 2.0 son innovadoras y potentes, y crean comunidades que nos pueden ser útiles para innovar. No obstante, solo son herramientas, y por tanto un medio, no el fin.

Todos los consejos han sido validados en la práctica, no son teóricos. Pretendo compartirlos con el lector para que innove de un modo rentable, es decir, para que logre lanzar con éxito nuevos productos o servicios, o implantar nuevos procesos que reduzcan sus costes, consiguiendo un buen retorno de su inversión en innovación. Pretenden combinar la rigurosidad académica con la práctica empresarial, aunque huyen de las fórmulas y del lenguaje ampuloso.

Este libro también es el resultado de mi experiencia, desde 2006, como directivo en el grupo español Cirsa. Me siento satisfecho con el resultado de la innovación en la empresa, gracias a contar, primero, con el apoyo de la dirección general y de la propiedad y, segundo, con la colaboración de un equipo de grandes profesionales que ha puesto en marcha la mayoría de las ideas expuestas en esta obra.

A quién está dirigido el libro

Mi deseo es que los consejos que presento sean útiles para un espectro muy amplio de lectores, desde directivos a quienes, por ejemplo, se les generen dudas sobre si su organigrama es el óptimo o no, al recibir noticias de que hay empresas que apuestan ahora por la creación del puesto de *Chief Innovation Officer*, hasta jóvenes recién licenciados en escuelas de negocios o de ingeniería que quieran aprender a gestionar la innovación desde la perspectiva de un entorno empresarial donde se busque la rentabilidad. El público objetivo de este libro está formado principalmente por:

- Directores generales y empresarios, que deben ser los promotores principales de la innovación en las empresas que

dirigen y deben dedicar una especial atención a fijar la estrategia de innovación. Son aquellos que entienden que la innovación es el factor clave para prosperar en su negocio. Los directores de las pymes son claves para un país como España, en el que estas empresas dan trabajo al 82% del total de los empleados y generan el 60% del PIB.
- El resto de personal implicado en la innovación, tanto de producto como de proceso, así como desde la perspectiva de modelo de negocio en sus áreas respectivas: I+D+i, marketing, ventas, producción, calidad, compras, etc.

El libro pretende responder a las siguientes preguntas:

- ¿Qué debo hacer en mi empresa para lograr que sea innovadora?
- ¿Qué debo cambiar?
- ¿Se puede gestionar la innovación?
- ¿Se puede aprender a hacerlo de una manera eficaz? ¿O es un don que nos cae del cielo y que unas empresas pueden tener y otras no?
- ¿Cómo consigue Steve Jobs que Apple sea una máquina de innovar?
- ¿Qué hay que hacer para que surja la innovación?
- ¿Se necesita un líder que sea un obseso por la innovación?

Cómo está organizado el libro

En realidad, cada uno de los 100 consejos que contiene el libro está dirigido a un destinatario específico en el ámbito de la empresa, que resulta evidente por su contexto. No obstante, he agrupado los consejos en dos partes: la primera dedicada a los directores generales y empresarios, y la segunda dedicada a los directores de innovación, jefes de proyectos, equipos de innovación y comités de nuevos productos, a los que, por supuesto, recomiendo también la lectura de la primera parte del libro.

En un segundo nivel, he organizado los consejos sobre innovación por ámbitos o conceptos: estrategia, organización, cultura empresarial, gestión de proyectos y gestión de personas, con objeto de facilitar su comprensión y lectura, permitiendo además al lector interesado específicamente en un tema dirigirse directamente a él.

En la primera parte del libro la estrategia tiene un peso mayor, mientras que en la segunda, lo tienen los consejos sobre la gestión de los proyectos de innovación.

En algún consejo me extiendo más y lo acompaño de una cierta base teórica, para nivelar conocimientos del lector. Asimismo, incorporo el caso de estudio de una o varias empresas que hayan tenido éxito al aplicarlo.

Estos consejos pretenden ser de ayuda en los momentos de crisis para, poniéndolos en práctica, posicionar nuestras empresas de un modo que, superada la crisis, en el período de crecimiento económico que siempre la sucede, nos permita ser líderes en nuestros sectores, gracias a nuestros esfuerzos por innovar con éxito. Porque el lector puede estar seguro que siempre *De la crisis, al final, se acaba por salir.*

Sobre roles de innovación

Tom Kelley, directivo de la consultora IDEO, define en su excelente libro *The Ten Faces of Innovation* (*Las diez caras de la innovación*) diez roles o estilos distintos de individuos que resultan ser claves para el éxito de la innovación empresarial.

Como dirijo una empresa y además me encanta el cine, creo que, en principio, el rol que mejor encaja conmigo es el que Kelley define como *director*. Tal como ocurre en el mundo del cine, el rol de director en la innovación sería, siguiendo esta metáfora, el de aquél que se encarga de planificar la producción, definir los escenarios, seleccionar y extraer lo mejor de sus equipos, el líder de la innovación. De hecho, ese rol coincide con la función de *Director de innovación* o *Chief Innovation Officer* que muchas empresas han creado recientemente.

La función del director es crear un espacio donde los actores se superen a sí mismos. Robert Altman, director de cine, en su discurso de recepción de un Oscar

Ese rol básico, e inherente a la función directiva en el mundo de la innovación, no impide que podamos adoptar otros roles que son también claves. Personalmente me siento identificado con otro papel: el rol de los innovadores que llevan a cabo lo que podríamos calificar como una *polinización cruzada*, difundiendo ideas y conceptos innovadores entre distintos sectores y tecnologías, algo que Kelley describe del modo que resumo a continuación.

Los *polinizadores cruzados*, esos grandes innovadores

Gracias a un aprendizaje continuo en sus vidas, son individuos lo suficientemente humildes como para cuestionarse siempre su punto de vista y cambiarlo si resulta equivocado. Les gusta viajar, aprender de múltiples sectores y culturas, porque son curiosos, de mente abierta, y aceptan los retos y desafíos de la innovación. Intentan ser como los niños, porque son curiosos y ven patrones donde otros no los ven, pero al ser adultos, son capaces de detectar sutiles diferencias y aplicarlas en nuevos productos, hibridando conceptos.

Son estudiosos de la historia y amantes de la ciencia ficción, siguen aprendiendo lecciones del pasado, buscando conceptos que puede que hayan ido por delante de su tiempo y que quizás estén listos para regresar al mercado —lo que se conoce como *retroinnovación*—.

Son individuos *en forma de T*, porque tienen un amplio conocimiento generalista en diversos campos, no solo tecnológicos; poseen empatía por varias disciplinas —que figuran en el amplio tramo horizontal de esa T—, y dominan en profundidad, como mínimo, una área de conocimiento —el tramo vertical de la T—.

Han sido más que buenos estudiantes. Suelen ser también buenos maestros que aprenden de mentes jóvenes inteligentes y motivadas, que les obligan a mantenerse al día de una manera que no suelen experimentar los que se dedican exclusivamente a su trabajo en la empresa. El libro que tiene en sus manos es en sí mismo un resultado de ese rol innovador. Espero que lo disfrute y le inspire.

Gavà (Barcelona, España)
Diciembre de 2010

Parte I

Consejos para directores generales y empresarios

1. No basta con los costes y la productividad: ¡Es la innovación..., estúpido![1]

Tom Peters lo tiene claro. Desde sus libros y cursos lo repite una y otra vez, citando a diversos expertos:

Nadie puede reducir continuamente los costes y crecer.
Paul Cook, Raychem
Wall Street no pagará más por elevar los márgenes de beneficios con ventas estancadas. Panjal Ghemawat, Harvard Business School
La riqueza proviene directamente de la innovación, no de la optimización; la riqueza no se obtiene perfeccionando lo conocido sino explotando, aunque sea imperfectamente, lo desconocido. Kevin Nelly, Wired
Aumentar los beneficios mediante la reducción de plantilla fue fácil: lo único que tenían que hacer los ejecutivos era reducir la tensión causada por los despidos. William Dauphinais, Price Waterhouse

Aunque discrepo de que sea fácil reducir plantillas —nunca me ha encantado esa idea y me la he tomado seriamente cuando no he tenido más remedio que llevarla a cabo—, estoy de acuerdo

1 "Es la economía, estúpido" ("It's the economy, stupid!"), fue una frase muy utilizada en la política estadounidense durante la campaña electoral de Bill Clinton en 1992 contra George H. W. Bush. Luego la frase se popularizó como "Es la economía, estúpido" y la estructura de la misma se utiliza (tal como hago en este libro) para remarcar los aspectos más diversos que se consideren esenciales.

con que no solo basta con reducir costes. Que hay que *hacer régimen* y eliminar *grasa*, de acuerdo, pero creo que el recorte de gastos solo nos puede llevar hasta un cierto nivel y no mucho más allá. Eso hace que iniciativas excelentes como son las archiconocidas *Lean Management* y *Six Sigma* tengan en muchos casos efectos en la cuenta de resultados solo a corto plazo. Y esta es una confesión de un experto en ambas metodologías.

La mejora continua en busca de la perfección, es decir, perseguir la perfección por la perfección, puede ser un error estratégico, porque equivale a obsesionarnos por sacarle brillo a un paradigma que puede que ya sea obsoleto.

En la mayoría de empresas lo esencial para su supervivencia son los ingresos. Si bien hay que controlar los costes y mantener al mínimo los costes fijos, a la larga el beneficio real saldrá de la cifra de ventas, como resultado de la innovación en productos y servicios.

Innovar, según Alfons Cornella en su libro *Visionomics*, consiste en generar ideas que se perciban como valor, de modo que se produzcan resultados sostenibles. Su sencilla ecuación es:

IDEAS X VALOR = RESULTADOS

Así, para las empresas que innovan, el valor proviene de la explotación económica de la innovación, por ejemplo, con el lanzamiento de productos más competitivos. Por otra parte, para los clientes, el valor se manifiesta mediante el acceso a nuevos y mejores productos, adaptados a sus necesidades específicas o con precios más convenientes.

Edgard B. Roberts propone una definición de innovación desde el punto de vista empresarial: *Innovación es invención más explotación*. Por un lado, requiere la invención, hacer algo nuevo o lo mismo de manera diferente, y por otro, la explotación, que establece la dimensión económica a través de la creación de valor.

INNOVACIÓN = INVENCIÓN + EXPLOTACIÓN

La invención es un requisito necesario, aunque insuficiente, para la innovación. Dicho de otra manera, toda innovación requiere de una invención; sin embargo, no todas las invenciones llegan a ser innovaciones. Para que esto último ocurra, el invento debe ser aceptado y valorado en función de su posición competitiva respecto de otros productos y procesos disponibles en su mercado objetivo.

La innovación se relaciona con el mercado. Las invenciones e ideas brillantes solo se convierten en innovación cuando tienen éxito en el mercado.

Así pues, cuando se trate de un nuevo producto, la innovación solo se producirá una vez que los consumidores acepten esa nueva propuesta y esta llegue a ocupar una cuota de mercado significativa. Del mismo modo, para el caso de la innovación en procesos, la innovación ocurrirá cuando la empresa acepte, asimile e integre ese proceso en sus actividades organizativas. Es un motor de tres tiempos que nunca debe pararse. Para ello se debe apostar tanto por la explotación del negocio actual —actuando en costes y productividad— como por la exploración de nuevos negocios —poniendo énfasis en la innovación—.

La innovación debe ser continua, al menor coste posible, buscando la eficiencia del presupuesto destinado a actividades de I+D+i. De modo que no basta con reducir costes ni con mejorar la productividad, la empresa tiene que innovar continuamente más que la competencia. Esa es la única ventaja competitiva sostenible en el tiempo. De modo que la fórmula ganadora de la innovación es generar una gran cantidad de ideas y probarlas, con el fin de que lo que salga bien esté a nuestro favor. Esa buena idea —que, por cierto, es un bien escaso— debe ser dotada de valor y transformada en un producto o servicio por el que los clientes pagarán. En muchos casos el valor percibido por el cliente vendrá determinado por un diseño estético y por la experiencia al usarlo.

La misión del directivo es buscar esas buenas ideas, en su empresa o fuera de ella, transformarlas en productos o servicios de valor y conseguir excelentes resultados. La innovación es la fuente de creación y mantenimiento de una empresa. Solo una empresa innovadora será capaz de hacer cosas nuevas, de evolucionar, de adaptarse a los cambios en el entorno, generando valor en un mundo que cambia de forma constante.

La innovación es más que I+D

A las actividades de creación de conocimientos, a la Investigación + Desarrollo, se le añadió la *i* minúscula, la innovación. Son pocas las empresas que tienen recursos para dedicarse a la I+D, y en cambio son muchas las que innovan, sencillamente introduciendo con éxito en el mercado ideas transformadas en nuevos o mejores productos, procesos y servicios.

La innovación no es exclusiva de la gente que trabaja en el desarrollo de nuevos productos o en marketing. TODO departamento necesita una actividad importante de innovación adecuadamente financiada. Cada área de la empresa debe ser valorada no solo por su nivel de ejecución en las tareas usuales sino por su historial de innovación.

La innovación de producto hace referencia a la transformación de una idea en un nuevo producto o en una mejora de sus prestaciones, ofreciendo al consumidor unos servicios inéditos o mejorados, independientemente del nivel de innovación tecnológica que puede acompañar o no a esa innovación de producto.

En otros casos, en cambio, lo ideal será que la empresa innove en los procesos, a fin de reducir los costes de producción, logísticos y/o de distribución, adoptando o no nuevas tecnologías. Los sistemas o procesos son tan importantes o más que los productos innovadores. Piense en cómo Dell o Inditex lograron ventajas competitivas innovando en logística y en distribución.

En realidad las innovaciones en producto y en proceso van íntimamente relacionadas, porque el mercado no acepta un nuevo producto hasta que no se logra un proceso que permita su fabricación o servucción a un coste y calidad aceptables. Otras empresas innovan simplemente adoptando nuevas técnicas de gestión u organizativas. Por ejemplo, implantan la metodología *Lean Six Sigma* para mejorar la calidad y la productividad a fin de reducir los costes operativos.

La mejora en la organización también puede expresarse de otras formas. Por ejemplo, para lograr una organización más eficiente se crean equipos de proyecto multifuncionales con *Project Leaders* responsables de la calidad, coste y plazo de tales proyectos. La búsqueda de nuevos canales de distribución, como Internet, o bien abrir nuevos mercados geográficos, exportando, también son innovación. Esta faceta, relacionada con la expansión del negocio, en algunos casos requiere innovar simultáneamente en producto y procesos.

Las innovaciones no tienen por qué ser solo radicales, usando nuevas tecnologías que aporten diferencias significativas con los productos o servicios precedentes. Usted también puede innovar de manera incremental, introduciendo cambios o mejoras en las formas y tecnologías existentes, creando variantes del producto o servicio básico que aumenten su cifra de ventas, ampliando la gama. Asegúrese de que su cartera de proyectos tenga muchos proyectos de corto plazo.

La innovación empresarial es todo cambio basado en conocimiento que genera valor, tanto de la propia empresa como de su oferta. En el primer caso, contribuirá a mejorar la cuenta de resultados y, consecuentemente, el valor de la empresa; en el segundo caso, aumentará la cuota de mercado o los precios de venta.

La innovación no es solo para las grandes empresas. De hecho puede ser más importante para una microempresa de servicios profesionales de dos personas que para una gran consultora, para un pequeño taller que para una gran fábrica. Si el negocio es frágil puede que sea el momento perfecto para estudiar la entrada en un nuevo campo, o en un nuevo segmento de clientes.

La innovación es una nueva manera de hacer las cosas que resulta en un cambio positivo para la empresa y para sus clientes

En definitiva, la innovación es importante en cualquier departamento de la empresa. Lo es tanto en Finanzas como en Compras, en Recursos Humanos o en Logística, del mismo modo que lo es en I+D o en el área de Tecnologías de la Información. El perfil innovador debe caracterizar a todos los empleados de la cadena de valor de la empresa. Es necesario tener vendedores, proveedores, clientes, etc., que innoven más que los de la competencia.

Todo departamento de la empresa tiene que estar comprometido a ejecutar anualmente proyectos formales de innovación, con evaluaciones comparativas en relación a sus equivalentes en el mismo grupo o en la competencia. La innovación les incumbe a todos.

2. El falso mito de que gastar más en I+D+i aumenta los beneficios

La innovación debe orientarse a resultados. Hay poca innovación *low cost*. Las inversiones en innovación son costosas y deben contemplar una tasa de retorno de la inversión significativa —ROI, *Return On Investment*—.

Para aumentar al máximo el ROI en innovación, las empresas deben tratar el proceso de innovación con la misma disciplina con que tratan otros procesos de la empresa. La fórmula consiste en fijar metas ambiciosas y realistas, dar recursos adecuados a los empleados y exigir responsabilidad por las inversiones efectuadas.

El dinero no garantiza los resultados

Desconfíe del mito de que solo gastando más en I+D+i mejorará la competitividad de su empresa. Eso no es cierto ni en el ámbito de la empresa ni en el de todo un país, a pesar de las frases de los políticos que se limitan a proclamar que hay aumentar el ratio del gasto en I+D+i respecto al PIB —la mayoría se refiere a competir con China—.

No quiero decir que no haya que invertir en I+D+i sino que es insuficiente. Depende de en qué se innove, del producto y del cómo, del proceso. El compromiso por la innovación expresado en una cifra de inversión en innovación no garantiza un mejor rendimiento de la empresa. No hay que tener fe sino basarse en hechos: la creatividad, el análisis y la gestión con disciplina.

La innovación no tiene nada que ver con cuántos dólares te gastas en I+D. Cuando Apple presentó su MAC, IBM se gastaba como mínimo cien veces más en I+D. La cuestión no es el dinero. Es la gente que tienes, cómo la lideras y cuanto obtienes de ellos. Steve Jobs, CEO de Apple

Un estudio relevante y poco conocido de la consultora Booth, Allen y Hamilton (BAH), realizado a partir del análisis de las 1.000 empresas que más invirtieron en I+D en 2004, reveló que no existe correlación estadística entre los resultados empresariales —beneficios de las empresas, capitalización bursátil, cifra de ventas— y el ratio de gastos en I+D sobre ventas. En conclusión, que el dinero no garantiza los resultados.

¿Le sorprende? A mí no, porque lo importante no es poner más dinero sobre la mesa, sino usarlo adecuadamente. Los mejores resultados son consecuencia del proceso de innovación en la empresa, de por cuál producto se apuesta y cómo se gestiona la consecución de ese nuevo producto, no de la cifra del presupuesto en innovación.

No obstante, para ser precisos, en el estudio de BAH se detecta una correlación positiva: se logran mayores márgenes brutos si el ratio de I+D/Ventas es mayor. Los márgenes brutos de las 500 empresas que más gastaban en porcentaje de I+D/Ventas eran un 40% superiores a los de las 500 empresas que invertían menos. Eso es lógico: El 80% del coste final de un producto —y el coste está en el margen bruto— está determinado por las decisiones del área de I+D en la fase de concepto, tales como las especificaciones y el nivel de estandarización —o de complejidad—.

Esta correlación positiva demuestra que invertir más en I+D+i nos permite lograr:

A productos de menor coste, que se vendan a un precio similar o más barato que los de nuestros competidores (por ejemplo, ordenadores DELL), o

B productos de coste superior y de mayor precio de venta, justificados por su diseño e innovación (por ejemplo, vehículos BMW), o bien

C la combinación de ambos (por ejemplo, iPod de Apple).

Observe que cuando al coste del producto le sumamos todos los costes no directamente relacionados con la creación del producto o servicio (marketing, ventas, gastos generales), el beneficio del margen bruto se enmascara y la correlación entre el ratio I+D/Ventas y el resto de indicadores de competitividad desaparece.

De modo que como directivos tenemos que medir y buscar nuestro propio objetivo de ROI, porque no es obvio cuánto gasto en I+D será suficiente. Nadie tiene la cifra mágica. Los ratios de presupuestos en I+D sobre cifra de ventas varían sustancialmente incluso dentro del mismo sector.

> **La única ventaja competitiva sostenible consiste en innovar más que la competencia.** James Morse, consultor

Un interesante ejercicio que sugiero al lector es investigar o estimar el ratio de gastos en I+D/Ventas en las empresas de su sector. A partir de esa información deberá analizar el porcentaje del valor promedio y decidir si su empresa se posiciona por arriba o por abajo.

Evite ser el primero o el último, es decir, ubicarse en los extremos del indicador Gasto de I+D/Ventas, a menos que tenga muchos argumentos para soportar esa decisión. Intente situarse en el entorno del valor promedio y, si puede, por encima del nivel de su competencia más directa en su mercado natural. A no ser que su competencia derroche el dinero. El estudio de BAH demuestra que gastar más en I+D+i no necesariamente le ayudará y, por el contrario, que no gastar un mínimo le dejará en desventaja competitiva.

3. Simplificación de la gama de productos

Revisión de los márgenes

¿Con qué productos o servicios ganamos dinero? Es necesario revisar la rentabilidad de su cartera de productos para conocer lo que está ocurriendo en su empresa. Haga un diagrama de Pareto analizando los beneficios por producto (margen x número de unidades) y después calcule la productividad de la innovación que haya obtenido en esos productos. Podríamos definir esa productividad como el retorno sobre la inversión, es decir, cuál es el ratio del beneficio obtenido dividido por los costes totales del proyecto de innovación.

Necesitará calcular el coste total del proyecto de desarrollo de esos productos. Sume todos los costes reales del proyecto, no solo los técnicos, prototipos, ensayos, homologaciones y materiales, sino también las inversiones específicas que solo recuperará con ventas de ese producto (moldes de plástico y matrices, por ejemplo).

Descubrirá que la mayoría de las ventas y de los beneficios se deben a un porcentaje pequeño de sus productos, en algunos casos se encontrará con un perfecto ejemplo de la regla general del 80-20, es decir: el 20% de nuestros productos nos aportan el 80% de los beneficios, aunque invertimos nuestro presupuesto anual de I+D+i en toda una amplia cartera de productos.

Simplificación de la oferta y auditación de los proyectos de I+D

El siguiente paso es cuestionarse el resto de productos no rentables: ¿Por qué seguimos dedicando recursos de I+D+i a esos productos? ¿Tienen sentido estratégico o es porque le gustan a alguien: al ingeniero jefe del proyecto, al presidente, al director general?

Si no tienen sentido estratégico alguno, no lo dude, corte de inmediato el cordón umbilical que los une al presupuesto de I+D+i y dedique esos recursos a los productos rentables. Enfóquese en lo rentable y, lo antes posible, pare la fabricación del resto. Focalice sus recursos de I+D+i.

Los proyectos que duran más de lo previsto, con retrasos sucesivos, drenan fondos y talento de proyectos con éxito en un momento en el que las empresas debemos centrar nuestros recursos en los proyectos de éxito más probable.

Audite sus proyectos de I+D. Haga un análisis rápido cuantitativo para descubrir qué proyectos están incurriendo en gastos por encima del presupuesto, cuáles están con retraso, qué proyectos se destinan a líneas de negocio con pérdidas, o simplemente, no encajan con los gustos actuales o futuros de sus clientes. Evalúe qué proyectos están claramente dentro del marco de la estrategia competitiva de la empresa y sacan provecho de las capacidades clave de nuestra compañía. Elimine el resto.

La reducción del número de productos impactará en los costes indirectos de la empresa, con la disminución de los gastos de estructura. De este modo, esa partida se podrá reinvertir en I+D+i. Probablemente un 50% de los costes de estructura en una empresa industrial están directamente conectados con la amplitud de gama de productos.

Esa fue la metodología que Steve Jobs usó cuando regresó a Apple para salvarla a finales de los años 90: enfocarse en los pocos productos rentables y abandonar la mayoría que no lo eran. Se necesita valor para reducir el catálogo de productos de 350 a 10. El problema es que aunque todo el mundo sabe lo que hay que hacer, muy pocos directivos tienen coraje para hacerlo.

Antoine de Saint-Exupery, autor de *El Principito*, dijo en una ocasión: *Un diseñador sabe cuando ha logrado la perfección, no cuando ve que no existe nada más que añadir, sino cuando no ha dejado nada que pueda eliminar.*

4. En busca de la sencillez

Muchas de las funciones de los productos nunca son utilizadas por la mayoría de sus usuarios. Por ejemplo, un gran número de productos diseñados en compañías de electrónica de consumo parecen hechos de ingenieros para ingenieros. Algunos tienen menús de programación tan complejos que quedan solo al alcance de una minoría capaz de entender los manuales de empleo. Esa complejidad innecesaria se traduce en mayores costes e inversiones que reducen los márgenes operativos. Es decir, el producto nos cuesta más y gusta menos. ¿Podemos realizar los diseños ofreciendo un producto simple y con las prestaciones justas, que sean bien valoradas por los clientes?

Algunas marcas son conocidas por su diseño: Apple, BMW, Sony, etc. Determinados productos de su catálogo llegan a ser idolatrados. Steve Jobs dice que un producto con un diseño excelente es aquel que *te da ganas de lamerlo.* En mi opinión, diría que un buen diseño es aquel que incita a la gente a abrir sus carteras para comprarlo. Y esa es la mejor receta anticrisis. No obstante, lograr un buen diseño es como pulir un diamante. Tiene múltiples facetas: sencillez, estética, ergonomía, etc.

Una vía clásica de la innovación pasa por simplificar los productos y los servicios. Haga que el manual de empleo sea prescindible. Apple actúa de manera que sus productos sean tan simples que un niño pueda usarlos. Se necesita confianza para eliminar un teclado de un móvil y reemplazarlo por una pantalla táctil, como hicieron con el iPhone. La filosofía de Apple consiste en hacer que lo sencillo sea precisamente la referencia en sofisticación. Enfocarse en pocos productos y comprometerse a que funcionen extraordinariamente bien y de un modo simple.

El diseño es emoción. No es que un producto guste o no: se ama o se odia. Propicie discusiones en su empresa sobre el impacto del diseño en la vida diaria. Hable de los objetos que ama y de los que odia. Al principio, no necesariamente de los productos o servicios de su empresa. Es mejor empezar con experiencias habituales en restaurantes, páginas web o con el uso de mandos a distancia en productos de electrónica. Eso aumenta la concienciación de la fuerza emotiva de un buen o un mal diseño. Más adelante, derive la discusión hacia temas relacionados con la empresa. Focalícese en la sencillez.

Los siguientes casos de estudio —Flip y Philips— destacan el valor de la sencillez en el diseño de nuevos productos y la utilización del diseño como parte de la estrategia empresarial.

CASO DE ESTUDIO: VIDEOCÁMARAS FLIP

Los ingenieros de Pure Digital lanzaron Flip, la cámara de video más sencilla del mundo, en 2007. Se convirtió en la cámara número uno de ventas en Amazon. El producto, que fue subestimado por muchos escépticos del sector por parecer un juguete, se había transformado en un éxito de ventas.

La clave: su sencillez

La filosofía del equipo de diseño de Flip se basó en que el producto, el embalaje y la página web debían ser sencillos, elegantes y enfocados en el producto.

Regla de los 30 segundos

Los ingenieros de Flip diseñaron un prototipo y se lo entregaron a un individuo que debía ser capaz de ponerlo en marcha en 30 segundos. Además, los clientes debían activar la cámara de forma intuitiva. Para ello, se limitó el número de botones a cuatro: on/off, grabar, reproducir y borrar. Para simplificar la experiencia del usuario, la videocámara contaba con todos los accesorios necesarios, inclusive un conector USB.

La regla de los 30 segundos también se aplicó a su página web (www.theflip.com/en-us).

La apuesta por la sencillez resultó ser una ventaja competitiva clave. En 2009 Cisco Systems compró Pure Digital, consolidando su éxito.

CASO DE ESTUDIO: PHILIPS Y LA ESTRATEGIA POR LA SENCILLEZ

En 2004 Philips lanzó un nuevo mensaje publicitario: *Sense and Simplicity (sentido y sencillez).* Es interesante recordar las palabras de Gerard Kleisterlee, su Presidente y CEO, al explicar dicha iniciativa:

"Este evento en torno a la *Sencillez* marca un hito en la transformación de Philips en una compañía realmente dirigida y enfocada al mercado. Hoy, muchas empresas reconocen el importante papel de la innovación y el diseño. Nosotros hemos dado un paso más con una diferenciación especial: creemos en la innovación basada en diseños sencillos. Hemos enfocado y redefinido nuestra forma de pensar hacia la innovación, pero hacia una innovación basada en diseños sencillos y el resultado ha sido un trampolín de ideas e innovaciones cada vez mayor."

En un mundo en el que la complejidad afecta cada vez en mayor medida a todos los aspectos de nuestra vida cotidiana nos esforzaremos por proporcionar *Sentido y sencillez* a todo el mundo. Esa promesa refleja un compromiso de entender en profundidad las necesidades y aspiraciones de los clientes y consumidores con el fin de ofrecer soluciones innovadoras, avanzadas y fáciles de utilizar. Las innovaciones de nuestros productos están inspiradas en los usuarios finales y comienzan por un entendimiento de sus necesidades y aspiraciones. Utilizamos las mejores agencias e instalaciones de investigación para garantizar que nuestras innovaciones sean avanzadas, fáciles de utilizar y se diseñen para satisfacer las necesidades y aspiraciones de los clientes."

Para apoyar este mensaje, Philips constituyó un Consejo Asesor sobre la Sencillez, el SAB *(Simplicity Advisory Board)* con cinco expertos en las áreas de salud, tecnología y estilo de vida. Su función consiste en proporcionar una visión externa de la hoja de ruta hacia la sencillez. Los miembros del SAB fueron seleccionados individualmente por su reconocida experiencia y por su complementariedad, apertura de miras y porque, además, contaban con una importante dosis de creatividad y confianza. Representaban un reflejo de las audiencias y públicos objetivos de Philips en sus especialidades, con diversidad de género, edad y grupos de interés.

El SAB está presidido por Andrea Ragnetti, Director de Marketing de Philips, y el resto de miembros son:

- **Sara Berman**, una de las diseñadoras de moda joven más prominentes. Sus colecciones se venden en el Reino Unido, Estados Unidos, Escandinavia y Japón. Sus diseños se centran en la búsqueda de lo simple, aunque ella misma reconoce que la sencillez no siempre es fácil de lograr.
- **Gary Chang**, uno de los arquitectos más importantes de China, reconocido por su uso creativo e innovador del espacio. A lo largo de su carrera, ha puesto énfasis en la creación de ambientes simples y prácticos.
- **Peggy Fritzsche**, presidenta de la Radiological Society of North America (RSNA). Su experiencia durante más de 25 años en el área de la radiología la ha llevado a concentrarse en la búsqueda de la simplificación de la experiencia de los pacientes, en una de las áreas más complejas de los servicios de salud.
- **John Maeda**, catedrático del MIT –Massachusetts Institute of Technology– y uno de los principales analistas del sector de la tecnología informática en materia de sencillez. A John le entusiasma el tema de la simplificación de las Tecnologías de la Información.

- **Ken Okuyama**, director creativo de Pininfarina Automotive and Transportation Design y profesor del Art Center College of Design de Pasadena. Su criterio se evidencia en el desarrollo de automóviles diseñados para satisfacer las necesidades del usuario, con líneas simples y claras y sin sacrificar la funcionalidad ni la calidad.

El Consejo ofrece información e ideas acerca de cómo brindar un mejor servicio a los clientes con productos *con sentido y simples*. Los integrantes del consejo provienen de distintas culturas y profesiones, y es precisamente esta diversidad la que enriquece la capacidad de la empresa para comprender el significado que la sencillez tiene para la gente, en todos los aspectos de sus vidas y en las diferentes culturas. El Consejo actúa como un centro de investigación y una caja de resonancia para la empresa. Este equipo de profesionales impulsa la creatividad y capacidad para generar nuevas ideas, tanto en las áreas de trabajo habituales, como en los nuevos sectores del mercado que podrían emerger en los próximos años, como la salud y el bienestar personal.

Philips organiza, desde 2005, los *Simplicity Events* –Eventos de sencillez–, que demuestran su compromiso por ofrecer su visión en los nuevos productos. En la convocatoria de 2006, Stefano Marzano, Chief Creative Officer de Philips Design, destacó la consolidación de la transformación de Philips, de una compañía dirigida por la tecnología a una empresa en la que el foco está en el cliente: "Hoy en día la tecnología en Philips se ha convertido en un medio para lograr un fin, no en el fin en sí mismo."

Stefano recordaba que ya en 1992, época en la que Philips pasó una grave crisis, dio una conferencia en la que señalaba la necesidad de una mayor simplicidad en los productos, que el hardware tendría que convertirse en *humanware*, que los productos deberían tener mayor sentido, más relevancia para los clientes y a su vez ser más sencillos de utilización.

Es interesante descubrir este cambio lento en Philips. En el pasado sus investigadores tendían a pensar que como ya habían diseñado una tecnología que funcionaba bien su trabajo se había terminado. Era cuestión de que la gente aprendiese a usarla, fuese fácil o difícil. Hoy comprenden que la tecnología solo mejora la vida si ofrece un beneficio que se experimenta de modo global y eso incluye su sencillez de manejo. Desde entonces, Philips incorporó a sus equipos de diseño e investigación expertos en psicología, antropología, etnología e investigadores de tendencias sociales, con el objetivo de obtener lo que ahora llamamos *consumer insights*. Su trabajo es la comprensión del por qué del comportamiento de los consumidores, de cuáles son sus deseos y necesidades, de qué esperan de los productos. La combinación de los resultados de la investigación con los *insights* da como resultado conceptos de productos innovadores que se presentan en los *Simplicity Events*, conceptos que inspiran o llegan a convertirse en productos comerciales.

Desde 1914 *Philips Research* investiga en nuevas tecnologías y en su potencial aplicación. Tiene 1.800 profesionales de 50 nacionalidades en laboratorios en Europa, América del Norte y Asia. Su CEO, Peter Wierenga, explica cómo desarrollan nuevas tecnologías en un marco de innovación abierta, buscando alianzas estratégicas: "Se han acabado los días de innovar en solitario. Ninguna compañía puede esperar saber todas las respuestas. Por eso trabajamos regularmente con una red amplia de centros tecnológicos, empresas, universidades y hospitales para desarrollar conjuntamente nuevos productos que signifiquen un salto en la innovación. En lugar de plantearnos la cuestión de qué tecnologías podemos utilizar en nuestros productos el enfoque es: *¿Qué necesitamos? ¿De verdad la gente querrá usar esta tecnología? ¿Qué beneficios les dará?*"

Philips Research dispone de dos tipos de laboratorios, el *ExperienceLab* y los *SimplicityLabs*, para captar esos *insights* que forman el punto de arranque de investigación adicional. El desafío es comprender a la gente, cómo mejorar su satisfacción usando el producto. Por eso investigan en cómo la gente experimenta la tecnología. La creencia de Philips es que toda innovación debería empezar con captar un *insight* para mejorar la calidad de vida de la gente, entender qué es lo que les mueve, a qué dilemas se enfrentan, y cómo se les puede ayudar de la mejor manera. Ese será el factor impulsor de la innovación.

---

5. Innovación abierta o la búsqueda de colaboración externa

Los mejores emprendedores no asumen riesgos sin más, sino que gestionan el riesgo. Son capaces de encontrar a los mejores en una tarea concreta y cerrar un acuerdo para cooperar juntos con el fin de lograr metas comunes, minimizando los riesgos y los costes de la innovación.

No obstante, la mayoría de empresas aún mantienen un modelo de innovación cerrado, es decir, desarrollado exclusivamente dentro de su organización. Aunque pongan en marcha la creación de equipos de proyecto, mejoren la colaboración entre I+D y Marketing, la gestión del portafolio de productos y reduzcan el *time to market*, no será suficiente para que innoven con éxito, porque una política de innovación cerrada o aislada es insostenible en el tiempo. Así opina Henry Chesbrough, profesor en la escuela de negocios Haas de Berkeley, en la Universidad de California, que fue quien acuñó el término *Innovación Abierta* en su libro del mismo nombre (2003).

La innovación abierta

El profesor Chesbrough tiene ideas de innovación muy útiles. En 2003 tuve la suerte de descubrir su primer libro en EE.UU. y, posteriormente, apliqué sus consejos con éxito. Asimismo, participé junto a él como ponente en algunas de sus conferencias en España.

Su tesis sobre la innovación abierta se basa en que las empresas no pueden seguir confiando en esfuerzos de desarrollo centralizados en un entorno cerrado, limitándose a innovar con las ideas de dentro, sino que se ha de admitir que las fuentes de ideas para innovar puedan venir de fuera de nuestra organización, de clientes, de proveedores, de intermediarios. Y que para que ello sea posible, hay que estar dispuesto a colaborar, a cooperar con terceros, incluso con competidores.

La idea básica parte del principio de que quien trata con gente interesante obtendrá ideas interesantes, y al contrario. Y esto vale a todos los niveles, internos —empleados— y externos —clientes, proveedores, universidades—.

Su nuevo paradigma es que la innovación es abierta, que no está cerrada ni es exclusiva del área de I+D+i de la empresa. Se deben tomar ideas de todos los sitios imaginables. De hecho, incluso puede que requiera que usted *duerma con el enemigo*, aliándose con un competidor. En este nuevo modelo resulta imperativo que el empresario establezca un universo de innovación paralelo donde buscar ideas, fuera de su empresa.

Chesbrough señala que la tradicional transferencia de conocimientos o de tecnología realizada entre la universidad y la empresa debe ir más allá y practicarse entre las propias empresas, en especial entre pymes y grandes empresas.

No obstante, esa cooperación externa no es fácil, y en ocasiones tiene la oposición de nuestra propia organización, que teme por su futuro. Es importante repartir los costes de los proyectos, compartir el riesgo y reducir el *time to market*. El mundo de la innovación se divide hoy entre los que tienden a cerrarse en sí mismos y los que tienden a abrirse.

Alianzas y *joint ventures*

¿Disfruta de oír música en su iPod? Contaba Chesbrough que la idea de ese producto no fue interna de Apple sino de un exingeniero de Philips. Tony Faddel acudió a Steve Jobs porque sus ideas fueron ninguneadas en Philips y en RealNetworks. En cambio, en Apple decidieron lanzar el producto en el menor tiempo posible, por lo que buscaron la colaboración de terceros: PortalPlayer, a quien subcontrataron el proyecto del desarrollo del SoC (System on a Chip), los componentes del microprocesador en un único circuito integrado (chip); Pixo, que diseñó el sistema operativo; Toshiba, para el disco duro, etc.

Lo relevante de este caso es cómo una gran empresa como Apple fue sensible al conocimiento que venía del exterior y cómo fue capaz de detectar oportunidades en su entorno y convertirlas en un proyecto corporativo de gran competitividad.

Las alianzas estratégicas tampoco son opciones ocasionales para empresas como Sony, sino una de sus prácticas habituales. El ejemplo más claro fue la cooperación con Philips para el desarrollo de la tecnología de disco láser para audio digital, a principios de los años 80. Su estándar conjunto fue aceptado por el mercado.

En la actualidad Sony Computer Entertainment, fabricante de la PlayStation, tiene una *joint venture* con Toshiba Corp. e IBM para fabricar microprocesadores para la PlayStation 3. Sin embargo, al mismo tiempo, su ordenador VAIO compite con los de Toshiba e IBM Lenovo.

En otros casos, las compañías recurren a Internet para obtener ideas externas. Un ejemplo reciente fue el caso del fabricante de juguetes Lego, que lanzó una convocatoria para crear su próxima generación de productos robóticos.

CASO DE ESTUDIO: NIKE+iPod

Un ejemplo de innovación abierta y de alianza entre empresas es el producto Nike+iPod, diseñado para que el reproductor musical iPod actúe como Entrenador Personal. Las zapatillas Nike+ y el sensor o el paquete deportivo Nike+iPod le motivarán a correr.

Se coloca el sensor en el compartimento incorporado bajo la plantilla de la zapatilla Nike+, diseñado específicamente para tal fin, y se conecta el receptor al iPod nano (el resto de iPods son compatibles de serie con la Nike+). El sensor hace un seguimiento de la carrera y envía la información al iPod. Así, mientras se corre, el iPod informa del tiempo, la distancia, la velocidad y las calorías quemadas, y ofrece comentarios durante el entrenamiento y al final de este. Asimismo, se pueden consultar todos los pormenores del entrenamiento, elegir el tipo de carrera a partir de un menú, acceder rápidamente a ejercicios personalizados, probar un entrenamiento sorpresa o marcar un programa determinado con objetivo de tiempo, distancia o calorías.

Por otro lado, el iPod permite elegir la lista de reproducción musical favorita, mezclar temas aleatoriamente o escoger alguna de las canciones deportivas creadas por Nike. Y en el caso de necesitar más animación, se puede activar la función PowerSong.

CASO DE ESTUDIO: NESTLÉ + L'ORÉAL

La empresa de alimentación Nestlé dedica 1.500 M€ a I+D propia (un 1,8% de su cifra de ventas en 2009, 82.700 M€). Asimismo, apuesta por la innovación abierta con alianzas estratégicas, como la realizada con L'Oréal, la mayor empresa mundial en cosmética (17.473 M€ de cifra de ventas en 2009, invierte 609 M€ en I+D, un 3,4% de su cifra de ventas).

En 2003 crearon la *joint venture* Laboratoires Innéov para entrar en el mercado de los complementos nutricionales con fines cosméticos, los conocidos como nutricosméticos, de venta en farmacias y parafarmacias. Este segmento de mercado ha experimentado un importante incremento en los últimos años. En Europa crece a tasas entre el 7% y el 30% anuales, según el país. Se estima que entre un 15 y un 20% de las mujeres toman suplementos en su alimentación.

El objetivo de esta alianza fue combinar la I+D+i de Nestlé en el campo de la nutrición con la investigación en cabello y piel de L'Oréal. Es decir, lograr productos que mejorasen la salud del cabello y de la piel mediante la toma de suplementos alimenticios. El resultado fue la gama Innéov para el hombre –caída del cabello– y para la mujer –firmeza de la piel, antiedad, celulitis, etc.–. La serie se amplió con productos especializados en el cuidado de la piel ante los efectos de la luz solar, tratamiento capilar y adelgazamiento.

Esta *joint venture* entre ambas empresas tenía un precedente. Galderma es un laboratorio farmacéutico fundado en Suiza en 1981 para crear productos de dermatología a partir de I+D. En 2009 facturó 978 M€, contaba con 3.000 empleados y dedicaba aproximadamente el 20% de su cifra de ventas a I+D+i. Tiene 3 centros de investigación, en Francia –con más de 400 empleados–, Estados Unidos y Japón. Sus productos se fabrican en Francia, Canadá y Brasil.

¿Con quién compartir el riesgo de la innovación?

Para que la colaboración tenga éxito, cada socio debe aportar algún elemento diferenciador: investigación básica, capacidad de desarrollo, capacidad de producción, acceso al canal de distribución, etc., además de comprometerse en el proyecto. Las empresas deben explorar, al menos, cinco áreas específicas para compartir riesgos:

Ⓐ clientes,
Ⓑ expertos externos,
Ⓒ socios en la cadena de valor,
Ⓓ competidores, y
Ⓔ compañías *start up*

Ⓐ **Clientes** Coinvente con sus clientes. Los clientes están más cerca de los problemas que nosotros. Además, al fin y al cabo, innovamos para ellos, ¿por qué no escucharlos?

Innosight, una consultora en estrategia de innovación, realizó un estudio para una empresa de dispositivos médicos que confirma esa premisa. El análisis de una gama de productos demostró que el origen de los 20 productos con más ventas fueron los clientes (médicos que entendían el problema) o bien empresas *start up*. Y a su vez las soluciones pasaron por prototipos baratos. Trabajar codo a codo con clientes pioneros es ventajoso para el cliente y también para usted. Quizás el pequeño precio a pagar sea que el cliente tenga en exclusiva ese nuevo producto durante un tiempo, ¿no merece la pena?

Las claves para que la innovación abierta con el cliente funcione adecuadamente se resumen en tres premisas:

- Que el problema esté bien definido. Si no, es difícil que un individuo pueda diseñar una solución viable.
- Que el problema esté acotado en una área de la empresa. Si requiere la implicación de varias áreas le será difícil de resolver por un externo.
- Que la solución sea de bajo coste. Un cliente difícilmente nos puede aportar soluciones sofisticadas y que requieran una gran inversión.

B **Expertos externos** La web Connect & Develop, de Procter &Gamble —P&G—, es un ejemplo de cómo compartir el riesgo con expertos externos. Fomenta la innovación abierta con expertos a título individual.

CASO DE ESTUDIO: INNOVACION ABIERTA EN PROCTER&GAMBLE

A.G.Lafley, ex CEO de P&G, transformó la empresa de una colección de marcas famosas a una máquina de innovación que consigue muchas de sus ideas a través de sus clientes y asociados externos. Se trata de un caso extraordinario por el éxito obtenido y porque el cambio efectuado es inaudito en empresas gigantes como esta. Lafley y R. Charan relatan la estrategia de crecimiento de P&G en su libro *Cambio de juego.*

En la memoria anual del 2010, el sucesor de Lafley, Robert McDonald, nos dice: “La innovación es y ha sido siempre el corazón del éxito de P&G. Es la manera en la que nuestra empresa y nuestras marcas tocan y mejoran vidas, y como resultado crece nuestro negocio. Hoy en día tenemos un programa fuerte, global, plurianual, que nos otorga un crecimiento global rentable del mercado.”

El camino no fue fácil. P&G adoptó el modelo de innovación abierta después de una fuerte reestructuración de su organización de I+D. P&G se había embarcado en los años 90 en una campaña de crecimiento que debería llevarle a duplicar en el año 2000 sus ventas de 20.000M de $ en 1990. A pesar de un elevado presupuesto en I+D, al llegar el 2000 solo habían logrado 30M $. Y la acción cayó de 118$ a 52 $. Era evidente que el modelo de *inventar nosotros mismos* era incapaz de sostener elevados niveles de crecimiento y, al revés, había sido una hoja de ruta hacia menores ingresos.

En realidad, era un resultado lógico. La mayoría de empresas del sector de P&G esperan crecer de modo orgánico de un 3 a un 6% anual. En un contexto con compañías locales y de tamaño medio, se podía lograr ese objetivo con un equipo de I+D interno. Y con eso y la contratación del mejor talento del mundo, el modelo de innovación interno –o cerrado– le funcionó durante décadas a P&G. A medida que la facturación aumentaba era muy difícil seguir creciendo ese 6% anual, entre otros factores por el índice de éxitos de la innovación. P&G cifraba en el año 2000 su tasa de éxitos –definida como nuevos productos que cumplen los objetivos financieros– en tan solo un 35%.

Ese fue el motivo por el que P&G nombró CEO a A.G.Lafley. Su política inicial consistió en recortar los costes, inclusive personal de I+D, y solo después de esa reestructuración –y éste fue un factor importante para su aceptación– decidió implantar un nuevo programa de I+D. Lo llamó C+D *(Connect and Develop)*[2] y su cometido era buscar fuentes externas de innovación.

Si Lafley hubiera implantado el programa C+D y después hubiera reestructurado I+D, la aceptación de su estrategia en la empresa hubiera sido más baja, porque se hubiera percibido como una excusa para luego despedir a personal y hacer *outsourcing.* El consejo es obvio: si desea adoptar la innovación abierta, hágalo después de haber ajustado los recursos de I+D+i al porcentaje de gastos sobre ventas que estime sostenible.

El C+D se basa en el uso de la tecnología y de la Web para buscar nuevas ideas para futuros productos, y puede que sea el modelo de innovación abierta a imponerse en este siglo.

Lafley se dio cuenta de que, cada vez más, las innovaciones importantes se generaban en pymes; los individuos estaban dispuestos a licenciar su propiedad intelectual; las universidades y centros de investigación estaban muy interesados en monetizar sus trabajos y obtener fondos adicionales para investigar; Internet era la puerta a comunicarse con el talento disponible en todo el mundo. Además, empresas como IBM y Eli Lilly estaban empezando a adoptar el nuevo concepto de innovación abierta, comprando y vendiendo sus activos en innovación (productos, propiedad intelectual), cooperando inclusive con competidores.

En el año 2000 la productividad de la I+D en P&G era plana, y sin

2 http://www.pgconnectdevelop-la.com/espanhol/index.php. C+D = Conectar y Desarrollar embargo, los costes tecnológicos de sus centros de investigación no paraban de aumentar. Por otra parte, solo el 10% las patentes propiedad de P&G estaban activas. El 90% restante no tenía ningún valor para las unidades de negocio. ¿Por qué la empresa desarrollaba tantas tecnologías en lugar de solo las estrictamente necesarias? ¿Por qué no se licenciaba ese 90% de patentes a terceros, inclusive a los competidores? Era el momento de reinventar el modelo de innovación de P&G. Había que pasar del I+D al C+D.

P&G tenía experiencia en lograr grandes productos como resultado de conectar ideas entre negocios internos –*fertilización cruzada*, según definición de la consultora IDEO–. En el año 2000 un 15% de sus ideas procedían de fuentes externas. Aunque era una cifra baja, esas conexiones externas demostraban que se podían obtener innovaciones altamente rentables. De este modo, Lafley definió como objetivo conseguir que, en cinco años, el 50% de las innovaciones de P&G procediesen del exterior. Su estrategia no consistía en reemplazar a los 7.500 empleados de I+D+i de P&G, sino sacarles una mayor rentabilidad. Se explicó al personal de I+D+i que el programa C+D no iba a implicar más despidos. Por el contrario, el cambio del modelo de innovación se establecía para permitirle a P&G generar más innovaciones con menos recursos internos en I+D. El 50% de los nuevos productos vendrían de sus propios laboratorios y el 50% restante del exterior.

El enfoque de Lafley fue y sigue siendo una idea radical. Su razonamiento, en cambio, es simple. Dentro de P&G hay 7.500 científicos y fuera hay 1.500.000, cuyo talento puede ser potencialmente de utilidad. Un ratio de 200 a 1. De modo que ¿por qué inventarlo todo internamente? El objetivo consistió en innovar con 7.500 recursos internos más 1.500.000 externos.

Con un enfoque claro en las necesidades de los clientes, se identificarían ideas valiosas en todo el mundo a las que se aplicaría el I+D, la fabricación, el marketing y las capacidades de compra propias para crear mejores productos, más baratos y en menos tiempo.

No obstante, captar el pensamiento creativo de esos inventores y científicos en el exterior requería una nueva organización. Se necesitaba un cambio de mentalidad en la organización de I+D, es decir, pasar del síndrome de que *si no se ha inventado en P&G no funcionará* al de *estoy orgulloso de haber descubierto esta idea en el exterior.* En definitiva, pasar del I+D al C+D.

El modelo funciona y lo puede ver en la página web corporativa, que muestra las últimas innovaciones de P&G. Los productos resultado del programa C+D tienen un símbolo específico.

Las ventas de 2010 fueron de cerca de 79.000 M$, destinando 1.950 M$ a I+D más C+D, menos del 2,5% de gastos de I+D /Ventas. P&G pagó, tal como ha hecho en los últimos 120 años, un notable dividendo por acción (1,8 $. La acción cotiza a 60 $).

Más del 35% de sus nuevos artículos tienen elementos que se han originado fuera de la empresa y un 45% de proyectos del portafolio de nuevos productos tienen elementos clave descubiertos externamente. El programa C+D, además de mejorar otros aspectos de la innovación como las áreas de diseño y marketing, ha aumentado la productividad de I+D en casi un 60%. La tasa de éxito de innovación se ha duplicado y, por el contrario, el ratio de gastos de I+D sobre ventas ha caído.

Ⓒ Socios en la cadena de valor Pueden ser proveedores y socios en el canal de distribución. Son fuentes de ideas para innovar y nos permiten generar ambiciosos proyectos de innovación. A pesar de sus ventajas, hay que tener en cuenta un principio básico: la gente no hace nada que no tenga sentido para sí misma. Las empresas se equivocan cuando piden a un canal de ventas que priorice o colabore en un proyecto de innovación que no le repercutirá en más dinero o, por ejemplo, cuando la solución le sale más cara que el producto actual.

Un producto que es un ejemplo de este tipo de innovación abierta en la cadena de valor es Nestea®, una marca de té frío. Nestea consta de una gama de productos en base a té, que incluyen concentrados líquidos y en polvo, y botellas con bebida lista para consumir, que se venden en comercios o mediante máquinas expendedoras. La bebida viene en diferentes sabores, dependiendo del país.

El producto está fabricado por Nestlé y se distribuye por dos compañías independientes: en Estados Unidos por el departamento de bebidas de Nestlé y, en el resto del mundo, por Beverage Partners Worldwide, una *joint venture* formada por Nestlé y The Coca-Cola Company para el desarrollo de esta marca. La colaboración de las dos corporaciones ha permitido crear un producto de éxito, que compite a nivel mundial con el Lipton Iced Tea de Unilever.

Otro ejemplo de producto en colaboración en la cadena de valor, aunque de momento no haya sido un éxito, son los proyectores de cine digitales. El director y productor de cine George Lucas predijo que cuando lanzase el tercer y último episodio de la serie *La Guerra de las Galaxias* (2005) habría miles de salas de cine con proyectores digitales. Todavía no ha sido así en el momento de redacción de este libro.

El punto débil de esta iniciativa radicó en que las salas de cine no estaban dispuestas a invertir miles de dólares por unos proyectores con un período de recuperación de la inversión muy largo, a pesar de que los fabricantes de películas prefirieran la flexibilidad de las tecnologías digitales por su bajo costo, lo mismo que los estudios de cine.

La reducción actual de costes, combinada con la idea de transmitir óperas, partidos de fútbol o conciertos en alta definición y proyectarlos en salas con proyectores digitales, probablemente aumente la difusión de esta tecnología.

D **Competidores.** En la actualidad hay demasiados avances en las nuevas tecnologías como para que una empresa en solitario sea capaz de mantener los recursos para innovar en todos esos campos. Por este motivo, existen empresas que realizan inversiones en colaboración con sus competidores. Se agrupan para desarrollar nuevas tecnologías, compartir marcas, licencias o acuerdos de suministro de componentes clave.

A pesar de que puede parecer herético pensar en innovar colaborando con un competidor, la cooperación con competidores puede ser rentable para ambas partes si se produce una relación similar a la simbiosis en biología, en que ambos organismos obtienen beneficios. Eso ocurre, por ejemplo, si una empresa tiene una tecnología que encaja en una marca o en un canal del competidor.

La colaboración entre rivales requiere un profundo análisis estratégico de las fortalezas y debilidades propias y ajenas, y permite lograr un crecimiento de las ventas que sería imposible de otro modo.

Ese fue el caso de P&G y The Clorox Company, competidores en la venta de artículos para la colada y aliados para el lanzamiento de una nueva gama de productos. Concretamente, llegaron a un acuerdo por el que P&G aportaba una nueva tecnología para la fabricación de material para envolver comida y bolsas de basura, y Clorox fabricaba y comercializaba el producto bajo la marca de P&G.

Otro posible marco de innovación con competidores se produce cuando se desean compartir los gastos de I+D de un nuevo producto o tecnología por su elevado importe y/o por los riesgos asociados. También tiene sentido cuando se necesita un recurso en particular que no aporta ninguna ventaja competitiva. Por ejemplo, cuando televisiones locales comparten programas o bien recursos tecnológicos como puede ser un helicóptero.

Veamos algunas muestras de *joint ventures* que se producen entre competidores en sectores como la electrónica, las tecnologías de la información o el automóvil:

- **Sony Ericsson.** Sociedad creada en octubre de 2001 entre Sony y Ericsson para fabricar teléfonos móviles. El motivo: combinar la experiencia en electrónica de consumo de Sony con el liderazgo en telecomunicaciones de Ericsson.
- **Fujitsu Siemens Computers.** *Joint venture* fundada por Fujitsu y Siemens para fabricar ordenadores personales y ofrecer servicios e infraestructura de tecnología de la información a empresas. Se prolongó durante unos 10 años —hasta abril de 2009—, cuando Fujitsu le compró el 50% de las acciones a Siemens.
- **Renault-Nissan.** Alianza instituida en 1999, con una participación accionarial cruzada entre ambas empresas. Esta alianza estratégica les ha convertido en el 4º fabricante mundial de vehículos y les permite afrontar conjuntamente el reto del desarrollo del coche eléctrico.

E Compañías *start up*. Finalmente, las empresas pueden buscar innovación basada en nuevas tecnologías, productos o capacidades en compañías *start up*[3].

Una estrategia puede ser la adquisición de esas empresas de una manera sistemática, como hizo Cisco Systems entre 1993

3 Son empresas de reciente creación, ligadas generalmente a las nuevas tecnologías, con un bajo costo de implementación, riesgo alto y un gran beneficio potencial, gracias a la escalabilidad exponencial de su negocio.

y 2006, al ritmo de una compra de empresa cada seis semanas. Este proceso requiere la creación de un equipo de especialistas que optimice la integración de esas compañías y consiga el retorno de la inversión de esas adquisiciones.

La búsqueda de una *start up* no se debe basar exclusivamente en la tecnología o la marca, sino que quizás, una capacidad o el acceso a un canal de distribución, como lograr nuevas capacidades que nos permitan acceder a nuevos mercados, sean los aspectos más valorados.

Un segundo enfoque con las *start up* se puede basar en una alianza, o bien, en la compra de una participación minoritaria. De este modo, nuestra empresa puede aprender de un mercado emergente sin asumir riesgos innecesarios y, al navegar por nuevas aguas, puede generar nuevas ideas y estrategias para el futuro.

CASO DE ESTUDIO: ALIANZA RENAULT- NISSAN Y EL PROYECTO BETTER PLACE

Better Place es una compañía *start up* con sede en Palo Alto (California). Se creó en octubre de 2007 con el soporte financiero de fondos de capital riesgo. Su objetivo fundacional consiste en reducir la dependencia mundial del petróleo mediante la creación de una infraestructura de transporte que sirva de apoyo a los vehículos eléctricos. Su nombre se deriva de una pregunta que Klaus Schwab planteó en el Foro Económico de Davos en el año 2005: "¿Qué harán ustedes para que el mundo sea un *better place* (lugar mejor) en el año 2020?"

La empresa ha mantenido conversaciones en más de 30 países de todo el mundo para la implantación de redes de servicio para vehículos eléctricos. La compañía inauguró en Israel –diciembre de 2008– su primera estación de recarga eléctrica funcional, donde está construyendo su primera red de servicios para vehículos eléctricos. También ha elegido a Dinamarca para realizar pruebas de mercado, debido al tamaño reducido de su territorio. Los dos países en los que se ha implantado Better Place ya han promulgado leyes que otorgan un incentivo fiscal a los vehículos con cero emisiones, con el objetivo de acelerar la transición hacia los vehículos eléctricos. Better Place prevé implantar la misma infraestructura país por país empezando este año y esperando culminar la operación comercial en 2012.

La alianza Renault-Nissan acudió a esta compañía *start up* y en 2008 firmaron un acuerdo de colaboración para desarrollar un vehículo eléctrico para el mercado en Israel, país donde el 90% de los automovilistas recorren menos de 70 Km. diarios y donde la distancia entre los principales centros urbanos no supera los 150 km. De ese modo el vehículo eléctrico podría ser el medio de transporte ideal que satisfaga la mayoría de las necesidades de la población en materia de transporte.

Bajo este convenio de cooperación Better Place construirá la red de servicios de recarga y Renault-Nissan desarrollará los vehículos. La solución propuesta es la respuesta al desafío que el gobierno israelí ha lanzado a la industria del automóvil y sus proveedores, para hacer evolucionar las infraestructuras de transporte de dicho país hacia la utilización de energía renovables. Es la primera vez en la historia que se cumplen todas las condiciones necesarias para el éxito de la comercialización a gran escala de vehículos eléctricos. El gobierno de Israel proporcionará a los clientes ventajas fiscales, Renault-Nissan proveerá los vehículos eléctricos y Better Place construirá una red eléctrica de recarga de baterías en todo el territorio israelí.

Este proyecto de coche eléctrico tiene cuatro elementos diferenciadores que innovan en diferentes aspectos:

- **Vehículos 100% eléctricos:** todas las funciones utilizarán exclusivamente la electricidad. El objetivo de emisiones cero se alcanzará con idénticas prestaciones a las de un vehículo de gasolina de 1, 6 litros.
- **Un modelo económicamente innovador:** es la primera vez que la

adquisición del vehículo y las baterías se hará por separado. Los consumidores comprarán su vehículo y suscribirán un contrato para el suministro de energía, que incluirá el uso de una batería intercambiable y un plan de recarga facturado en base al kilometraje anual previsto. Renault-Nissan espera vender en Israel entre 10.000 y 20.000 coches eléctricos anuales.

• **Un coste de utilización competitivo:** el gobierno israelí ha otorgado hasta 2019 una ventaja fiscal por la compra de todo vehículo con cero emisiones. Teniendo en cuenta que el coste de la electricidad es inferior al de las energías fósiles y que el vehículo estará garantizado durante todo su ciclo de vida, el coste de utilización total para el cliente será inferior al de un vehículo con motor térmico, si se calcula sobre el ciclo de vida completo del vehículo.

• **La infraestructura de la red de recarga:** Better Place construirá una red de 500.000 puntos de recarga en todo el territorio israelí. La autonomía ya no será así un obstáculo. Un sistema informático indicará al conductor la cantidad de electricidad disponible y el punto de recarga más próximo.

Nissan, en colaboración con NEC Tokin Corp, ha diseñado una nueva batería de litio-ión intercambiable y se encargará de su fabricación a gran escala. Para evitar el problema de tener que esperar unos 30 minutos para completar la recarga de la batería, Renault se ha comprometido a invertir 600 M$ en el desarrollo del Renault Fluence Z.E., su primer vehículo de emisión cero con batería intercambiable. El uso de baterías intercambiables permite acudir a una estación de intercambio de baterías y, en menos tiempo de lo que invertimos en recargar el depósito de combustible, nos cambiarán la batería agotada por una cargada.

La alianza Renault- Nissan colabora con Better Place en Francia, en otro proyecto similar con la compañía eléctrica EDF, que creará una red de estaciones de recarga de baterías por todo el país. Participan en un proyecto experimental de 100 vehículos eléctricos en Yvelines, con EDF y Schneider, que implantará la infraestructura de la red de recarga y los sistemas de gestión de la energía. Better Place instalará y gestionará las estaciones de intercambio de baterías.

Carlos Ghosn, CEO de Renault-Nissan, afirma que la alianza de ambas empresas ha resultado clave en el desarrollo de su coche eléctrico, porque aunque ambas compañías podrían haber diseñado el producto por separado, duda de que hubiera sido un éxito. Ambas se necesitaban mutuamente en temas relacionados con la estrategia y el modelo de negocio, la fabricación de baterías y la infraestructura de recarga de vehículos, y en ese sentido Better Place ha resultado ser un socio valiosísimo.

Según palabras de Ghosn:

"Hemos decidido introducir vehículos de emisiones cero tan rápido como sea posible, a fin de garantizar la movilidad individual frente a la perspectiva de precios del petróleo más altos y para una mejor protección medioambiental (...).

No creo que ni Renault ni Nissan hubiesen sido capaces de lanzar con éxito un vehículo eléctrico por separado. Uno puede lograr solo un vehículo eléctrico. Pero no puede obtener resultados estando solo en el sistema de negocio del coche eléctrico: las baterías, el reciclaje, los vehículos, la infraestructura, la negociación."

---

6. Cocreación o innovación distribuida con expertos en Internet

La innovación abierta obtenida mediante la participación de especialistas externos recibe un nombre específico: cocreación. Bajo este término se engloba la colaboración entre empresa e individuos expertos, en una relación basada en lograr beneficio y valor mutuos, en algunos casos exclusivamente por prestigio social. Es una evolución de la *innovación abierta*, que pasa de una relación entre empresas a una relación entre empresa e individuos.

Fue la consultora McKinsey quien se refirió en 2008, por primera vez, a esta práctica usando el término *cocreación distribuida*, aunque advirtiendo que era demasiado prematuro prever su evolución. En la actualidad McKinsey considera que es la principal tendencia de negocio a seguir facilitada por la tecnología.

La ola de Internet conocida como Web 2.0 ó web de las redes sociales, ha evolucionado facilitando el *crowdsourcing*. Este concepto consiste en canalizar el conocimiento o ideas de expertos, que actúan en colaboración desde Internet, para resolver un problema.

La innovación distribuida o colaboración de expertos externos para participar aportando sus conocimientos en proyectos expuestos en la red sería un paso más.

Wikipedia.org

Wikipedia es uno de los mejores ejemplos de éxito de la colaboración distribuida, en este caso para la creación de contenidos. Wikipedia sería una muestra de *crowdsourcing*, aunque a Jimmy Wales, su cofundador, no le gusta el término. Él considera que usa como fuente de información a una multitud, a miles de personas que colaboran, de modo distribuido, contribuyendo con sus artículos, imágenes, revisiones, etc., logrando con sus acciones puntuales que Wikipedia contenga cada vez más conocimiento en varios idiomas.

Si bien es cierto que tiene sus detractores, bajo unos mecanismos de control adecuados, el *crowdsourcing* representa un método para lograr información o captar la solución óptima a muchos problemas. La importancia del *crowdsourcing* radica en la posibilidad de colaboración de profesionales experimentados, que pueden realizar el trabajo de forma entusiasta.

Linux.com/community

La comunidad de desarrollo de OSS (*Open Source Software* o software de código abierto) basado en Linux es un claro ejemplo de innovación distribuida y aporta un nuevo modelo de organización para la innovación. La colaboración informal entre los desarrolladores ha permitido el desarrollo de un sistema operativo que ha evolucionado a lo largo de casi dos décadas, con contribuciones de los miembros de la comunidad, sin una gestión de proyecto explícita. Aunque su fundador, Linus Torvalds, tiene la última palabra sobre qué se incorpora al núcleo del sistema operativo, gran parte del desarrollo es orgánico, determinado por las acciones de los miembros de la comunidad.

Threadless.com

La página web www.threadless.com es una tienda de venta de camisetas en línea fundada en Chicago en el año 2000. Su peculiaridad consiste en aglutinar una comunidad de diseñadores que cada semana colaboran con unos 1.500 nuevos diseños, donde los visitantes y los miembros de la comunidad los puntuan de 0 a 5.

Semanalmente, el personal de la empresa selecciona unos 10 modelos para su fabricación. Cada diseñador seleccionado recibe un premio de 2.000$ y un cupón regalo de 500$, que recibirá cada vez que se haga una nueva producción, en el caso de que se haya agotado la tirada inicial.

Threadless es un ejemplo de *crowdsourcing* que se traduce en la cocreación de nuevos productos.

Desde 2006 también vende modelos de diseñadores profesionales, que se fabrican sin pasar por el filtro de selección semanal. En 2007 Threadless abrió una tienda física, donde cada viernes presenta y vende la nueva colección.

InnoCentive.com

Para problemas complejos de I+D+i resulta difícil identificar y contratar a expertos científicos en Internet. Porque, ¿cómo localizarlos?

CASO DE ESTUDIO: INNOCENTIVE.COM O COLABORACIÓN GLOBAL

InnoCentive.com –IC en lo sucesivo– es el eBay del mundo de la innovación. Se trata de un mercado de la innovación abierta ubicado en Internet. Fue fundado en 2000 como un *spin-off* –empresa salida de otra empresa o proyecto– de la farmacéutica Lilly, que actuó como incubadora de su modelo de negocio. Su entonces vicepresidente de I+D, Alph Bingham, razonó que una compañía que pudiera conectar diversos científicos externos con problemas externos podría ser la respuesta a algunos de los desafíos de productividad científicos, tanto en las empresas farmacéuticas como en otros sectores.

En una década, InnoCentive se ha convertido en una compañía especializada en innovación abierta, que acepta como encargos la resolución de problemas de I+D+i en campos como la biología/farmacia, química, física, ingeniería/diseño, negocios, matemáticas/informática, etc.

La innovación del modelo de negocio IC ha consistido en generar un sistema para conseguir la colaboración de tantas mentes como sea posible, actuando de forma competitiva entre ellas. En otras palabras, su visión de la cocreación se basa en la competencia, en lugar de la colaboración. Su mensaje es: *Contrate al mundo para resolver sus problemas.*

InnoCentive Challenges es el canal por el que las empresas, también llamadas *Seekers* –buscadores–, cuelgan, previo pago de unos 15.000$, el Desafío –*Challenge*–. El personal de IC, unas 30 personas, ofrece apoyo en la redacción del Desafío y sus objetivos, con el fin de que sea comprensible para expertos de otros sectores. La publicación en la web de IC del Desafío, se acompaña de la fecha límite para presentar una solución y del anuncio de que quien presente la fórmula ganadora, recibirá una recompensa económica por parte de la empresa ofertante, a cambio de sus derechos de propiedad intelectual, que cederán.

El premio depende de la magnitud del desafío y oscila, habitualmente, entre 10.000$ y 100.000$, aunque puede llegar a cantidades que superen el millón de dólares.

La comunidad de innovación abierta de IC, la *Global Solver Network*, constituida por los *Solvers* –los Solucionadores– se encarga de estudiar los Desafíos. La tasa de éxito de los Desafíos hasta la fecha es de un 45%. Los enunciados se presentan a una comunidad global de 135.000 expertos, en 175 países, que aportan soluciones *listas para generar ideas para el negocio.* La realidad es que la mitad de los *Solvers* están en China, India y Rusia y que solo han ganado premios expertos procedentes de 40 países.

No se trata de una red de aficionados, si no de profesionales con distintos estudios y experiencias. El 40% de los *Solvers* están doctorados. No existe filtro previo para registrarse en la comunidad. Cualquiera en el mundo puede hacerlo: empleados, estudiantes, académicos, jubilados, etc. InnoCentive es una red de cocreación compitiendo entre sí en busca de un premio y del reconocimiento de la comunidad.

Los *Solvers* deciden voluntariamente el Desafío en el que quieren trabajar. Se les abrirá una *Project Room* virtual donde únicamente recibirán soporte del personal de IC.

Los *Solvers* trabajan en los desafíos independientemente unos de otros, no hay colaboración entre ellos. Tampoco conocen quién es la empresa que planteó el desafío. El contexto de resolución de los Desafíos vía el personal de IC garantiza el anonimato, algo sagrado hasta que los retos son resueltos.

El promedio de *Solvers* por Desafío es de 200, de los que solo unos 10 acabarán enviando una solución. El personal de IC filtra los resultados y se los remite a la empresa –*Seeker*–, que pasa de la perspectiva de *tener un problema a evaluar soluciones de un problema.*

Los *Solvers*, además del premio, tienen otras motivaciones intrínsecas para participar en este tipo de retos: se sienten satisfechos por recibir reconocimiento, por haber logrado la resolución de un problema complejo y por ayudar al mundo, en función del tipo de Desafío que hayan resuelto (ecológico, médico, etc.). IC recibe una comisión de los premios que las empresas pagan. ¿Le suena todo esto extraño y cree que no tiene utilidad práctica?

Estas son algunas de las empresas que han utilizado los servicios de InnoCentive: P&G, Lilly, Janssen, Solvay, Fundación Rockefeller, Corona, SunNight Solar, Oil Spill Recovery Institute, Asset India, GlobalGiving, SAP, SCA, Syngenta, etc.

Un reciente estudio de la consultora Forrester Research para un cliente de InnoCentive Challenges, estima un ROI –retorno de la inversión– del 80% y un período de *payback* –plazo de recuperación de la inversión– de 2,3 meses, para un coste del proyecto resultante de aplicar la solución de 743.000$.

IC ofrece dos nuevos productos a las empresas –InnoCentive's Enterprise Solutions–, para los que un estudio hecho en Syngenta por Forrester Research estima un ROI del 182% y un período de *payback* de menos de dos meses:

Ⓐ InnoCentive ONRAMP: Servicios de consultoría para ayudar a las empresas a adoptar la Innovación Abierta, y

Ⓑ InnoCentive@Workweb: Una web de entorno colaborativo que se ofrece a las empresas para que creen su propia comunidad de cooperación para la resolución de problemas.

Existen diferentes medios donde contactarlos, aunque una opción práctica en la última década, y que les aconsejo, es recurrir a compañías en Internet como InnoCentive, que acepta encargos de las empresas para la resolución de problemas científicos y les facilita soluciones a través de una red mundial de expertos voluntarios asociados.

7. Innovación con una comunidad de usuarios

Los consumidores tendrán un rol cada vez más relevante en la innovación. Las comunidades de usuarios en Internet serán cada vez más populares como fuente de innovación de nuevos productos. Se están utilizando en el diseño de productos digitales, de electrónica de consumo e incluso en el diseño de nuevos servicios, generando un nuevo modelo de innovación. Permítame explicar el concepto con un caso de estudio real.

CASO DE ESTUDIO: LEGO CUUSOO Y SU COMUNIDAD

Paul Smith Meyer, director de desarrollo de nuevos negocios en LEGO, explica cómo algunos de sus usuarios son fuente de innovación para nuevos productos. LEGO tiene unos 150 diseñadores propios y unos 32 millones de usuarios. A un 10% de estos les gusta personalizar sus *Legos* y aportar nuevos diseños. Se puede comprobar examinando en YouTube los numerosos videos realizados con personajes construidos con piezas LEGO. Si de estas ideas solo un 0,001% tuvieran éxito, afirma Meyer, obtendríamos 3.200 nuevos productos.

Elephant Design es una empresa japonesa cuyo objetivo es convertir en realidad un producto deseado por consumidores potenciales y que todavía no existe en el mercado. El origen de su curioso nombre deriva de la multifuncionalidad de la trompa del elefante, pues le sirve para respirar, coger comida y absorber agua con la que ducharse. En este sentido, el elefante se convierte en un símbolo de aplicaciones y usos innovadores de cualquier producto existente.

El *diseño elefante* se refiere, pues, al concepto de promover nuevas aplicaciones basadas en las necesidades individuales. Elephant Design recibe ideas de los miembros de su comunidad a través de su página web. Las más populares en la comunidad, es decir, las que reciben más votos en la web, son propuestas por Elephant Design a diversas corporaciones asociadas (Mitsubishi Electric, NEC, Sony, etc.), que colaboran en el diseño y conceptualización del nuevo producto.

Uno de esos asociados es LEGO, con el que pusieron en marcha una plataforma conjunta en Internet, LEGO CUUSOO –www.cuusoo.com/LEGO/– a través de la cual los clientes y fans de LEGO hacen propuestas de personalización de los productos del catálogo o bien de nuevos productos inventados por ellos.

Los clientes comparten esa idea con la comunidad en forma de *deseo*. Cuando una propuesta o *deseo* obtiene más de 1.000 votos de los clientes registrados, LEGO acepta diseñar, fabricar y lanzar ese producto, y el cliente que propuso la idea recibe un royalty de las ventas. Un caso de éxito ha sido el juguete Submarino Shinkai.

La plataforma CUUSOO ha generado otros productos de éxito de ventas, como un sofá por el que su autor obtiene unos 24.000$ de royalties anuales.

La cocreación de productos es un proceso de marketing que funciona a la inversa del modelo tradicional. Aquí es el cliente quien formula un concepto que se promociona y que, en caso de popularidad, se diseña y fabrica.

---

8. Equilibrio innovación / riesgo

Es fácil detectar si alguien que habla o escribe sobre la innovación ha sido un auténtico innovador en su vida profesional: observando simplemente si la asocia o no a la incertidumbre y al riesgo, factores ambos que están siempre presentes en los procesos de innovación. Eso no significa que seamos cobardes, simplemente somos realistas, porque hemos experimentado el éxito y también el fracaso a la hora de innovar. Bill Gates afirma en uno de sus libros que aprendió más de sus errores que de sus éxitos.

INNOVACIÓN = INCERTIDUMBRE = RIESGO

Innovar es arriesgado porque tiene un alto grado de incertidumbre. Un gran número de empresas evitan la innovación porque tienen pánico al riesgo de perder los fondos que destinen a I+D+i.

Las nuevas tecnologías nos ofrecen muchas más oportunidades para innovar en productos y mercados de las que jamás habríamos podido soñar. Podemos ser conquistadores de nuestros mercados. Por otra parte, si innovamos en un producto radicalmente nuevo, no habrá nadie a quien podamos seguir ni que nos marque el camino: dependemos solo de nosotros mismos, como les ocurre a los pioneros, y seguramente nos enfrentaremos a riesgos técnicos y comerciales. Es la amenaza del innovador y del empresario emprendedor.

No obstante, lo cierto es que muchos de pioneros tampoco tenían mucho que perder y sí mucho por ganar. Si no es ese su caso como emprendedor, necesita buscar el equilibrio entre innovación y riesgo.

El grado de aversión al riesgo del director general suele determinar el mix de innovación radical o incremental de la cartera de proyectos de la empresa. Por este motivo, el propietario o el consejo de administración deben prestar mucha atención a cómo se invierte el presupuesto de I+D+i de la empresa, en especial porque, como la historia demuestra, es mucho más fácil tomar decisiones arriesgadas con el dinero ajeno.

Mi consejo es tratar el portafolio de proyectos de I+D+i como una cartera de valores financieros, que tiene un porcentaje de *renta fija* —innovación incremental— y uno de *renta variable* —innovación radical—. No hay que descartar proyectos de innovación radical, sino ser muy cuidadoso con las capacidades financieras de la empresa.

9. La curva de experiencia

En algunas escuelas de negocios se enseña el concepto de *curva de experiencia*. Lo popularizó la consultora BCG —Boston Consulting Group— en los años 70 y, como la música de los Beatles, sigue teniendo sus fans, entre los que me incluyo.

La curva de experiencia se representa como una recta decreciente que muestra la relación entre la experiencia —la producción acumulada en un sector— y la caída de sus costes unitarios —en divisa constante—. Con esta representación gráfica se refleja una característica común: cuanto más se repite una tarea, menos coste nos lleva hacerla. La curva de experiencia se convierte en una expresión matemática, dándole así un poder predictivo.

La curva de experiencia es el principio general que da sentido a una frase tan famosa como la *Ley de Moore —el número de transistores en un chip se duplica cada dos años—*, lo que nos ha permitido disponer en nuestros hogares de ordenadores personales con capacidades de proceso 1.000 veces superiores a las computadoras que usaban los ingenieros hace veinte años, y a un menor precio.

La curva refleja una amplia variedad de esfuerzos por reducir los costes. Las empresas crecen, disfrutan de economías de escala e introducen tecnologías más eficientes, con objeto de mejorar la productividad. Innovan en sus procesos de producción y de distribución, en sistemas informáticos que reducen el personal indirecto. Innovan en su cadena de suministro y logran que sus proveedores les reduzcan los precios gracias a un mayor volumen.

Una curva de experiencia se expresa como un porcentaje igual al 100% menos el porcentaje de reducción de coste si se dobla la producción. Ejemplo: en el sector de los ordenadores personales se estima que la curva de experiencia es del 77%, es decir, si usted dobla la producción sus costes se reducirán en un 23%. La mayoría de productos se situan entre el 70% y el 80%, aunque un informe del año 2008 sobre 73 productos y servicios otorgaba curvas entre el 49 y el 99%.

Note que los porcentajes pueden ser parecidos entre nuevos productos y productos maduros. Lo que ocurre es que, con los primeros, doblar la producción es muy rápido en el tiempo y no lo es en el caso de productos maduros.

Uso estratégico

El concepto de curva de experiencia tiene una gran utilidad para los directivos porque les permite gestionar los costes y los precios. De este modo, pueden adoptar una agresiva política de aumento de cuota de mercado, primero ajustando sus márgenes en busca de mayor volumen de producción acumulada —experiencia— y, segundo, reduciendo sus costes por efecto de esa experiencia.

En definitiva, la aplicación de la curva les permite mejorar los márgenes o mantenerlos, reduciendo aún más los precios, para así incrementar aún más el volumen de producción y seguir moviéndose por la *curva de experiencia*, obteniendo mejores costes y logrando una realimentación positiva del proceso. La estrategia es simple: *reducir costes y precios sistemáticamente*. Cabe advertir que la curva de experiencia no determina lo que ocurrirá. Eso depende de usted.

Si tomamos los mayores competidores en un determinado mercado, sus costes son el resultado de su producción acumulada. El fabricante que tenga los costes más bajos porque tenga una mayor producción acumulada —si asumimos que ha sido capaz de gestionar agresivamente sus costes, obviamente—, podría incluso pedir un mayor precio que sus competidores por su mejor calidad y reputación pero, si decide trasladar sus menores costes al mercado, puede moverse más rápido por la curva de experiencia. En todo caso será el más rentable y eso le permitirá dedicar más recursos en valor absoluto a innovación, a I+D+i, a marketing, a mejorar los procesos de producción y distribución, a calidad, lanzando nuevos productos al mercado con mejores prestaciones. Si esos nuevos productos tienen éxito, eso le permitirá moverse todavía más rápido en la curva de experiencia, porque parte con la ventaja adquirida, su experiencia.

También podrá decidir si sus competidores que se sitúen más atrás en la curva de experiencia y tengan mayores costes, siguen o no en el negocio. Si usted es el director general de una empresa con mayores costes, su destino está en manos del líder de su mercado, es decir, del que goza de economías de escala por su mayor experiencia acumulada.

CASO DE ESTUDIO: LUXOTTICA, LÍDER EN COSTES

La empresa italiana Luxottica se dedica al diseño, fabricación y comercialización de monturas de gafas graduadas y de gafas de sol. Su modelo de negocio consiste en la integración vertical completa en el área industrial, desde el diseño a la fabricación. En 2008 facturó 5.200 M€ y tenía una plantilla de 60.000 empleados.

Su fundador y presidente, Leonardo Del Vecchio, empezó de aprendiz en una fábrica de moldes para monturas y, en 1958, con 23 años, creó su propio taller de moldes. Inició su actividad como un *contract manufacturer*, con 14 empleados en 1961, y rápidamente pasó a crear sus modelos propios y a competir con sus clientes.

Innovación en los procesos

En 1967 creó la marca Luxottica y se especializó en la producción y venta de monturas de gafas. Desde los años 70 apostó por la aplicación de nuevas tecnologías al diseño y fabricación, innovando en el proceso, lo que le dio ventajas competitivas en costes, en particular en la fabricación de lotes pequeños. Este factor sería cada vez más significativo a medida que las tendencias cambiantes del mundo de la moda impactaron en el sector, reduciendo el ciclo de vida de los productos.

En 1974 compró su distribuidor en Italia y en los años 80 creó sus filiales distribuidoras en Europa y Estados Unidos. Y en paralelo al desarrollo de su integración vertical, aumentó su línea de productos para incluir el diseño, fabricación y distribución de monturas bajo licencia de marcas del sector de la moda. La hipótesis de Del Vecchio consistía en que un cliente quizás no tendría dinero para llevar un traje de Armani pero sí lo tendría para comprarse unas gafas de Armani.

En 1995 lanzó una OPA hostil en Estados Unidos para adquirir la cadena de ópticas LensCrafters, con 870 puntos de venta, convirtiéndose en el primer fabricante que entraba directamente en el canal minorista. Inicialmente, en Estados Unidos solo vendía directamente a las ópticas o a través de sus distribuidores. Eliminando al intermediario, Luxottica captaba un margen en cada elemento de la cadena de valor del negocio.

Su adquisición más famosa sigue siendo la de la marca Ray-Ban, en 1999. Nueve años más tarde, en 2008, el 40% de todas las unidades vendidas por Luxoticca eran de la marca Ray-Ban, la número uno en ventas. El camino no fue fácil, la marca se había desprestigiado en Estados Unidos porque se vendía en multitud de tiendas a bajo precio.

La estrategia de Luxottica para recuperar Ray-Ban consistió en el cierre de la fábrica de Estados Unidos durante seis meses, a fin de que las tiendas agotasen los stocks. La distribución se volvió a abrir con la importación de gafas de sol de calidad fabricadas en Italia. El producto se vendía exclusivamente en tiendas especializadas y a un precio mínimo de venta, con el apoyo de campañas publicitarias, destinadas al público joven, que servían para relanzar la marca. El producto se orientó principalmente al mundo de la moda, con 3-4 colecciones cada año. Antes de producir los modelos en serie, eran testeados en el mercado, de forma que podían adaptarse rápidamente a las tendencias.

Su liderazgo global en el sector se logró en el siglo XXI, con la compra de otras cadenas de ópticas en Norteamérica (Sunglass Hut, Pearle Vision, Oakley, etc.) y en China. En Europa no está presente en el canal minorista. En 2011 cuenta con 6 fábricas en Italia –75% de la producción–, 2 en China que concentran las líneas de producción con más mano de obra y 1 en Estados Unidos.

Según del Vecchio, la única manera de tener una alta calidad es controlar todo el proceso productivo e innovar continuamente en nuevas tecnologías de proceso, que permitan aumentar la calidad y la productividad. Por eso en Luxottica diseñan y fabrican sus propios moldes y matrices. Pero, por otra parte, este enfoque de innovación en proceso ha requerido cuantiosas inversiones para lograr esa capacidad productiva.

Innovación en el modelo de negocio

Su modelo de negocio de integración vertical es la plataforma común para un portafolio de unas 30 marcas –12 propias–, 65% de las ventas (Luxottica, Vogue, Ray-Ban, etc.) y el resto bajo licencia de explotación (Bulgari, Chanel, D&G, Tiffany & Co., etc.). Estas últimas están gestionadas por equipos independientes, con una misión, una proposición de valor y un marketing mix distintos. Cada equipo trabaja con los departamentos de marketing y de diseño para desarrollar colecciones de 20 a 40 modelos por marca, generando más de 3.000 modelos al año.

La estrategia de del Vechio siempre ha consistido en abandonar el segmento de precios bajos y dedicarse a los mercados de precios medios y *premium*. Gracias a su integración vertical completa en Estados Unidos y a la fabricación en varios continentes, Luxottica ha logrado economías de escala que consolidan su liderazgo en costes. Su integración horizontal le ha llevado a incrementar sus marcas con acuerdos con los líderes del mundo de la moda, de forma que le ha permitido vender en el segmento de precio *premium*.

Sus resultados económicos excelentes le permiten mantener una posición de liderazgo mundial y manifiestan el impacto en la competitividad empresarial de la innovación en proceso, la búsqueda de economías de escala para beneficiarse de la curva de experiencia, y la innovación en nuevos modelos de negocio.

---

10. Innovación en producto

Enfóquese en la productividad. Haga de la reducción de costes del producto su religión. No me refiero a deslocalizar la producción para reducir los costes laborales, decisión que tiene su impacto social, además de posibles costes logísticos y de reducción de calidad, sino a innovar en producto usando el área de diseño, de I+D+i y de ingeniería de producto, como factor clave en la reducción de costes directos e indirectos. ¿Por qué? Porque en la mayoría de los productos de consumo duraderos el coste es, en su mayor parte, el coste de los materiales y, a su vez, éste depende del diseño del producto.

Tenemos cuatro factores en la innovación de producto que nos pueden permitir reducir los costes finales:

1. Analizando si la función que le damos al cliente se puede resolver con una tecnología más simple y de menor coste: el denominado *análisis del valor* del producto.
2. Creando múltiples variantes de un producto básico para compartir plataformas entre productos.
3. Estandarizando las soluciones, los componentes, eliminando la diversidad innecesaria y creando módulos que se utilicen en distintos productos. Puede que ello implique aumentar algo los costes del producto, añadiendo elementos redundantes innecesarios, pero reducirá la diversidad, la complejidad del número de referencias que se gestionan en su empresa.
4. Innovando en el proceso productivo, colocando la diversidad del producto al finalizar el proceso, cuando se personaliza el producto para el cliente final.

¿Por qué el modo en cómo diseñamos el nuevo producto afecta a los costes operativos? Porque los proveedores de elementos o módulos comunes se pueden mover por su curva de experiencia de forma más rápida que los proveedores de elementos que personalizan el producto. De este modo, pueden ofrecer unos menores precios.

En definitiva, es esencial disponer de diseños de producto adecuados para un proceso productivo donde la diversidad se añada al final del proceso. En este sentido, la parte común entre los diferentes productos de la gama tiene cada vez menores costes gracias a que su proveedor se mueve rápidamente a lo largo de su propia curva de experiencia.

11. Los plazos de la innovación radical

Las innovaciones tecnológicas que representan un cambio radical o fundamental de nivel, una ruptura *—breakthrough—* en las prestaciones de los productos, han requerido la inversión continua en I+D+i durante años, incluso décadas, siendo la combinación directa del esfuerzo de dos tipos de visionarios, los tecnólogos por una parte y los capitalistas que apostaron por esas tecnologías.

Es condición necesaria, aunque insuficiente para el éxito, que ambas visiones se encuentren en un ámbito de confianza mutua, porque este entendimiento se debe sostener a largo plazo. Si usted no está dispuesto a perseverar tanto, apueste por las innovaciones incrementales.

CASO DE ESTUDIO: NESPRESSO, 21 AÑOS PARA EL *BREAK EVEN*

Nespresso, la máquina dispensadora de café recién hecho, tiene una larga trayectoria. La tecnología que hay detrás de este sistema, compuesto por una máquina y las cápsulas de café, surgió en el Instituto Battelle de Investigación, en Ginebra, Suiza. Nestlé adquirió la patente en 1974 y realizó el primer test de mercado ocho años después, en 1982, con la instalación de 8 máquinas en restaurantes suizos. Ese retraso se debió a los problemas y costes de producción, así como la variabilidad en la calidad del café. Ese test fue un fracaso y por ello se cambió el mercado objetivo y se orientó al de máquinas de vending en oficinas.

Para que el negocio pudiera desarrollarse dentro de Nestlé —especialista en el café instantáneo— se tuvo que crear una nueva empresa: Nestlé Coffee Specialties (NCS), que fabricaría las cápsulas en una línea de producción especial, con comerciales y una red de distribución totalmente separada de Nestlé.

El diseño de las máquinas fue realizado conjuntamente entre Nestlé y una empresa de diseño suiza. La producción la llevaría a cabo Turmix. Por otra parte, Sobal, una compañía presente en el mercado de café para oficinas, fue la primera en comprar las máquinas a Turmix y las cápsulas a NCS para venderlas en Italia y Suiza. Otras empresas de vending la imitaron. La máquina se vendía por 800 francos suizos. A finales de 1987 solo se había vendido la mitad de la producción de máquinas y todos los implicados perdían dinero. En Nestlé seguían preguntándose cómo vender las cápsulas en el supermercado.

En 1988 Nestlé fichó a un directivo externo, algo inusual en el grupo, Yannick Lang, de 33 años, para que aportase ideas nuevas que salvasen el incipiente negocio de Nespresso. Lang había catapultado las ventas de ropa de Marlboro Classics (Philips Morris). De esta manera, Nestlé le dio un año para triplicar las ventas en Suiza. Lang se enfocó en el mercado de los hogares y abandonó el de oficinas. Se hizo un test para vender 100 máquinas en Suiza y solo se vendieron la mitad. Lang no se desanimó. Cambió el mercado objetivo a los hogares de alto poder adquisitivo. Creía en el sistema. Estaba convencido del éxito. Creía en la necesidad de asumir riesgos, que la barrera a la innovación en Nestlé era la excesiva percepción del riesgo y que había que crear un clima en la empresa en el que cualquiera pudiese ser innovador, aunque solo mostrara pasión por sus propias ideas.

Lang tenía coraje y temperamento. Un individuo difícil de tratar según algunos, aunque de gestión impecable. Era capaz de trabajar bajo presión y de perseverar frente a sus colegas escépticos.

Hasta entonces NCS no ganaba dinero con las máquinas. Lang llegó a acuerdos con seis fabricantes mundiales.

No obstante, su mayor aportación personal fue la creación, en 1990, del Nespresso Club, el primer canal de marketing directo de Nestlé, al que se inscribirían los compradores de las máquinas. Durante el primer año se incorporaron 2.700 miembros en Suiza, Francia, Japón y Estados Unidos. En España se abrió el club en 1996. En 2003 se llegó a los 800.000 afiliados en todo el mundo.

En aquella época Lang no invertía nada en publicidad, a diferencia de lo que ocurre en la actualidad, el Club era el único medio de comunicación. La base para promover el sistema Nespresso era la comunidad de sus fieles clientes que expresaban una excelente opinión del producto.

Lang llegó a acuerdos con compañías aéreas y restaurantes de lujo para servir el producto. Además, formó e incentivó a los vendedores de las tiendas que comercializaban las máquinas.

En 1995, finalmente, se había logrado el *break even* del proyecto, 21 años después de la compra de la patente. La innovación radical había requerido tiempo y paciencia, así como el fuerte liderazgo de alguien que apostaba por un clima que fomentase la innovación en todos los ámbitos de la empresa. A partir de entonces NCS ha sido una de las divisiones de mayor crecimiento y de mayor rentabilidad en Nestlé.

Los sucesores de Lang, directivos de toda la vida en Nestlé, han utilizado fuertes inversiones en publicidad para conseguir que el sistema Nespresso, un producto y una estrategia probados, se mantenga como el líder mundial del segmento de café en cápsulas.

---

12. Innovación incremental o las múltiples variantes del producto

Innovación incremental

La mayoría de nuevos productos o servicios son simples mejoras de los existentes. Siempre que la publicidad de un producto anteponga el prefijo "nuevo", apueste por lo contrario: el producto no es novedoso.

Si hablamos de mejoras en productos existentes, si adoptamos la denominada innovación incremental según los académicos, el riesgo inversor es menor, obviamente, que si pretendemos una innovación radical, porque si el nuevo producto o servicio mejorado no funciona, bastará con rehacerlo con nuevas funciones o características.

El ensayista y financiero estadounidense Nassim Taleb identifica a la empresa Google como *cisne negro*, es decir, un hecho inesperado e improbable que ocurre una vez de cada dos vidas. Para este autor, un *cisne negro* es una rareza que produce un impacto tremendo y, por ello, la naturaleza humana hace que inventemos explicaciones de su existencia después del hecho, no antes; gracias a lo cual, parece que se haga explicable y predecible.

Comparto su opinión sobre Google, de modo que mi consejo es que no intente gestionar la innovación imitando un modelo impredecible. En realidad lo óptimo sería lograr un éxito apostando por el riesgo —innovación radical— y luego mantener esa ventaja competitiva mediante la aplicación de mejoras continuas sobre ese nuevo producto, en una actitud más conservadora.

Para que la innovación incremental funcione, el producto o servicio debe aportarle al cliente un mayor valor percibido, por el que esté dispuesto a pagar. Tenga en cuenta que los hábitos hacen difícil el cambio a un nuevo producto, excepto si ese producto le ofrece suficientes ventajas al consumidor como para que se atreva y dé el salto.

En mi experiencia diseñando productos en los sectores de la electrónica de consumo y del aire acondicionado, si queremos que el cliente adopte un nuevo producto y éste sea un éxito de ventas, debemos lograr una mejora de innovación en como mínimo dos de las cinco siguientes características claves para el cliente:

- Facilidad de uso
- Prestaciones básicas
- Precio
- Diseño
- Consumo energético

Kaizen

El enfoque de innovación incremental tiene un término japonés asociado: *kai-zen*, —probablemente el lector lo haya visto utilizado para referirse a actividades de mejora de fabricación—, formado por dos kanjis —caracteres japoneses que expresan un concepto—: *kai* = cambio y *zen* = bueno. La combinación de los dos conceptos suele traducirse como mejora o mejora continua:

KAY		**Aratameru** Cambiar, modificación, convertir, renovar, reformar, rectificar, mejorar, renovarse **Aratamete** Otra vez, de nuevo, formalmente
ZEN		**Yoi** Bueno, bondad, estar entrenado, de acuerdo.
KAY-ZEN		**KAY-ZEN = MEJORA**

Si quiere aumentar la cifra de ventas de un negocio basado en productos que estén en su fase de madurez, le recomiendo que adopte una estrategia de innovación evolutiva basada en el *kaizen*, en el incrementalismo, que implique:

Ⓐ Lanzar múltiples variantes del producto que mejoren sus prestaciones, con objeto de aumentar la frecuencia de cambio o de atraer a nuevos usuarios.

Ⓑ Mejorar el diseño estético del producto mediante un rediseño industrial avanzado.

Ⓒ Mejorar la calidad del producto en términos de fiabilidad y seguridad.

Cuanto mayor sea la diversificación del producto, es decir, el número de variantes que de él se introduzcan en un mercado, mayor será su cifra de ventas.

13. Aplique el *kakushin*

Cuidado con el incrementalismo

Aplicado al desarrollo de productos, *kaizen* significa la búsqueda infatigable de mejoras continuas, la innovación incremental. No obstante, el profesor Nicholas Negroponte, del MIT —Massachusetts Institute of Technology—, declaró en una conferencia que *el incrementalismo es el peor enemigo de la innovación* (2001). Observe que usó el adjetivo *peor* para enfatizar aún más su punto de vista. Aunque discrepo en parte, sí estoy de acuerdo con que si consagramos todo nuestro tiempo a hacerlo todo un poco mejor que ayer —una idea que parece en principio excelente—, no tendremos tiempo para reinventar nuestros productos.

Un ejemplo que le daría la razón a Negroponte fue la política de incrementalismo seguida por Sony hace una década, que consistió en innovar continuamente en aparatos de televisión de tubos de rayos catódicos. Fue una decisión errónea. Sony debió haber sido pionera en la fabricación y aplicación de LCD —pantallas de cristal líquido— en receptores de TV. Sin embargo, logró la perfección *Six Sigma* y la máxima productividad (*Lean*) en unos displays (TRC) que quedaron obsoletos, lo que derivó en la pérdida de cuota de mercado frente a Samsung y otras empresas coreanas.

Innovación radical = *Kakushin*

De modo que preste atención al consejo de Negroponte y tenga en cuenta que la búsqueda de un producto totalmente nuevo, la denominada innovación radical, tiene un riesgo alto. Tendrá muchas inversiones y conceptos específicos que si no son bien recibidos por el mercado se convertirán en pérdidas al no poder recuperar la inversión en la innovación.

Para la innovación radical existe otro término japonés, que probablemente no haya oído nunca: *Kakushin*. Este término también combina dos kanjis: *kaku* = cambio importante y *shin* = renovación. Aunque se suele traducir como innovación, *Kakushin* implica que se ha logrado diseñar algo realmente nuevo que ofrecer al mercado, que se trata de una innovación radical.

En realidad lo ideal, lo óptimo, sería lograr un éxito gracias a una innovación radical y luego mantener esa ventaja competitiva mediante mejoras continuas de ese nuevo producto. El modelo de gestión basado en el *kakushin* y el *kaizen* representa la búsqueda de una innovación radical, seguida de unos avances tecnológicos que surgen a saltos a lo largo del tiempo y, posteriormente, de la innovación continua, en base a mejoras o innovaciones incrementales de las prestaciones del producto.

Es necesaria la intervención del *kaizen* para evitar que el producto innovador se deteriore o sea imitado, perdiendo sus ventajas competitivas iniciales. Es decir, el departamento de innovación no puede *dormirse en los laureles*, sino que debe sostener las ventajas competitivas de sus productos en base a una innovación constante, creando un nuevo estándar a partir de esas innovaciones.

El *kaizen* pretende mejorar las prestaciones de los productos elevando gradualmente el nivel del producto hasta que se convierta en el estándar del sector, en espera de que aparezca en el futuro un *kakushin*, una innovación radical.

El inconveniente de esta estrategia evolutiva es que las mejoras que se introducen en los productos puede que sean fácilmente imitables. De ahí que interese, tras lograr el *kakushin*, ganar rápidamente cuota de mercado a través de la ampliación de la gama y del lanzamiento del mayor número de variantes en el menor tiempo posible, incorporando las últimas novedades tecnológicas mediante el *kaizen*. La ventaja en costes que obtendrá gracias a su experiencia acumulada, le permitirá gestionar los precios a la baja, lo que le permitirá, a su vez, aumentar aún más su cuota de mercado.

Kakushin en Toyota

Katsuaki Watanabe, ex CEO de Toyota, al que probablemente recuerdan porque tuvo que dimitir en 2009 tras los problemas de aceleración imprevista detectados en vehículos en Estados Unidos, utilizó el término *Kakushin* (2006) para referirse a la estrategia a largo plazo que Toyota, que consistiría en competir en todo el mundo con una línea completa de productos.

Watanabe quería lograr sus metas con una combinación de *kaizen* y *kakushin*, porque quería ir más allá de las mejoras incrementales. En este sentido, una de sus visiones para el futuro sería un automóvil que no contaminara, que limpiase el aire, evitase accidentes, promoviese la salud, pudiese dar la vuelta al mundo con solo un depósito de gasolina y, por supuesto, que fuera barato y de alta calidad. Cumplir ese sueño, ¡sería una innovación radical!

Es interesante que Katsuaki Watanabe, al cuestionarse un elemento clave en la cultura de Toyota como es el *kaizen* y abogar por la innovación radical o disruptiva, coincidiera en su visión con Nicholas Negroponte y con Clayton M. Christensen —autor de *The Innovator's Dilemma* (1997)—. Además nos hace reflexionar sobre la adopción de un modelo de innovación que no necesariamente nos obligue a optar por el dilema de innovación incremental o radical, *kaizen* o *kakushin*, sino por la combinación de ambos.

Watanabe quería un cambio, en teoría, revolucionario: innovar de modo que se lograse reducir el número de componentes de un vehículo a la mitad. En mi opinión, su propuesta en realidad era *kaizen*, en busca de la reducción de costes del producto vigente. Innovar radicalmente sería pensar en un vehículo eléctrico, como lo hace el presidente de Toyota, Akio Toyoda, que selló un acuerdo con Tesla Motors para el diseño conjunto de vehículos eléctricos. Esto sí que es kakushin, reinventar el automóvil tal como lo conocemos.

Kakushin y *kaizen* en el iPod de Apple

Apple es una empresa innovadora, de referencia en la aplicación de *kakushin*, y posteriormente, de *kaizen*. Tomemos como ejemplo su producto iPod, que se presentó en octubre de 2001. A pesar de la crisis derivada de la caída de las Torres Gemelas, Steve Jobs apostó por el *kakushin*.

Combinando en un único producto una tecnología existente en diferentes dispositivos aislados y adoptando un diseño estético novedoso y unas funcionalidades pensando en y para los usuarios, ha superado los 275 millones de unidades vendidas.

Innovación radical sí, *kakushin*, en el primer modelo de iPod que integró muchos conceptos existentes, colaborando con otras empresas bajo el paradigma de *innovación abierta*. Desde entonces la innovación de Apple en el iPod ha sido incremental, evolutiva: iPod Touch, iPod Nano y iPod Shuffle. Ha usado esa innovación continua lanzando productos a un ritmo superior al de sus competidores, como barrera frente a la competencia, y le ha ido muy bien ya que le han permitido aumentar año tras año su cifra de ventas. La ventaja en costes obtenida gracias a su experiencia acumulada y a los acuerdos con proveedores le han permitido gestionar los precios a la baja, aumentando aún más su cuota de mercado.

CASO DE ESTUDIO: IPOD DE APPLE = *KAKUSHIN* + *KAIZEN*

El fenómemo iPod: *kakushin*

El éxito del iPod —un reproductor de música digital portátil basado en sistema de compresión estándar MP3— nos permite calificarlo como un producto innovador, que en 2001 constituyó una innovación radical o *kakushin*. Desde entonces sus versiones sucesivas constituyen un ejemplo de innovación incremental o *kaizen*.

La línea de productos iPod procede del grupo de Apple que empezó a crear software para los dispositivos digitales personales. Se vio una oportunidad en los reproductores de música MP3 que había en el mercado, que eran demasiado grandes, o bien, pequeños y de poca utilidad.

El concepto de iPod fue originalmente creado por Tony Fadell, ex directivo de Philips. Ingeniero emprendedor, había decidido crear su propia empresa para convertirse en el *Dell de la electrónica de consumo*. Tenía en mente crear un reproductor de música MP3 usando un disco duro. Después de acudir a varias empresas en búsqueda de financiación, presentó su proyecto a Steve Jobs y fue contratado en febrero de 2001 para diseñar el futuro iPod y planificar la estrategia de productos de audio de Apple.

En abril de 2001, Jobs, visionario del éxito que tendría el iPod, le ordenó a Jon Rubinstein, ingeniero jefe de Apple, que contratase como empleado a Fadell, –quien sería luego su sucesor–, para diseñar las dos primeras generaciones de IPED y crear un equipo interno de ingenieros para lanzar el iPod. El *time to market* fue muy corto ya que se desarrolló el producto en menos de un año, presentándose el 23 de octubre de 2001 con un disco duro de 5GB. El iPod ofrecía así una elevada capacidad de almacenamiento, un diseño elegante –ejemplificado por los auriculares blancos– y una funcionalidad atractiva –gracias a su rueda de control–.

Innovación abierta con proveedores

Apple no desarrolló el software totalmente en casa, sino que lo llevó a cabo como innovación abierta, contrariamente a lo que había hecho, por ejemplo, con el ordenador Macintosh. Para el iPod, Apple usó como referencia la plataforma de PortalPlayer, a quien subcontrató el proyecto del desarrollo del SoC –*System on a Chip*– y los componentes del microprocesador que se incluyen en el circuito integrado –chip–, esencial del dispositivo. Por otra parte, subcontrató también a Pixo, que diseñó el sistema operativo y el interfaz con el usuario, y a Toshiba, que suministró el disco duro.

Cuando el iPod evolucionó a memorias flash en lugar de discos duros, Apple llegó a acuerdos con varios fabricantes de tales dispositivos mediante contratos a largo plazo, con el fin de garantizarse precios bajos. Por ejemplo, en noviembre de 2005 pagó 500 millones de dólares por adelantado a Intel y Micron para garantizar una parte sustancial de la producción de su nueva *joint venture* dedicada a fabricar memorias flash. También llegó a acuerdos con Hynix y Samsung para lograr descuentos de hasta el 40%. Y con Sharp concertó la fabricación de los displays LCD.

Servicio *on line* iTunes Music Store

Inicialmente el iPod solo se podía sincronizar con los ordenadores personales de Apple. No obstante, en agosto 2002 se presentó un iPod para Windows. De esa forma, el iPod se abría a los usuarios de los ordenadores personales y se disparaban las ventas.

El elemento clave en el éxito del iPod fue el lanzamiento en abril de 2003 del portal *iTunes Music Store*. Por 0,99$ los visitantes podían descargarse música ofrecida por 5 sellos discográficos importantes y miles de independientes. Los usuarios podían reproducirla en su ordenador, grabarla en su Mac o pasarla a iPod. Seis meses más tarde el portal se abrió a los usuarios de Windows y en 3 días se habían descargado 1 millón de canciones, facturando casi 1 millón de dólares. Se estima que cada usuario de iPod se descarga en promedio unas 26 canciones al año.

La presentación de iTunes disparó las ventas de iPods en 2003. Aunque el margen de la tienda es pequeño –se estima en un 10%, porque hay que pagar a las discográficas y a los bancos que procesan las tarjetas de crédito–, sirvió para impulsar las ventas de los iPods, donde Apple sí tenía excelentes márgenes.

Nueve años después de su lanzamiento las ventas trimestrales del iPod retroceden a niveles de hace 4 años, lo que resulta lógico, como resultado del canibalismo de otros *kakushin* de la misma empresa, el iPhone y el iPad. Lo más relevante es que para el negocio de Apple, las aplicaciones que se descargan sus usuarios ya son significativas: 200 cada segundo en el momento de la redacción de este libro.

El *kaizen* como arma competitiva

La principal barrera que Apple creó contra sus imitadores fue el lanzamiento continuo de nuevos productos con mejoras incrementales a una velocidad tremenda. Compitió en base a un *time to market* reducido, factible gracias a su estrategia de innovación abierta. El iPod fue evolucionando con innovaciones destinadas a aumentar la cuota de mercado en todos los segmentos del mercado, no solo en el *Premium*, lo que había sido hasta entonces la política en su linea de ordenadores. Se crearon nuevos modelos como el iPod mini y el iPod shuffle. Se le integró la capacidad de reproducir videos y posteriormente se habilitó la tecnología *multitouch* en el iPod touch, hasta llegar al iPod nano de 5ª generación, al que se le incorporó una cámara de video.

Revisemos la innovación incremental del iPod: a finales de junio de 2005 se integró el iPod 4G con el iPod photo, ofreciendo la cámara fotográfica en el mismo dispositivo. En octubre de 2005 se presentó el iPod 5G, con una pantalla en color de 2,5" capaz de mostrar vídeos. De forma simultánea en iTunes se empezaron a vender episodios de series de TV como *Mujeres desesperadas* y *Perdidos*. En tan solo 3 meses se vendieron 8 millones de videos. Como resultado, a finales de 2005 Apple había vendido 42 millones de iPods logrando un 75% de cuota de mercado en Estados Unidos y un 83% del mercado legal de descargas de música en Internet.

Los márgenes brutos oscilaban entre un 20%-30%, muy altos si se comparaban con los habituales del sector de la electrónica de consumo. El modelo iPod con pvp de 299$ se estimaba que se vendía en las tiendas con un 10% de margen, de modo que Apple recibía unos 270$. El coste de producción era de 143,50$, siendo 65$ el coste del disco duro. El modelo iPod nano, con un pvp de 199$, tenía un margen todavía mayor, al utilizar una memoria flash que costaba 90$.

Foxconn, proveedor habitual de los Macs, también fabricaba en China los iPods. Apple lograba costes bajos al recurrir a un *contract manufacturer* de talla mundial y al negociar con sus proveedores elevados descuentos por volumen.

En abril de 2006 el catálogo de iPod en Estados Unidos tenía una línea completa de reproductores MP3: desde los iPod de 30GB –a 399$ - con un disco duro que podía almacenar 15.000 canciones, 25.000 fotos ó 150 horas de video, al iPod nano –a 149$– y el iPod shuffle de 1 GB, ambos con memoria flash –99$– . Con este despliegue, Apple pretendía hacer los iPods más accesibles al público, aumentando su cuota de mercado y compitiendo con la amenaza creciente de nuevos competidores como Creative Technologies, iRiver, Samsung y Sony. En junio de 2006 presentó una versión especial del iPod 5G, dedicada al grupo musical U2, con 30GB. Tenía grabadas en el dorso metálico las firmas de los cuatro componentes del grupo musical y un video.

En septiembre de 2007 presentó una nueva generación de iPods: el iPod fue rebautizado como *iPod classic* y se incrementaron sus capacidades y el iPod nano fue completamente rediseñado. Se agregó a la línea el iPod touch, que posee una pantalla táctil y características de audio, vídeo, fotos y navegación por Internet a través de Wi-Fi, similar al iPhone. En enero de 2008 se anunció un cambio en el software del iPod touch y se le incorporaron nuevas aplicaciones: correo electrónico capaz de visualizar páginas en HTML, abrir documentos en PDF, Word y Excel, así como Google Maps, que mediante triangulación con redes Wi-Fi puede mostrar la ubicación aproximada del iPod y dar instrucciones en pantalla.

En septiembre de 2008 se anunciaron nuevas mejoras para la gama iPod y un año después, en septiembre de 2009, se presentó el nuevo iPod nano –5ªG–, con una pantalla más grande, radio, podómetro y una cámara que graba video, micrófono y altavoz, en versiones de 8G y 16 G.

En septiembre de 2010 Steve Jobs presentó un nuevo iPod touch de 64 GB, más delgado, en línea con el iPhone, con 2 cámaras y pantalla de alta resolución a 399$; un iPod nano más pequeño y con pantalla táctil como la del touch; y un iPod shuffle de 2 GB que regresaba a su versión original con botones, a 49$. Además se presentaron nuevas versiones de su sistema operativo para móviles y una red social para música que se llama Ping –similar a Facebook– vinculada a la versión 10 de iTunes.

Por su parte, el iPod touch incorporaba mejoras del iPhone4, ya que estaba diseñado para utilizar aplicaciones, navegar por Internet, usar videojuegos, ver videos *on line*, hacer fotos, grabar en video HD, y la función FaceTime, que permite realizar videoconferencias a través de una conexión wi-fi.

Accesorios

Apple ha extraído también valor añadido de la explotación del mercado de accesorios de iPod. Existen más de 1.000 accesorios. Una funda de piel para el iPod, aunque no ganase dinero con ella, reforzaba el ecosistema iPod. En el 2005 ya declaraba 900 M$ de ventas en servicios y accesorios relacionados con el iPod. Se estima que en 2010, el 30% de los automóviles nuevos de Estados Unidos estaban equipados con sistemas de audio compatibles con iPod.

Tiendas Apple

El resultado de la innovación en productos y la fidelización del público es la afluencia de las tiendas Apple. Hay días en los que más de un millón de personas visitan las tiendas que tiene repartidas en una decena de países, donde la mitad de los compradores son nuevos usuarios de sus productos. Los puntos de venta tienen como objetivo ayudar a que la gente entienda qué puede hacer con los productos Apple. Ofrecen soluciones con especialistas formados en los productos. Tienen un aire minimalista. Están en lugares céntricos. Se permite probar los productos. Apple ha innovado también en la experiencia de compra de sus clientes.

Visite la tienda Apple que tenga más cerca aunque no quiera comprar ningún producto. Tome nota del diseño, del personal y cree su propia experiencia. Puede que se le ocurran ideas para mejorar la experiencia de sus clientes al contactar con su marca.

La innovación se traduce en valor para la empresa

Apple es un ejemplo de que la innovación bien gestionada es la mejor receta anticrisis. Steve Jobs ha combatido siempre la crisis con la innovación: iPod, iPhone y iPad. ¿El resultado? Si miramos tan solo un período, de un precio por acción de 60$, a principios de 2006, se pasó a 325$ en diciembre de 2010, a pesar de la crisis económica mundial y de la caída generalizada de las bolsas. Apple es una de las empresas más valiosas del mundo por capitalización bursátil.

No se lamente como yo de no haber comprado las acciones cuando tenían un precio bajo. Hay decisiones peores, como la que tomó Ron Wayne, cofundador de Apple el 1 de abril de 1976 junto a Steve Jobs y Steve Wozniak, a los que casi doblaba la edad. Wayne representa un buen ejemplo del antiemprendedor. A los 12 días de haber fundado Apple, supongo que asustado por si la empresa les iba mal y perdía su dinero, les vendió su 10% de Apple por 800$ (3.100$ actuales). ¡Ese 10% de Apple valdría hoy 29.700 millones de dólares!

14. Hibridación de productos y tecnologías

Es más fácil y barato innovar a partir de distintos productos o tecnologías existentes que diseñar innovaciones radicalmente nuevas, disruptivas.

El sector de la nutrición es el rey en la creación de nuevas categorías de productos a través de la hibridación de artículos ya existentes. Recordemos, por ejemplo, la innovación que supuso en el sector el lanzamiento de las barritas energéticas PowerBar para deportistas, por la empresa homónima, en 1983. Su éxito hizo que Nestlé la comprase en 1999. Consulte www.powerbar.com.

Pues bien, Kellogg's, empresa especializada en alimentos para el desayuno y galletas, creó su Special K Bars, un producto que hibrida el sabor y los beneficios de los cereales para desayuno tradicionales con la portabilidad y el envasado de las barras energéticas, que permite consumirlo en cualquier momento. En www.kelloggs.com, bajo la categoría *snackbars* encontrará 37 variedades, con proteínas, con antioxidantes, con fibra, etc. Gracias a las necesidades cambiantes de los consumidores, un fabricante de cereales como Kellogg's ha expandido su marca, creando esta nueva categoría de productos.

La hibridación requiere individuos curiosos, que analicen los comportamientos de los usuarios, que estén continuamente atentos a la posible combinación de marcas, productos y envases, que sean capaces de prever la utilidad de una tecnología propia en otro producto, que observen las posibles tecnologías de terceros que puedan ser utilizadas en sus productos.

La hibridación es típica del sector del automóvil, donde se combinan productos existentes para generar uno nuevo. Por ejemplo como ocurrió con los S.U.V. —Sport Utility Vehicle—, nacidos a partir de combinar los todoterreno 4x4 y los automóviles urbanos.

A veces la hibridación consiste en aplicar tecnologías de otros sectores en productos radicalmente distintos.

CASO DE ESTUDIO: INTUITIVE SURGICAL O LA CIRUGÍA ROBÓTICA

La robótica aplicada a la cirugía por Intuitive Surgical, empresa fundada en California en 1995, es un buen ejemplo de innovación basada en la hibridación de tecnologías.

Su sistema de cirugía *Da Vinci*, diseñado en 1999, permite operaciones de cirugía laparoscópica en urología y ginecología, así como intervenciones de cardiología y pediatría. Incorpora tecnologías del sector militar y aeroespacial, que se han adaptado a la manipulación de objetos a distancia en equipos de cirugía de alta precisión, controlados a distancia por el cirujano desde un terminal que visualiza su intervención en una pantalla en 3D. De este modo, combina una visualización superior en 3D, con un control de precisión ergonómico e intuitivo, que permite optimizar las capacidades de los cirujanos.

Su salida a Bolsa en el año 2000 y la compra de su mayor competidor en 2003, le ha permitido ser el líder en esta tecnología y crecer hasta convertirse en una empresa que en 2009 facturó más de 1.000 millones de dólares, con un beneficio operativo de 377 M$ y un crecimiento anual del 20% en ambos factores. Eso le permite disponer de 1.600 millones de dólares en caja e inversiones.

Intuitive Surgical también colabora con terceros en un entorno de innovación abierta (IBM, MIT, Heartport, Medtronic y Olympus Optical).

Hay 1.571 sistemas *Da Vinci* instalados en hospitales de todo el mundo, 1.160 en Estados Unidos, 276 en Europa (17 en España) y 135 en el resto del mundo. Su precio de venta oscila entre 1 y 2,3 millones de dólares y constituyen aproximadamente el 50% de los ingresos de la compañía. Un 33% son instrumentos y accesorios y el 17% restante contratos de mantenimiento.

Desde 2003 su uso en operaciones para extirpar la próstata, en casos de cáncer, ha aumentado hasta representar el 44% de las intervenciones. Se ha convertido en el tratamiento para dicho cáncer que crece más rápidamente en todo el mundo: 90.000 intervenciones en 2009 (el triple que en 2006), sobre una estimación de 700.000 casos al año en todo el mundo, es decir, un 13%. Su objetivo de cuota de mercado es llegar a 200.000 intervenciones al año, o sea que un 28,5% del tratamiento del cáncer de próstata en todo el mundo se haga con dicho sistema.

Aunque el objetivo inicial fue reducir la curva de aprendizaje de los cirujanos, en la actualidad, los urólogos de Estados Unidos que no utilizan un sistema *Da Vinci* pierden pacientes. Por experiencia[4], creo que el factor clave en una intervención de este tipo es el cirujano, aunque es una realidad que disponer de un sistema Da Vinci es un elemento diferenciador para un Centro de Urología que esté ubicado en los Estados Unidos. Este aspecto contribuye a las ventas crecientes de dichos equipos.

CASO DE ESTUDIO: UNIDESA (Grupo CIRSA) = INNOVACIÓN HÍBRIDA E INCREMENTAL

La compañía Universal de Desarrollos Electrónicos (UNIDESA), perteneciente al Grupo CIRSA, ha sido capaz de consolidarse como líder del mercado español de la industria de máquinas recreativas con premio, al lanzar en 2007 un producto innovador híbrido a un precio muy competitivo para el mercado: *Perla del Caribe*.

4 Recomiendo al lector, si es varón de 50 o más años de edad, la lectura de *Comprender el cáncer de próstata*, M. A. López Costea y E. Barba, Editorial Amat, Barcelona, 2010.

Esta máquina, un producto maduro que nació hace 30 años, incorporó a las clásicas máquinas de juego con rodillos una pantalla de LCD 4:3 con tres videojuegos que permitían obtener premios adicionales.

Este producto híbrido rompió el paradigma de que al cliente español le gustaba jugar solo en máquinas de rodillos. De la lucha entre soluciones tecnológicas *rodillos* contra *video* se pasó a la solución híbrida entre ambos conceptos: rodillos+video, que ha gustado a la mayoría de usuarios en España.

En 2006, el porcentaje de venta de máquinas nuevas híbridas en el mercado español era de un 10% y en 2010 del 50%. A su vez, la cuota de mercado de venta de máquinas recreativas de UNIDESA pasó del 45% (2007) al 53% (2010). Desde entonces UNIDESA incorporó pantallas LCD panorámicas 16:9 y una nueva plataforma tecnológica con mayor capacidad de proceso y memoria.

El lanzamiento anual de nuevos modelos con mejoras incrementales le ha permitido mantener el liderazgo en el mercado español. Los modelos híbridos *Vikingos Video* (2009), *Perla Plus* (2010) con 6 juegos adicionales, *Noches del Caribe* (2010) y *El Tesoro de Java* (2010) se convirtieron en máquinas de excelente pasatiempo para el usuario.

Con un proceso de ingeniería inversa, los juegos con éxito contrastado en los modelos híbridos con video se replicaron en máquinas clásicas de rodillos, para, primero, atender los mercados donde el video no estaba aún autorizado, así como, segundo, para satisfacer a los clientes que se sentían aún más cómodos jugando en máquinas de doble rodillo. De ese modo, las máquinas de rodillos *Perla del Caribe Rodillos* y *Joya de Egipto* se convirtieron en éxitos de ventas en 2009.

El impacto positivo en la cuenta de resultados de UNIDESA evidencia cómo la innovación híbrida e incremental puede mejorar la competitividad empresarial. Sin la apuesta previa de la dirección general del grupo para trabajar con esta estrategia esos resultados no hubieran sido posibles. La innovación competitiva es el resultado de una estrategia empresarial

---

15. Estrategia orientada a las ventajas competitivas

Ventajas competitivas y *océanos azules*

La estrategia de innovación es simplemente un aspecto más de la estrategia global de la empresa, que es la que marca dónde se quiere innovar y cómo quiere hacerlo. Determinará las líneas de producto, los servicios o procesos así como las prácticas organizativas y comerciales que serán objeto de la innovación y el plazo temporal en que se llevarán a cabo. Una cuestión clave será el peso de la innovación en la búsqueda de ventajas competitiva.

En todo caso, la innovación en sentido amplio, como abordamos en este libro, debe contribuir a la estrategia de negocio mejorando con ello su desempeño. Michael Porter, economista especializado en el desarrollo de las ventajas competitivas, planteó que una empresa puede adoptar tres estrategias genéricas para posicionarse dentro de su sector en búsqueda de ventajas competitivas.

Prefiero hablar de ventajas competitivas —soy *Porteriano*— que de *océanos azules*. Cuando escuché a Chan Kim —coautor de *La estrategia del océano azul*— decir que *para ganar no hay que competir*, sino inventarse un mercado nuevo, un *océano azul* donde *nadar sin la sangre que tiñe de rojo* la competencia a muerte en los *océanos rojos de los mercados existentes*, pensé que si algún día encontraba ese *océano azul estratégico* tendría imitadores inmediatamente y perdería mi exclusividad. A menos, claro, que tuviese una excelencia insuperable en la ejecución, que en el fondo es la clave en la sostenibilidad de cualquier ventaja competitiva.

Estrategias de innovación

De modo que me inclino hacia Porter en su clasificación sobre estrategias genéricas, simplemente las extrapolo y las convierto en *estrategias específicas de innovación* en búsqueda de esas ventajas frente a la competencia:

- Si la empresa contempla como objetivo comercial de su estrategia de innovación todo el mercado, las estrategias en cuanto a cómo competir se reducen a dos:

1. La búsqueda del **liderazgo en costes**, es decir, la habilidad para diseñar, producir y distribuir un producto, con un menor esfuerzo económico y de forma más eficiente que la competencia. En este caso, deberá promover innovaciones que mejoren su productividad en:
   - Procesos productivos —lo que puede requerir instalaciones con capacidad para grandes series y lograr así economías de escala, modernas tecnologías de proceso, mano de obra muy productiva, etc.—
   - Procesos organizativos
   - Procesos comerciales

   Si, por ejemplo, aplicamos ese tipo de estrategia de innovación al sector de los fabricantes de televisores, implicaría disponer de fábricas eficientes de LCD, diseñar televisores de bajo coste, montajes automatizados y ventas a escala global, a fin de poder amortizar en grandes series los elevados gastos de I+D+i, logrando así economías de escala y el provecho de la curva de experiencia.

2. La búsqueda de la **diferenciación** de los productos respecto a los de la competencia. Se trata de la habilidad para sumi-

nistrar al cliente un producto que éste perciba como único y de mayor valor que los que le ofrecen los competidores, en términos de calidad y prestaciones referidos a su precio.

Esta estrategia de innovación nos debería permitir vender a precios más altos que los de la competencia lo que, si nuestros costes son razonables, repercutirá en un mayor beneficio.

Es la táctica más ambiciosa y, probablemente, la que es capaz de aportar un valor más sostenible en el tiempo. Como veremos, eso no significa que sea la más adecuada para todas las empresas, ya que es también la que conlleva mayor riesgo y demanda mayores recursos al impulsar una innovación más radical.

- Si competimos en un mercado segmentado y la estrategia pasa por atacar solo un segmento de dicho mercado, cabe una tercera estrategia genérica:

  Estrategia de enfoque, es decir, especializarse en atender solo un segmento del mercado mediante la adopción de una de las dos anteriores estrategias de innovación, la de liderazgo en costes, o bien, la de diferenciación.

  La estrategia de enfoque puede beneficiarse de la innovación incremental, con la introducción de mejoras en la oferta de productos y servicios en los que la empresa ya está especializada, así como de la innovación comercial, dirigida a perfeccionar la atención a su segmento de mercado y consolidar su presencia en él.

Suele ser una estrategia de carácter defensivo, en especial si se adopta la de liderazgo en costes, porque la empresa buscará las ventajas competitivas en base a las mejoras de sus productos, servicios y procesos, manteniendo o rebajando precios para proteger su cuota en ese segmento de mercado.

En el gráfico siguiente, basado en las teorías de Michael Porter, se observan las estrategias de innovación que permiten lograr ventajas competitivas: la búsqueda de un liderazgo en costes, o bien, la diferenciación, que a su vez dependen del ámbito del mercado, según sea todo el mercado o solo un segmento (enfoque).

Estrategias de innovación según la ventaja competitiva

MERCADO OBJETO	VENTAJA COMPETITIVA: Mínimo Coste	VENTAJA COMPETITIVA: Diferenciación
Todo el Mercado	Liderazgo en Costes	Diferenciación
Sólo un segmento de mercado	Enfoque en Costes	Enfoque en Diferenciación

16. La innovación basada en costes o diferenciación

Recursos y requisitos distintos

La decisión es compleja y por eso comparto con el lector varias reflexiones al respecto. Optar por una determinada estrategia de innovación condicionará las inversiones, las habilidades, el equipo de trabajo, la cultura, la estructura organizativa de la empresa y, en particular, en el área de I+D+i, las habilidades y recursos necesarios. Por otra parte, la estrategia de innovación tiene que ser necesariamente dinámica y flexible, a la vez que sostenida en el tiempo. Los cambios en las condiciones del entorno de la empresa, concretamente del mercado, pueden aconsejar reorientaciones en la estrategia de innovación para aprovechar oportunidades o hacer frente a nuevas amenazas, y en ningún caso deben hacernos perder el rumbo de la hoja de ruta que hayamos trazado.

En función de si opta por innovar en costes o en diferenciación, la empresa necesitará además disponer de unos recursos y habilidades diferentes, así como cumplir con distintos requisitos, tal como se muestra en el gráfico de la página siguiente.

Una búsqueda de la innovación en costes puede pasar por reducir los presupuestos de I+D+i, estandarizar los diseños y buscar expertos en la innovación en procesos productivos. Por otro lado, la búsqueda de la innovación vía diferenciación suele implicar un liderazgo tecnológico, presupone dedicar abundantes recursos a I+D+i y disponer de personal realmente innovador en el área de innovación de productos.

ESTRATEGIA DE INNOVACIÓN	RECURSOS-HABILIDADES	REQUISITOS
COSTES	Productos diseñados para facilitar su fabricación	Control de costes rígido
		Gastos de estructura mínimos
	Gastos en I+D+i mínimos	Innovación en proceso
	Capacidad en ingeniería de producción	
	Gama amplia de productos relacionados para compartir los gastos e inversiones de desarrollo	
DIFERENCIACIÓN	Capacidad en diseño e ingeniería de producto	Coordinación estrecha entre I+D+i y Marketing
	Creatividad	Cultura de empresa que atraiga a gente innovadora
	Gran capacidad en I+D+i	
	Liderazgo tecnológico	Innovación en producto

¿Costes y diferenciación?

Conviene recordar que cualquiera de las dos estrategias lleva a la empresa a mejores posiciones competitivas, aunque únicamente si puede mantenerlas en el tiempo frente a la competencia. En ese sentido, aunque es difícil que una empresa logre simultáneamente ambas ventajas, costes y diferenciación, existen dos condiciones en las que puede darse ese caso:

- Que la empresa sea líder en una innovación radical.
- Que el coste esté muy influido por la cuota de mercado y/o se desprenda de la propia innovación.

Ese sería el caso de una empresa que fuera la primera en presentar un producto realmente innovador, cuyas funciones le permitieran sustituir a un producto actual —con lo que lograría diferenciarse de la competencia— y que además hubiera logrado reducir sus costes de fabricación debido al uso de nuevas tecnologías en la producción, al nuevo diseño o a la negociación con proveedores. Pero, con todo, a largo plazo la competencia imitará ese producto y forzará finalmente a que la empresa tome una decisión respecto a cuál de las dos estrategias da prioridad.

El iPod de Apple, que hemos analizado anteriormente, sería un buen ejemplo al respecto, porque la empresa logró ambas ventajas simultáneamente.

Ni costes ni diferenciación

Como, por otra parte, esas condiciones no son habituales, mi consejo —siguiendo las ideas de Porter— es que usted opte por una de las dos estrategias, a fin de no quedarse posicionado *justo en el medio*, sin lograr ninguna ventaja frente a la competencia, en el estatus que denomino *Ni-Ni*: *Ni costes Ni diferenciación*. Si fuera así, ¿para qué innova? Posicionarse en el medio es el peor error estratégico y suele ser resultado de una gestión que intenta seguir ambas estrategias simultáneamente y al final no logra ninguna de las dos.

Costes o diferenciación

En el fondo ambas estrategias de innovación son contrapuestas entre sí. La búsqueda simultanea del liderazgo en costes y la diferenciación suele ser inconsistente porque la diferenciación, basada en presentar un nuevo producto de calidad y de prestaciones exclusivas, resulta, por lo general, más cara que simplemente mantenerse al nivel de la competencia.

En cambio, el liderazgo en costes suele ir en contra de la diferenciación por el afán de estandarizar el producto y lograr ventajas a través de las economías de escala. Fomenta, en todo caso, la innovación en el proceso productivo.

Cualquier estrategia exitosa debe, sin embargo, prestar atención a ambos tipos de innovación, aunque mantenga un claro compromiso por lograr la superioridad en una de ellas. Así, un fabricante con una estrategia de costes bajos debe ofrecer productos con una calidad aceptable, que permita su venta sin tirar los precios, porque, en caso contrario, anularía esa ventaja competitiva si se viera forzado a ofrecer grandes descuentos para poder seguir en el mercado. Del mismo modo, si se opta por la estrategia de diferenciación, los costes de producción no deberían ser tan elevados frente a los de la competencia como para que anulasen la prima obtenida por un mayor precio de venta.

Mi consejo es, por tanto, que adopte una u otra estrategia, fije la mirada y el rumbo en aquella por la que ha optado, y no pierda de vista a la otra por el rabillo del ojo.

El liderazgo en costes implica minimizar estructura y la búsqueda de economías de escala, lo cual puede ser un obstáculo en una empresa que quiera diferenciarse en base a un flujo continuo de nuevos productos. Puede lograrse a través de una alta cuota de mercado, a través de otras ventajas como, por ejemplo, el acceso a determinados dispositivos, materias primas o componentes, o bien, disponiendo de los últimos avances en tecnologías de producción. Evidentemente, esta estrategia de costes no tiene por qué ir asociada a precios de venta bajos. De hecho, esa ventaja competitiva se puede utilizar para lograr beneficios que a su vez se puedan invertir en otras áreas de la empresa.

La estrategia de diferenciación buscará, en cambio, innovar en productos que tengan más valor para los clientes en base a la mejora de su diseño, calidad, prestaciones o fiabilidad. En este caso, sí suele asociarse a precios altos, ya que en realidad el propósito de la diferenciación es justo ése, que el precio no sea el factor más decisivo para el cliente a la hora de tomar la decisión de compra.

En líneas generales, podemos afirmar que una estrategia de innovación por liderazgo en costes conlleva rígidos controles de gestión, la reducción de gastos de I+D+i y centrarse en sacar partido de la curva de experiencia, a través de la innovación en los procesos y en la gestión de la cadena de suministro. Mientras que la estrategia de innovación en diferenciación se traduce, entre otros aspectos, en una mayor inversión en I+D+i, con una innovación enfocada y sistemática en nuevos productos.

Paralelamente, la cultura de empresa puede favorecer la innovación de un tipo o de otro, y con ello apoyar la diferenciación, o bien, favorecer la disciplina, la atención a los detalles, el ahorro y otros factores asociados a la estrategia de costes.

En resumen, la cultura empresarial —aquello que recoge la escala de valores empresariales, escritos o no escritos —puede reforzar poderosamente la estrategia de innovación adoptada, siempre que cultura y estrategia sean coherentes. Con ello no pretendo afirmar que haya culturas de empresa que sean mejores o peores, sino poner de manifiesto que son clave en el éxito de la decisión estratégica sobre la innovación.

17. Productos y tecnologías hacia las ventajas competitivas

Estrategia de productos

Al seleccionar el portafolio de los productos en que vamos a innovar y las tecnologías asociadas, nos podemos plantear cuestiones como las siguientes:

- ¿Cuáles serán básicos para mi futura supervivencia, crecimiento y beneficio?
- ¿Qué productos me darán una ventaja competitiva?
- ¿Qué habilidades se requieren en mi empresa, en el área de I+D+i, en Producción o en el Servicio Postventa?
- ¿Es el nuevo producto una innovación radical o solo un conjunto de innovaciones incrementales?

Esa reflexión implica que solo debería diseñar nuevos productos que contribuyan a la estrategia de innovación fijada previamente. Productos que le otorguen una ventaja competitiva en el mercado, no los que sean solo el resultado de las habilidades técnicas de nuestro equipo de I+D+i.

Usted debe decidir primero si su objetivo estratégico es todo el mercado o un segmento de éste y, después, evaluar los proyectos de innovación en producto según su impacto en los costes o en la diferenciación, en base a la estrategia de innovación adoptada. Evidentemente, en función de esa decisión, tendrá solo dos estrategias de desarrollo de productos posibles, como he comentado en el consejo anterior:

Ⓐ **Liderazgo en costes** Concepto de línea de productos, de sus prestaciones y características destinadas a reducir el coste en base a disminuir el precio de los materiales, facilitar la producción, aminorar inversiones y optimizar la cadena de suministro.

Una empresa con esta estrategia debería tener muchos proyectos de innovación destinados a reducir los costes involucrados en todas las actividades que intervienen en el precio final del producto, así como intentar recortar los costes mediante la modificación del diseño, para ofrecer la mejor relación calidad-precio del mercado. El desarrollo del producto deberá intentar cubrir unas prestaciones similares a las que demanda el mercado en general, a fin de estar al nivel promedio de los competidores, en lugar de añadir nuevas prestaciones sofisticadas que encarezcan el producto. Sin embargo, se debe evitar rebajar las características y prestaciones de los productos, aunque sea ése el camino más simple para reducir costes. Una espiral continua de reducción de prestaciones solo conduce a productos pobres que no aportan ninguna ventaja competitiva al tener que reducir los precios de venta.

B **Diferenciación** Desarrollo de producto destinado a resaltar su exclusividad, su calidad, la excelencia de sus características funcionales, su originalidad y superioridad frente a los de la competencia.

Creo que éste es el factor que más afecta al éxito de nuevos productos, por encima de los estudios de mercado o de la eficacia de un Plan de Desarrollo, porque es lo que de verdad significa innovar en producto, la búsqueda de la diferenciación. El diseño del producto debe buscar fuentes de diferenciación, creando *señales de valor* en las que los clientes puedan basar sus referencias sobre el producto, lo cual puede requerir, incluso en productos técnicamente sofisticados, educar a los clientes para que puedan valorar el auténtico valor de las innovaciones que les ofrece el producto. En consecuencia, la mejor manera de lograr este desarrollo de producto es innovar en base a disponer de una capacidad creativa técnica, que permita desarrollar productos únicos, diferentes, que los competidores no puedan ofrecer y que satisfagan las necesidades del cliente mejor que los de la competencia. Preste atención a qué características valoran más los clientes y siga apostando por la calidad.

De ello se deriva una importante lección: se requiere dar atención especial al producto en sí mismo, a sus características, prestaciones y ventajas, comparándolo con los de la competencia —*benchmarking*—, además de asignar suficientes recursos, humanos y económicos a el área de I+D+i.

Ahora es el momento de acelerar y optimizar nuevos productos y tecnologías que creamos que nos puedan otorgar una ventaja competitiva. Ajuste los recursos de modo que su plan le permita estar listo para entregar ese producto en el momento en que la crisis dé paso a un período de crecimiento sostenido.

Lideramos el sector mediante el desarrollo continuo de productos diferenciados e innovación a través de la cadena de valor. Nuestra investigación pionera empieza imaginándonos qué crea valor para el cliente, y luego pensamos de modo creativo, sin límites. Dimitri Starodubtsev, ingeniero y Zhenchuan Chai, manager. Negocio de Semiconductores de Samsung

18. ¿Líder o seguidor?

Líder versus seguidor

Por líder de la innovación me refiero a la voluntad de ser, o no, el primero en introducir nuevos productos con innovaciones, particularmente tecnológicas. Observe que para mí las dos opciones son válidas, ser líder o seguidor, pero tanto la decisión de liderazgo como la opuesta, la de actuar como seguidor de la competencia, en una actitud de *wait and see* —esperar y ver—, deberán ser el fruto de una estrategia consciente y activa por la que la empresa elige ser la primera en introducir una innovación, o bien espera a que otros sean los pioneros.

Sea cual sea la decisión que tomemos, nuestra política de inversiones, selección de personal y de proyectos de I+D+i deberá ser consecuente con ella. Por otra parte, si nuestra empresa está en un sector maduro, la tarea de I+D+i puede requerir poca investigación básica y mucha visión técnicocomercial, para lograr mejorar los productos de la competencia y lograr las tecnologías que puedan perfeccionar el proceso o el producto.

Cabe decir que esa decisión estratégica puede cambiar a medio plazo. Tenemos la experiencia de múltiples empresas japonesas que durante décadas adoptaron una postura de seguidor en sectores maduros —en automóviles: Toyota *versus* General Motors; en electrónica de consumo: Sony *versus* Philips; en aire acondicionado: Daikin *versus* Carrier; etc.—. Posteriormente, esas empresas optaron por introducir mejoras e innovaciones incrementales en los productos y en los procesos de producción, lo que les permitió llegar a ser líderes en esos mismos sectores. Su ejemplo demuestra que la postura de seguidor o de líder puede evolucionar con el tiempo. Sea cual sea el rol que adoptemos, dependerá de los objetivos estratégicos, ya que puede ayudarnos a reducir costes o a diferenciarnos, como se observa en la siguiente tabla.

LÍDER	SEGUIDOR
Innovación en costes	**Innovación en costes**
· Ser los primeros en un diseño de coste más bajo. · Ser pioneros en aprovechar los efectos de la curva de experiencia. · Crear métodos de bajo coste para realizar las actividades de valor añadido.	· Bajar el coste del producto mediante la observación y aprendizaje del líder. · Reducir los costes de I+D+i mediante la imitación del líder.
Innovación en diferenciación	**Innovación en diferenciación**
· Ser pioneros en un producto único que aumente el valor percibido por el comprador. · Innovar en otras actividades que aumenten el valor percibido por el cliente.	· Adaptar el producto a las necesidades del comprador mediante el aprendizaje de la experiencia del líder.

Mi consejo sería adoptar el rol de *seguidor* si se adopta la estrategia de la innovación en costes y el de *líder* si se busca la innovación en diferenciación.

No obstante, una empresa que opte por ser líder en busca de la diferenciación puede que logre también ser pionera en lograr un proceso de fabricación de menor coste que la competencia y, así, paralelamente obtenga un producto diferenciado cuyo coste final pueda incluso ser más bajo que el de la competencia. Es decir, ser el líder en innovación y tener una estructura de costes optimizada no es incompatible, aunque representa un desafío. Un buen momento para realizarlo es durante una crisis económica, para que cuando se produzca la tan esperada recuperación, emerjamos más eficientes y más capaces tecnológicamente.

Igualmente, si una empresa seguidora que va aprendiendo de los aciertos y errores del líder, imitándolo, fuese capaz de alterar el producto para adaptarse mejor a las necesidades del mercado, podría lograr diferenciarse de sus competidores y atrapar o inclusive convertirse en el líder.

Ese ha sido el caso de Samsung, una empresa coreana del sector de electrónica de consumo, seguidora durante décadas de la innovación de Sony en televisores basados en TRC, y que, sin embargo, al decidir innovar en displays, diseñando y fabricando pantallas planas de LCD, en lugar de seguir apostando por mejorar las prestaciones de los TRC —estrategia errónea de Sony—, la ha superado en cuota de mercado en muchos países. La cifra de ventas de Samsung en 2009 fue de 91.250 millones de euros, con un beneficio de 6,3 millones de euros, superando a Sony en todos los conceptos, que obtuvo unos ingresos de 68.640 millones de euros, y con unas pérdidas brutales de 2.000 millones de euros.

Llama la atención que Samsung empezara su trayectoria como empresa dedicada a la exportación y actualmente esté presente en diversos sectores como la industria pesada, la automoción, la química, los servicios financieros y el entretenimiento.

CASO DE ESTUDIO: HARMAN INT O EL ENFOQUE EN LOS COSTES

Harman Int. es una empresa estadounidense líder en el sector de audio y electrónica profesional –marca JBL– y de consumo, así como proveedor del sector del automóvil. Se encarga del sonido de eventos singulares como han sido el inicio del mandato del Presidente Barack Obama (2009), la ceremonia de los premios Grammy (2009), el Mundial de Futbol de Sudáfrica (2010), etc. Sin embargo, la mayoría de sus ventas están formada por equipos de A&V *high end* para fabricantes de automóviles, para los que diseñan sistemas a medida de *infortainment* –sistemas de navegación, información y asistencia al conductor– que se utilizan en vehículos de gama alta –BMW 7, Hyundai Genesis, etc.–. Se estima que 20 millones de vehículos circulan con sistemas Harman.

Los ingresos de este negocio dependen del número de vehículos que venden los clientes, que ascienden a unos 2 millones de unidades anuales. El *time to market* de estos sistemas oscila entre uno y tres años. No se ha retrasado el lanzamiento de ninguna plataforma a pesar de la crisis en el sector.

En 2009 Harman facturó 2891 M$, un 30% menos que en 2008, con pérdidas de unos 500 M$ debido a costes de reestructuración y a que 70 de sus clientes –empresas del sector del automóvil– se declararon insolventes. ¿Por qué destaco a Harman, si pierden dinero? Porque mantienen su liderazgo tecnológico a pesar de la crisis gracias a su apuesta por la innovación y por los costes:

Política de innovación de 2009

- 200 nuevos ingenieros de software y de desarrollo de producto en 2 nuevos centros de I+D en Bangalore –India– y Shanghai –China–.
- 13 nuevas plataformas *infotainment* sector automóvil, incluyendo BMW y Daimler.

Política de reducción de costes 2009

- 50% reducción de productos en la División de Consumo.

- Cierre o consolidación de 12 plantas.
- Nueva planta en Suzhou, China –proyecto para BMW–.
- Expansión en plantas de Hungría y México.
- Reducción de 2.000 empleados (9.500 en la actualidad).
- 190M $ ahorro sostenible en costes en 2009.
- Objetivo ahorro de 400 M$ de finales de 2011.
- 30% reducción costes de viajes.

19. Ser el líder en función de sus capacidades

Será tanto más fácil mantenerse como líder en innovación si los competidores no pueden fácilmente copiar el producto y su empresa innova tanto o más rápido que la competencia. Eso va a depender a su vez de cuatro premisas:

Ⓐ **La fuente de la innovación del producto.** Si es interna o externa (en este último caso otras empresas pueden tener acceso a menos que lo haya evitado por contrato de exclusividad).

Ⓑ **La presencia o ausencia de ventajas competitivas en coste o diferenciación que se puedan lograr fabricando ese producto innovador.** Consideremos, por ejemplo, la ventaja en costes de que disponen las empresas por su curva de experiencia derivada de una gran cuota de mercado. Pueden además repartir los gastos de I+D+i entre un mayor número de productos y entre distintas unidades de negocio o divisiones.

Las diferentes etapas del ciclo de desarrollo de un nuevo pro ducto ofrecen diferentes oportunidades para lograr ventajas en coste al invertir en I+D+i.

Note que la innovación en tecnologías básicas es menos sensible a economías de escala —o curva de experiencia— que el subsiguiente lanzamiento de múltiples nuevos productos que incorporen esas prestaciones.

Las empresas japonesas de talla mundial —Toyota, Toshiba, Sony, etc. —explotan cualquier tecnología fruto de su investigación básica, en especial en semiconductores y microelectrónica, aplicándola inmediatamente en productos de consumo masivo que gozan de economías de escala.

C Las capacidades tecnológicas propias. Si tenemos un *know-how* exclusivo frente a nuestros competidores, seremos capaces de mantener por más tiempo el liderazgo con nuestro producto. Pero tener ese nivel frente a la competencia requiere disponer de un equipo de personas altamente cualificado, en cantidad y de calidad, lo que implicará que nuestra empresa sea capaz de atraer a los técnicos y a los diseñadores más brillantes, fomente la creatividad, la cultura de la innovación y destine, por tanto, más recursos humanos y financieros que la competencia.

En el contexto de una crisis económica, es el momento de hacer un análisis estratégico objetivo de nuestras capacidades y ver cómo mejorarlas, optimizando el uso de nuestros recursos o recurriendo a fuentes externas. Cuando se produzca la recuperación económica, mejoraremos los plazos y la calidad de ejecución de nuestros proyectos de innovación.

D La rapidez con que nos pueda copiar la competencia. Si no evitamos que la competencia copie nuestros desarrollos, nuestra ventaja en costes o diferenciación puede quedar anulada. Por tanto, se requiere la protección de la propiedad intelectual, que pertenece a la empresa y no al empleado. Algunos productos se pueden proteger mediante patentes, modelos de utilidad, registros de marcas o de copyrights. Es más difícil con el software. En todo caso, basta con algunos cambios sobre el producto inicial como para que sea difícil que prospere nuestra demanda y además deberemos contratar a un buen bufete de abogados. Por otra parte, en el momento que deposite la patente o el registro le dará ideas a la competencia.

20. El líder endemoniadamente rápido

Innoleaks

Podríamos llamar *Innoleaks* —término encuñado por mi —a las fugas del *know-how* de su empresa. Estas pueden producirse por varios motivos:

- Sus competidores fichan directamente a sus mejores empleados de I+D+i —al estilo del mundo del fútbol, aunque en peores condiciones porque no les pagan a su empresa ninguna cláusula de rescisión —o lo hacen indirectamente— les anima a crear su propia empresa que, curiosamente, trabajará para ellos en exclusiva—.
- La competencia ficha a empleados de I+D+i despedidos. En este caso, si su antiguo empleador fue inteligente no serán los mejores, pero seguro que se llevaron información sensible.
- La competencia tiene espías en su empresa. Este hecho ocurre más a menudo de lo que la gente cree.
- A través de proveedores comunes de equipos, componentes, sistemas, etc.
- Mediante visitas al área de I+D+i realizadas por consultores, periodistas, etc.
- Con conversaciones informales de su personal —I+D+i, marketing, ventas, etc.— con la competencia en eventos del sector.
- Por artículos técnicos publicados por nuestro personal.

Firewalls

Como contrapartida, resultan obvias algunas de las medidas, barreras o protecciones —*firewalls*—para reducir ese flujo de información a la competencia:

- Una política de retribución al personal que le permita retener a los mejores empleados.
- Contratos de confidencialidad y exclusividad con determinados empleados y proveedores .
- Registro de la propiedad intelectual y llevar a juicio, siempre, a los infractores.
- Mantener el secreto sobre los nuevos productos en desarrollo. En este sentido, se debe controlar la zona por la que circulan las visitas en la empresa, es decir, es preciso limitar el acceso a las áreas de I+D+i.
- Construir los prototipos en la propia empresa.
- Limitar con passwords el acceso a la base de datos de I+D+i —que deberá ser centralizada—, creando controles para el trasvase de información entre equipos de productos distintos.
- Controlar las descargas de documentos de la base de datos central.
- Presentar los nuevos productos en ferias y congresos en el momento que estén listos para su comercialización, no antes.

Corran como locos y, de repente, cambien de dirección

Para seguir siendo líder en innovación e inmune a las copias de la competencia mi consejo es que corran como locos y, de repente, cambien de dirección. Es un consejo bastante efectivo pero, como en la metáfora, se consumen muchas calorías. Me explicaré. La copia del primer producto básico es mucho más rápida y fácil que la de las mejoras posteriores, aunque siempre le lleva su tiempo al competidor.

Si quiere seguir siendo líder, lance continuamente al mercado nuevas variantes sobre el producto inicial, de modo que cuando nos copien ya tengamos en el mercado una versión mejor y, si es posible, a un precio de venta igual o más bajo que la anterior, de modo que aumente el valor percibido para el cliente.

Ese ha sido el éxito del incrementalismo, de la política de *kaizen* o de mejora continua de las empresas japonesas y coreanas, líderes del sector de electrónica de consumo, que ofrecen año tras año constantes innovaciones sobre sus productos, dificultando la copia por parte de competidores.

Paradójicamente, esas mismas empresas partieron, en múltiples casos, de un producto básico diseñado por competidores occidentales que tuvieron que abandonar el negocio. De este modo, el líder debe ser endemoniadamente rápido, mucho más que la competencia, para que cuando sus competidores estén aun pensando, dándole vueltas y formando comités para copiarle el producto, usted esté por la versión 2.0, mucho mejor y a menor precio. En conclusión, esta es la mejor receta contra la imitación de la competencia: correr mucho más deprisa que sus rivales.

21. ¿Es positivo ser el líder?

Entre las decisiones estratégicas de la política de innovación de la empresa se halla la definición del papel que queremos jugar en nuestro sector. ¿Debemos ser obligatoriamente líderes o es preferible actuar como seguidores? Se trata de un análisis que requiere toda nuestra atención, ya que condicionará los recursos necesarios y, evidentemente, los resultados.

No nos extraña nada que haya más seguidores que líderes en los mercados, las barreras del liderazgo son insuperables para muchos. De modo que ser seguidor no tiene por qué ser una mala decisión estratégica, sobre todo si dirige una pyme.

Ventajas de ser el líder

Piense en las ventajas de ser el primero en la innovación:

- Aumento de nuestra reputación e imagen de marca.
- Permite definir en detalle el concepto del producto y preparar anticipadamente un plan de marketing que lo apoye.
- Ocasiona gastos de cambio a los clientes, si posteriormente quieren usar un producto de la competencia.
- Permite una selección clara del canal de distribución.
- Facilita el acceso a recursos técnicos o materiales escasos.
- Posibilita la creación de barreras legales frente a los seguidores.
- Permite imponer normas técnicas que deberán ser adoptadas por los seguidores.

Desventajas de ser el líder

Aunque es bastante natural querer ser el líder, también se deben valorar las desventajas de serlo:

- Los elevados gastos de I+D+i implicados.
- Inseguridad de una demanda que permita amortizar esos gastos.
- Cambios imprevistos en las necesidades de los clientes.
- Inversiones específicas, no válidas para otros productos.
- Discontinuidades tecnológicas que puedan causar la obsolescencia prematura del producto o de su proceso productivo.
- La facilidad de la imitación con bajos costes de I+D+i.

22. La estrategia tecnológica sobre el papel

La opción estratégica de la innovación suele ir ligada en muchos sectores a la formulación de una estrategia tecnológica, un concepto que no es exclusivo del área de I+D+i. Las estrategias de innovación van asociadas a la toma de decisiones sobre el uso y desarrollo de tecnologías, lo que incluye la función de I+D+i, que tendrán en cuenta todas las actividades de la empresa que tengan un contenido tecnológico.

Del mismo modo que se prepara un plan de marketing, la estrategia tecnológica se debe formular por escrito. Michael Porter propone un guión:

1. Identifique todas las tecnologías que intervienen en las áreas de producto y de producción con objeto de realizar un inventario tecnológico. Asimismo, examine las tecnologías de competidores y proveedores, con el fin de determinar posibles interrelaciones.
2. Detecte las tecnologías que pudieran ser relevantes en vista de su uso actual en otras empresas o en otros centros de I+D+i, con el objetivo de estudiar su posible aplicación en su empresa.
3. Intente pronosticar la evolución de tecnologías clave dentro de las actividades de producción propias, de los clientes y de los proveedores.
4. Determine qué tecnologías o cambios tecnológicos pueden influir en su estrategia de innovación, al afectar a la estructura de su sector industrial debido a que:
    - Crean una ventaja competitiva que se puede mantener.
    - Favorecen costes o diferencian la empresa.

- Conducen a las ventajas de ser los primeros.
- Mejoran nuestra estructura industrial.

5. Valore cuál es su capacidad relativa en tecnologías clave así como el coste relacionado con el desarrollo de mejoras y de mantenernos al día.
6. Formule por escrito esta estrategia tecnológica, que refuerce la estrategia de innovación adoptada y que apoye la ventaja competitiva de que disfruta (costes o diferenciación).
7. Si la empresa tiene varias divisiones, incentive las estrategias tecnológicas adoptadas individualmente mediante una acción a nivel corporativo, en base a:
   - colaborar en el área de tecnologías clave,
   - explotar las interrelaciones tecnológicas entre las distintas divisiones.
8. Asimismo, el documento final que defina la estrategia tecnológica de la empresa deberá incluir los siguientes aspectos:
   - Un listado de proyectos de I+D+i con prioridades en función de la estrategia de innovación adoptada. No se debe aprobar ningún proyecto de I+D+i sin una justificación sobre su impacto en costes y/o diferenciación. El portafolio de proyectos debe contener exclusivamente productos que estén en consonancia con la estrategia de innovación de la empresa.
   - La decisión adoptada en cuanto a ser líderes o seguidores en tecnologías y productos.
   - Los medios de captación de ayuda tecnológica externa.
   - La política adoptada sobre concesión u obtención de licencias.

En resumen, la formulación de una estrategia tecnológica le permitirá definir una estrategia de innovación de nuevos productos acorde con las posibilidades tecnológicas reales de su empresa.

23. El acceso a nuevas tecnologías

Como resultado de preparar el documento sobre estrategia tecnológica de su empresa, se le plantearán las preguntas siguientes: *¿Tengo capacidad tecnológica para innovar? ¿Dispongo de las últimas tecnologías para que las buenas ideas lleguen a convertirse en un producto de éxito?* Si ése no es el caso, *¿qué empresas disponen de esas tecnologías?*

En este contexto debe estar atento al fenómeno de los *brókers del conocimiento*, es decir, personas u organizaciones capaces de actuar como intermediarios para generar sinergias de innovación entre empresas, encontrando el conocimiento adecuado entre los buscadores de tecnologías y los proveedores de estas. La empresa InnoCentive actúa como bróker del conocimiento usando expertos en la web. En general, las empresas de consultoría en temas de innovación pueden ayudarle en la integración de nuevas tecnologías.

En momentos de crisis económica hay ventajosas oportunidades de compra de tecnologías y de empresas que necesitan financiación. Para ello, aceptan monetizar la propiedad intelectual (patentes, etc.) que aún no han explotado con éxito. En otros casos, esas empresas están dispuestas a formar *joint ventures* o a colaborar en proyectos conjuntos de I+D+i, lo que nos permitiría reducir la inversión inicial. La búsqueda de esas nuevas tecnologías debe ser constante y agresiva con el fin de mantener el liderazgo en nuestro sector. La vigilancia tecnológica emerge como una de las capacidades que deben existir en todo grupo que pretenda apostar seriamente por la innovación.

24. La venta de licencias de tecnología propia

La empresa debe tener la propiedad de los resultados de su propia innovación, a través de registros de derechos de propiedad industrial e intelectual, bajo forma de patentes, modelos de utilidad, diseños industriales, marcas y otros elementos distintivos y *copyright*. La protección de los resultados de las innovaciones permite mostrar con mayor detalle su valor añadido para los clientes, en relación con las prestaciones ofrecidas por la competencia. En mi opinión, lo más relevante es que le permitirá licenciar su explotación, si la empresa lo desea, por medio de la cesión total o parcial de los derechos de uso o de comercialización a terceros.

¿Dispone de una tecnología propia? Si es así, ¿por qué no conceder licencias? Esas licencias son fuentes de ingresos para muchas empresas que ven en ello una opción estratégica interesante. Parece obvio y estoy de acuerdo en que hay que sacarle partido a la inversión en I+D+i. Mi consejo consistiría en conceder una licencia tecnológica a terceros, si y solo si se dan las siguientes circunstancias:

1. que exista una falta de recursos propios para explotarla,
2. que podamos obtener dinero de mercados inaccesibles por nuestras dimensiones empresariales,
3. que consigamos con ello que nuestra tecnología se convierta en el estándar del mercado y con ello garanticemos una demanda general,
4. que tengamos una estructura industrial limitada,
5. que con ello creemos *buenos competidores* que estimulen la demanda de nuestra tecnología y ayuden a crear el mercado.

25. Selección y estudio de los competidores más peligrosos

Seleccione las empresas que representan su competencia más peligrosa. Dedíquese a obtener toda la información posible, no solo sobre sus productos, sino sobre cualquier otro aspecto al que tenga acceso. Vigílelos de cerca, analice su historia, su equipo directivo, su estructura organizativa, sus tácticas de marketing, su equipo de ventas, su red de distribución. Estime su estructura de costes, su capacidad productiva, sus capacidades tecnológicas, los recursos que dedican a I+D+i e intente visualizar sus estrategias y tácticas.

Periódicamente, con esa información, plantee con su equipo un *juego de guerra* e intente elaborar un plan de acción con contramedidas para derrotar la estrategia de sus competidores. Use, en especial, su plan de nuevos productos como *armamento* en ese juego. Pida a clientes seleccionados que comparen sus productos con los de esos competidores. Analícelos en su empresa desde un punto de vista tecnológico y de marketing. Supérelos en diferenciación y/o en costes, lo antes posible. Responda con un *time to market* agresivo, muy rápido.

No obstante, si es mucho más rápido que la competencia, también podrá decidir incluso imitarla y puede que con éxito. Si es muy rápido, para cuando sus competidores estén aun pensando, dándole vueltas y formando comités para diseñar el producto sucesor del que usted ha decidido imitar, usted habrá lanzado una versión mucho mejor y a menor precio. Esta es la mejor receta contra la competencia: ir muy rápido, correr muchas veces más deprisa que sus rivales, tanto si decide ser líder como seguidor.

26. La hoja de ruta de la innovación

Hay que ir con cuidado con la política de imitar a la competencia. Debemos estar abiertos a analizar nuestro entorno, aunque no necesariamente para copiar. El lanzamiento de un producto táctico para cubrir un gap con la competencia no tiene por qué ser la norma del área de innovación, sino la excepción. Hay que evitar que el mimetismo mate la innovación, porque, nunca lo olvide, necesitamos la diferenciación. La estrategia de innovación es el recurso capaz de aportarnos un valor más sostenible en el tiempo.

Una fuente importante de innovación está en la búsqueda de caminos propios desde el conocimiento de experiencias de terceros. El intentar imitar a la competencia tras un malentendido *benchmarking* suele ser una de las causas de los cambios en nuestro portafolio de productos. Defina su propia hoja de ruta para lanzar nuevos productos y no se desvíe de ella.

Por supuesto, puede que sean necesarios ajustes periódicos —trimestrales, por ejemplo— en función del avance del plan anual de innovación, y de la evolución del mercado, sin cambiar continuamente de rumbo y de estrategia. Es decir, si hay que hacer cambios, hay que hacerlos con cuidado y sin brusquedades, a menos que la gravedad de la situación lo requiera.

Suelo ilustrarlo con el modo de conducir un automóvil: los frenazos, los cambios bruscos de marchas y de velocidad solo generan estrés en los acompañantes, un aumento del consumo y desgaste en los neumáticos. Es posible que en situaciones excepcionales deba tomar una acción drástica, como lo haríamos para evitar un accidente, pero usted, como directivo, no puede *conducir* su área de innovación sistemáticamente como si fuera un piloto de Fórmula 1.

27. Incremento de la cuota de mercado global

En muchos sectores, el mercado mundial es el único suficientemente grande como para permitirle su supervivencia. Por supuesto, esto no es verdad para todas las empresas, pero si su sector es cada vez más global por su naturaleza, deberá internacionalizarse para obtener ventajas tanto desde un punto de vista industrial como comercial.

La ventaja competitiva desde la órbita industrial está estrechamente relacionada con los diversos aspectos de las economías de escala. Mayores volúmenes de producción siempre se traducen en costes de fabricación más bajos y, además, permiten una mejor cobertura de los costes de los proyectos de I+D+i.

Existe, sin embargo, un aspecto menos obvio en esta cuestión. Construir una ventaja frente a la competencia requiere la habilidad de hacer las cosas mejor que ellos. La primera manera, y la más decisiva para lograrlo, es tener una mejor especificación y un mejor diseño que el resto. La segunda oportunidad que tenemos nos la da el valor añadido total. Si somos una empresa excelente, ¿cuánto mejor podemos hacer las cosas si nos comparamos con la competencia? ¿Un 5%? ¿Un 15%? Asumamos que sea un 10%. Si nuestro valor añadido es bajo, la oportunidad de construir una ventaja competitiva también será baja. Con un valor añadido en la cadena de fabricación de, pongamos el 15%, siendo un fabricante puro, esa ventaja del 10% será el 10% del 15%, o sea, un 1,5%. Con un producto altamente integrado que represente un valor añadido del 60%, esa posible ventaja del 10% será un 10% del 60%, es decir, un 6%. Por supuesto este cálculo solo es válido si nuestras economías de escala para los componentes, la tecnología y el producto final son iguales o mayores que las de la competencia.

En sectores como el de electrónica de consumo, por ejemplo, es vital lograr una cuota de mercado global para el producto acabado, a fin de garantizar un volumen suficiente para los componentes y subsistemas. Si para un producto logramos una cuota de mercado global del 15% o más, la fabricación de determinados componentes específicos puede ser competitiva, y aún más, en particular, si podemos venderlo a terceros como ventas OEM.

La decisión de discontinuar la integración vertical por motivos de costes puede que sea la correcta en un determinado producto, aunque no en todos los casos. Es posible que estemos atacando los síntomas, en lugar de lanzarnos sobre las causas del problema, y puede que finalmente perdamos la batalla del producto final. La solución real sería lograr una sólida cuota de mercado global del producto final.

28. Colaboración con proveedores y clientes

Si selecciona a un grupo reducido de proveedores y clientes para establecer una estrecha colaboración con ellos, podrá lograr innovar en producto, en proceso, reducir los costes de los componentes y crear competencias difíciles de imitar. Eso es lo que han hecho, durante años, Hewlett-Packard con Canon, Toyota con sus proveedores de primer nivel o Bombardier Transport (fabricante de trenes canadiense) con sus proveedores, por citar tres ejemplos.

Diez es un número razonable. Una compañía que afirma tener acuerdos especiales con 100 o más proveedores y clientes, no puede tener relaciones serias, porque cada alianza requiere tiempo, dinero y energía, además de un compromiso mutuo. Precisa de proyectos de innovación conjuntos constantes.

No tenemos que ser ingenuos. No todas las opciones serán válidas, ni lo son todos nuestros clientes y proveedores. La confianza es la base de la colaboración y necesita ser alimentada continuamente. Sin confianza será imposible lograr altos niveles de colaboración que permitan mantener las relaciones cuando surjan problemas que las impacten negativamente.

Un enfoque colaborativo implica un horizonte de largo plazo para la relación cliente-proveedor. Significa que debería ser posible el codiseño de nuevos productos para el cliente y entender cómo el proveedor puede ayudar al cliente a lograr esas metas.

Ese es el enfoque actual del desarrollo de motores diesel de Caterpillar con la ayuda de ABB. En este contexto, en el futuro

ABB podrá penetrar en otras áreas de Caterpillar, por ejemplo, en sus líneas de producción. Caterpillar debe decidir si ABB es o no uno de los 10 proveedores clave para sus relaciones colaborativas en proyectos de innovación.

29. La necesidad de un director de innovación

La motivación es el factor más destacado para la productividad de un departamento de I+D+i. Por parte de la empresa requiere un liderazgo inspirador y a la vez exigente, tanto de la dirección general como de la dirección de innovación —ya que ambos deben dar ejemplo—, así como políticas empresariales claras y consistentes.

Medir la productividad en un departamento de I+D+i es extremadamente difícil, porque viene dada por la calidad de los nuevos productos, no por su cantidad. Y la calidad viene corroborada por el éxito de las ventas de esos productos, no por su calidad intrínseca.

Si usted solo toma decisiones basándose en los costes, quizás no necesitará un director de innovación. No obstante, sin un líder de innovación motivado y emprendedor, hará pocos progresos en la búsqueda de una innovación rentable. Su empresa tiene que entender que la innovación va en serio. Y en sentido amplio. No solo en I+d+i. Por otro lado, si usted asume ese rol, estará colocándose una pesada responsabilidad sobre sus hombros de director general, porque no es fácil.

Puede que piense que ese líder es su actual director de I+D+i. Tenga en cuenta que este perfil requiere el dominio de la planificación de proyectos y conocimientos tecnológicos enfocados a resultados. No obstante, estas habilidades son insuficientes. No existe ningún sustituto del interés personal por la innovación de los directores generales y los directores de I+D+i. Ese interés queda reflejado en su frecuente presencia en los laboratorios o centros de I+D+i. La implicación del líder crea una atmósfera y un espíritu luchador que puede permitirnos lograr unos éxitos que parezcan imposibles bajo un enfoque de gestión burocrático.

Es la política del MBWA *—Management By Walking Around*, gestionar paseando por allí— que caracterizó la cultura de los fundadores de HP. La evidencia demuestra que las personas que están directamente sobre el terreno toman la mayor parte de las decisiones críticas.

No necesita un burócrata al frente de la innovación, necesita a un líder que ame la innovación, que disfrute creando nuevos productos y que inspire a sus colaboradores. Y ese directivo deberá reflejar el ADN de la innovación, que debe ser también el del director general de la empresa. Ambos deberán convencer a la organización de que la innovación es importante.

Un líder es alguien que ayuda a los demás a conseguir el éxito,
Carol Bartz, directora ejecutiva de Yahoo!

No es fácil localizar ese perfil de directivo. Se puede encontrar al genio solitario al que le molesta la burocracia, y también es fácil detectar al burócrata para el que los procedimientos son el fin, no el medio. En cambio, los líderes que marcan la diferencia en la gestión de la innovación son los que saben que pueden realizar ciertas cosas y decidir sobre otras, y que son conscientes de lo que sus colaboradores pueden y no pueden hacer.

Gestionar la innovación va más allá de obedecer órdenes, copiar de otros o aplicar consejos de libros como el que está leyendo. Los líderes de la innovación eficaces son los que concentran su tiempo y atención, sus recursos más valiosos, en las cosas que deben hacer y en las decisiones que deben tomar. Son individuos con resiliencia, con capacidad de comunicación, de entender la diversidad y complejidad de la economía global; con capacidad de pensar, no solo de ejecutar.

El Chief Innovation Officer (CIO)

A medida que la innovación adquiere más reconocimiento como impulsora del crecimiento de los negocios, muchas empresas han creado un espacio en sus oficinas para un cargo nuevo: el Director de innovación o *Chief Innovation Officer* (CIO).

Ha habido un notable aumento de estos cargos, y empresas como Citigroup, Coca-Cola, Wrigley, Humana y Kellogg, por citar algunos ejemplos, cuentan con un CIO. La mayoría de estos directivos tienen comunicación directa con el CEO —Director general o *Chief Executive Officer*—, lo que es una señal de que la empresa se toma muy en serio esta posición.

Un estudio de la consultora Accenture realizado en 2009, recomendaba nombrar a un CIO como responsable único en la empresa de todos los programas de innovación. Ese directivo debe ser un ejecutivo de alto nivel que lidere un proceso transfuncional o transversal, como lo es el del desarrollo de nuevos productos y servicios. Lo importante no es el título, sino que sea un responsable a nivel alto ejecutivo. ¿Por qué? Porque el cargo de CIO requiere a alguien que tenga poder, influencia, credibilidad y autoridad, capaz de ver y de actuar a través de toda la empresa, con recursos y autoridad para influir en el proceso de innovación. Porque designar a un ejecutivo como líder de innovación es relevante, pero no basta, es insuficiente. En este sentido, muchas empresas han nombrado a alguien para liderar la innovación, al que le han asignado un presupuesto inadecuado y le han negado una dirección estratégica que saque provecho al cargo.

El nombramiento de un ejecutivo para liderar la innovación debe complementarse con una dirección estratégica disciplinada y clara, y con un presupuesto acorde con la envergadura de los proyectos a emprender. Ese CIO debe ser el propietario del proceso que denominamos innovación, del principio al fin, y tiene que ser capaz de manejar ese proceso con el mismo rigor y disciplina que se manejan el resto de procesos en la empresa.

Nombrar a un ejecutivo como CIO no es novedoso en Estados Unidos, aunque tampoco es aún lo habitual. El informe de la consultora Accenture antes mencionado señala que solo un 21% de empresas tienen un CIO. La mayoría, casi un 50%, tiene múltiples ejecutivos como responsables de las diversas áreas de innovación en sus empresas. Esa es una práctica habitual en España y en otros países.

Ese mismo informe demuestra, en cambio, un mayor retorno de la inversión en I+D+i en las empresas que tienen un CIO con autoridad sobre todos los ámbitos de innovación. Además, el personal de esas empresas afirma estar el doble de satisfecho en cuanto a cómo se maneja el portafolio de productos y la conversión de ideas en productos, mediante un plan de desarrollo eficiente y rápido de nuevos productos y servicios. Se sienten más competitivos y más fuertes que la competencia. De este modo, nombrar a un CIO ayuda a resolver una gran dificultad del proceso de innovación: que nuevas ideas puedan languidecer porque nadie las promueva, porque nadie sea su promotor. El CIO debe ser el promotor.

La mayoría de CIO proceden de las áreas de marketing, I+D y estrategia, y por lo general tienen un título que asocia la innovación con otra función. Sin embargo, las empresas más innovadoras se dan cuenta de que la innovación va más allá de una mera experiencia funcional. No se trata solo de desarrollar nuevos productos o mejores maneras de comunicar con el mercado, sino que el objetivo del CIO debe consistir en transformar la manera en la que toda la organización piensa sobre el mercado y el lugar que la empresa ocupa en él. Ven que el perfil del Director de innovación requiere dotes de liderazgo, más que de gestión de una área tecnológica.

Capacidades de un CIO

Un CIO debería ser alguien que:

- posea la capacidad mental del inventor, es decir, alguien que no esté limitado por lo que ya sabe o conoce,
- genere nuevas ideas y que también reconozca las ideas innovadoras de terceros,
- aporte una visión a su rol, más amplia que la simple habilidad tradicional de un líder que busca maximizar el rendimiento de sus colaboradores.

Ese líder de innovación deberá tener dos capacidades:

A Tolerancia ante la ambigüedad.
Los proyectos de innovación son ambiguos. Los problemas a resolver no están claramente definidos. Las soluciones no tienen por qué ser lineales. Los profesionales que prefieren directrices claras, medidas cuantitativas y relaciones perfectamente definidas suelen ser pésimos líderes de la innovación. Hay que saber convivir con la inseguridad y la ambigüedad. Si alguien quiere estar seguro de todo, debe optar por dirigir otras áreas de la empresa

B Tolerancia ante el riesgo.
El riesgo forma parte de la innovación. Hay que limitarlo, controlarlo y minimizarlo. Y hay que asumirlo. Para ello, el líder debe tener una autoestima alta, confianza en sí mismo, estar seguro de sus capacidades profesionales y transmitirlo a sus colaboradores. Tiene que tener resiliencia, carácter para enfrentarse a reveses y no abandonar.

Eso explica que empresas de búsqueda de directivos, como Heidrick & Struggles, consideren que para una posición de CIO es preferible alguien que posea unos atributos personales y aptitudes específicos que le permitan perseverar hasta lograr el éxito, en lugar de alguien que solo destaque por su carrera tecnológica.

La filosofía Procter&Gamble (P&G): CEO=CIO

Es probable que no exista ese perfil de líder en su empresa. En este caso, y si no se contrata a nadie del exterior, deberá ser el propio director general quien asuma la responsabilidad. Seguiría así el ejemplo de P&G, empresa que carece de CIO porque no ve la necesidad de crear un cargo ejecutivo separado. Su estrategia consiste en que sean los propios presidentes de unidades de negocio quienes asuman el rol de líderes de la innovación y crecimiento de sus empresas. La responsabilidad de la innovación está en esos presidentes y en última instancia en el CEO.

A. G. Lafley, ex CEO de P&G, tenía la convicción de que el CEO debía ser el CIO de toda la empresa, y que por eso él debía trabajar muy de cerca con el director de tecnología —*Chief Technology Officer* o CTO— y con el director de la Oficina de Diseño global, ambos en funciones corporativas, así como con los distintos presidentes de las unidades de negocio. Como expusimos en el consejo 5, la política de innovación de P&G exige la creación de innovaciones de manera continua, y para que eso ocurra, los presidentes de las unidades de negocio deben estar convencidos de esa idea.

Robert A. McDonald, actual CEO de P&G, sigue los pasos de Lafley y afirma que la innovación en P&G es intrínseca al negocio y que es responsabilidad de todos sus empleados. En este contexto, la innovación forma parte de las tareas diarias de los presidentes de las unidades de negocio. Es el centro mismo del proceso de gestión y la razón misma del cambio en P&G. Su trabajo está orientado a integrar la innovación en todo lo que se hace en la empresa.

30. Un líder fuerte y motivador

Cualquiera que sea quien asuma el rol de líder de la innovación en la empresa, jugará un papel clave en el cumplimiento de los objetivos proyectados para el negocio. Debe convertirse en un soñador pragmático y ver el mundo de manera distinta. Imaginar nuevas alternativas, seleccionar metas más ambiciosas, elegir las mejores y hacerlas realidad. Además de soñar, debe equilibrar sus posibilidades, en base a las capacidades de su empresa, con las realidades prácticas de su sector.

Asimismo, debe servir, en primer lugar, de modelo a los comportamientos que corresponden a una cultura de innovación en la empresa. En segundo lugar, tiene que llevar a cabo un trabajo único y valiosísimo, que consiste en agregar valor a las tareas de sus colaboradores. Y, en tercer lugar, debe perfeccionar continuamente sus habilidades personales. Los líderes de la innovación, afirma A. G. Lafley, no nacen, *se hacen*.

Tareas de los líderes de innovación

Las actividades de los líderes de la innovación se orientan a varias tareas:

A Convencer a la organización de la importancia de la innovación. Debido al alto nivel intelectual en los centros de I+D+i y a la gran influencia del factor humano en el éxito del colectivo, es muy importante que se explique claramente a todo el personal —y asegurarse que lo entiendan— la política de innovación, es decir, por qué tomamos decisiones que afectan a determinadas líneas de productos. Los cambios de estrategia innecesarios, la modificación de especificaciones que no se comunican o las cancelaciones de proyectos sin justificación, conducirán a la desmotivación del personal del centro de I+D+i y/o a la pérdida de efectividad y productividad.

En épocas de crisis muchos departamentos de I+D son eliminados o reducidos para mejorar las cuentas de resultados a corto plazo. Si tampoco se suele premiar a los innovadores, el escepticismo es generalizado. De hecho, en muchas empresas no solo no se ha promocionado a los innovadores sino que se ha despedido a los que asumieron riesgos innovando.

Es fundamental que los empleados estén convencidos de que la dirección general, no solo el director de I+D+i, apoya la innovación. Por cierto, les costará mucho creer que un ejecutivo que es conocido como el rey del recorte de gastos, de repente se haya convertido en un creyente de la innovación. Por eso, ambos, el director general y el director de innovación, deben hacer un esfuerzo de comunicación desde arriba hacia abajo, para que el mensaje sobre la importancia de la innovación llegue a todos los colaboradores, dándole prioridad en su agenda, predicando con el ejemplo, transmitiendo su entusiasmo por la innovación.

B **Distribuir eficazmente los recursos, asignando los mejores profesionales a los puestos adecuados**. Esta tarea requiere un conocimiento detallado del grupo. Se debe disponer del inventario de capacidades tecnológicas y contrastarlo con las aptitudes necesarias, en función de la estrategia o modelo de innovación seleccionado, sobre las áreas o productos en los que se quiera competir, analizando el gap existente con la competencia.

Puede que eso sea difícil en grandes empresas, además de requerir un exquisito *fair play* por parte de los directivos y mandos intermedios. Asimismo, es posible que precise de la contratación de profesionales externos por la imposibilidad de recurrir a la promoción interna, puesto que en temas tecnológicos la reconversión o polivalencia no siempre es posible.

C **Elegir una estrategia y un modelo de innovación: integral, innovación abierta, etc.** Esta es la actividad más difícil para los líderes que impulsan la innovación. Requiere una visión que les permita definir cómo competir a corto y medio plazo, y qué conocimientos les serán necesarios. El líder deberá hacer una apuesta —seguirá siendo eso, una apuesta, aunque esté bien razonada y documentada y él esté convencido de ella— y tendrá que mantenerla hasta lograr el beneficio económico esperado, si lo consigue.

D **Concentrarse en los proyectos adecuados.** Muchas veces los proyectos se seleccionan o avanzan *porque son lo que el jefe quiere*. Es verdad que las decisiones sobre los objetivos en que nos enfocamos y concentramos los esfuerzos, deben ser tomados por los directivos líderes de la innovación, porque si delegan esas decisiones en terceros los resultados puede que sean pésimos. Esto les obliga a estar informados, a conocer suficientes detalles de los proyectos de innovación, a mantenerse cerca de la acción, buscando el máximo consenso y como resultado el mayor apoyo de su equipo, aunque la decisión final sea siempre suya.

A medida que el líder de la innovación —sea el director general o el director de innovación— logre mayor credibilidad ante sus colaboradores, podrá convertirse en maestro de hacer caso omiso de los proyectos que no considere relevantes, así como de impulsar a marchas forzadas aquellos por los que apuesta y quiere que salgan adelante.

E **Fomentar la asunción de riesgos: la mayor amenaza es no arriesgarse.** Otra responsabilidad difícil para los líderes de la innovación. Los accionistas y los consejos de administración no están por la labor y muy pocos altos directivos han logrado sus posiciones por asumir riesgos, sino más bien por evitarlos, de modo que sus capacidades son justo las opuestas. Por otra parte, que un líder de innovación crea que se debe asumir cierta dosis de riesgo no significa que su jefe esté de acuerdo. Eso hace que muchos empleados tengan miedo a asumir riesgos, a fracasar, y como resultado, a enfrentarse a circunstancias desagradables. En muchas empresas los consejos de administración piden más ideas y nuevos proyectos innovadores. En cambio, los empleados no tienen valor para proponerlas.

Los riesgos del líder de la innovación

El éxito en una empresa no debe ser siempre lo único que se recuerde. Lo que importa son los que se esfuerzan, aunque fracasen. Bill Gates afirma que aprendió más de sus errores que de sus éxitos. A eso le llamo un *fracaso inteligente*, porque puede ayudar a evitar repetirlo. En este sentido, se requiere el esfuerzo de estudiar el error con detalle, para intentar comprender por qué se produjo ese fallo y descubrir la causa que ocasionó ese resultado negativo.

Eso nos permite crear una cultura tolerante con determinados fracasos. Por ejemplo, si analizamos un proyecto innovador que se eligió con criterios razonables, que se ejecutó con rigor pero con el que no se han logrado las ventas previstas debido a un contexto de crisis, no creo que ese proyecto pueda considerarse como un completo fracaso.

La innovación siempre tiene riesgos. Y para minimizarlos necesitamos el liderazgo a un segundo nivel: el del líder del proyecto de innovación, que debe comprometerse a gestionarlo de un modo holístico, global, intentando lograr el máximo flujo de caja previsto. Se trata de minimizar los riesgos, de gestionar los proyectos de innovación con un equipo multifuncional —I+D+i, marketing, producción, ventas— de modo que a lo largo de las revisiones del proyecto se controlen los tres tipos principales de riesgos:

- **De ejecución:** ¿Seremos capaces de desarrollar, fabricar y distribuir el nuevo producto o servicio?
- **Técnico:** ¿Va a funcionar según especificaciones?
- **De Mercado:** ¿Los clientes lo van a querer en los plazos, costes y cantidades previstas?

31. Una organización competitiva

La innovación en producto o servicio desde una perspectiva empresarial implica lograr el éxito en el mercado, concretado en ventas que nos permitan aumentar nuestro beneficio operativo y, como consecuencia de ello, seguir destinando anualmente y de modo sistemático recursos específicos a la innovación, para seguir lanzando al mercado productos con excelentes resultados.

Eso requiere más que un buen departamento de I+D+i —que se convierte en una condición necesaria—, es decir, precisa de una organización competitiva, con equipos multidisciplinares que logren los objetivos previstos en términos de costes, calidad y plazos de entrega.

Innovar en productos con éxito, en un entorno tan competitivo como el actual, requiere un nivel de excelencia operativa en toda la empresa. Todas las áreas de actividad, desde la planificación estratégica —denostada por algunos y absolutamente necesaria para marcar el rumbo competitivo de la empresa—, marketing, I+D+i, fabricación, calidad, logística, ventas hasta el servicio postventa, deben contribuir con sus ideas a un buen resultado del nuevo producto. Es más, estos departamentos deben innovar en sus respectivos procesos operativos. Dicho de otro modo, es la innovación en todas las áreas de la empresa lo que nos permite ofrecer al mercado buenos productos o servicios. Para ello, es necesaria una cultura empresarial que demande un nivel de excelencia de sus empleados, que no tolere la mediocridad y que persista en la necesidad de seguir innovando en cualquier área y proceso.

En definitiva, la organización competitiva es un concepto que se basa en innovar, más allá del producto final, en todos los procesos que nos permiten lograr ese producto de éxito: la planificación estratégica, el desarrollo de producto, las compras, la fabricación, las ventas y el de servicio postventa. Y que se amplía a todos los departamentos estructurales que contribuyen a realizar un trabajo más fluido al resto.

32. La simplificación de la organización para ganar velocidad

La innovación debe ser una operación empresarial al igual que lo son la producción, la logística o las ventas. A diferencia de estas, sin embargo, la innovación opera transversalmente en toda la empresa y no se restringe a una área específica. Esto le da un carácter sistémico, global, tanto desde el punto de vista de la interacción de la empresa con su entorno, como internamente.

Como toda operación en la empresa, la innovación se desarrolla a partir de procesos y personas. Muchas empresas tienen estructuras organizativas complicadas, con muchos niveles. Se generan multitud de informes complejos. De hecho, vivimos en un entorno de exceso de información que no todo el mundo es capaz de digerir. Cada nivel en el organigrama, en I+D+i, en la fábrica, en la cadena de distribución, aumentan los costes operativos y la complejidad de la gestión, introduciendo retrasos y distorsión en el manejo de la información.

Mi consejo es que, siempre que sea posible, reduzca al máximo el número de niveles en su organización, en particular en el área de I+D+i. Eso hará que el personal que participa en el diseño del producto, al estar más cerca de la dirección de la empresa, se sienta más motivado. Eliminará los malentendidos e innovará más rápido porque reducirá los retrasos entre la decisión y la ejecución. Reducirá el *time to market* y, lo más importante, los costes.

33. Las mujeres en la innovación

Las mujeres son diferentes de los hombres

La revolución feminista avanzó en búsqueda de la igualdad entre hombres y mujeres, pero igualdad no significa que los hombres y las mujeres sean lo mismo. Según algunas estadísticas, en promedio las mujeres tienen un coeficiente de inteligencia —CI— mayor que los hombres. Eso explicaría por qué, al incorporarse las mujeres de modo masivo a la universidad —las mujeres norteamericanas en conjunto, desde los años 80— tienen una mayor formación académica que los hombres —tendencia que se da también en España—.

La distribución estadística del CI en la población sigue una curva normal o gaussiana en ambos sexos. Según estos estudios tendría una mayor dispersión en el caso de los hombres, siendo la media del CI en las mujeres algo superior a la de los hombres. Para explicarlo llanamente: entre los varones habría más genios, pero también más estúpidos —las áreas en los extremos de una curva normal— que en el colectivo femenino. Si eso fuese verdad piense que lo sería en todos los ámbitos: profesionales, universitarios, políticos, etc.

Existen otras teorías, admito que controvertidas, sobre el uso que las mujeres dan a diferentes zonas del cerebro, que sería distinto del de los hombres. Según estas tesis, la perspectiva de una mujer en un equipo de innovación sería distinta de la de un hombre. Esta sería la base para aconsejar que se contrate a más mujeres para el área de innovación. Veamos el por qué.

Los hombres se sienten cómodos en organizaciones jerárquicas, las mujeres se sienten mejor en organizaciones matriciales, donde el objetivo es participar y donde se sientan vinculadas a un proyecto en común. Los hombres se preocupan más por los derechos, las mujeres por las responsabilidades. Dichos estudios destacan la capacidad humana de las mujeres frente a la capacidad técnica de los hombres. Las mujeres son mejores en los aspectos de relaciones y, por consiguiente, destacan en planificación, fijación de objetivos, establecimiento de normas, decisión, firmeza y labores de seguimiento, de modo que son excelentes candidatas a la dirección de proyectos de innovación.

Las mujeres buscan la independencia económica. No pretenden la riqueza por la riqueza, sino que buscan la obtención de suficiente dinero como para tener un espacio propio. Quieren llevar las riendas de su vida y de su trabajo. Van a por ello, sea lo que sea. Buscan la flexibilidad y no quieren lograr promociones en base a la antigüedad en la empresa. Quieren compaginar su profesión con el placer y la alegría.

Las profesionales de la actualidad son responsables de sí mismas y de los equipos que lideran. Asumen múltiples roles y diversas personalidades, en el trabajo y en el hogar. Los hombres decimos que siempre estamos muy ocupados. Viendo a excelentes profesionales del sexo femenino que compaginan su rol en la empresa con el de la familia, no puedo menos que admitir que ellas sí que están muy ocupadas.

En muchas empresas, en particular las tecnológicas, el número de mujeres presentes en los equipos de innovación es irrelevante. En consecuencia, estamos infrautilizando un potencial intelectual disponible en el mercado. No es que abogue por una discriminación positiva, ni por una cuota de un determinado porcentaje de mujeres en los equipos de innovación. La cuestión, a la hora de contratar a un profesional, no está en el sexo sino en el cerebro. Porque habrá grandes profesionales en ambos sexos y también lo contrario —me remito a la pura distribución estadística del CI—. No obstante, de entre las mujeres que estudian carreras de ingeniería —aunque son minoría—, las que se gradúan suelen ser mucho más capaces que el promedio de sus compañeros varones.

Para romper ese círculo vicioso, los centros de formación secundaria y las universidades deben tomar acciones para promover los estudios de carreras tecnológicas entre las jóvenes. Por otra parte, en las empresas debemos contratar a más mujeres ofreciéndoles, de verdad, un plan de carrera que sea compatible con sus deseos de formar una familia, por ejemplo, mediante el teletrabajo. A su vez, las mujeres deben comprometerse con las empresas y dedicar su tiempo, inteligencia y energías al éxito de los proyectos de innovación en los que participen.

Diseñe productos para mujeres

Lo mismo ocurre con la perspectiva de las mujeres como clientes. Su visión es distinta a la de los hombres. A los varones, en general, solo les interesa la transacción de la compraventa que tiene lugar y, en cambio, a las mujeres les interesa crear una relación con el proveedor. Por eso suelen ser más fieles con las marcas —aunque como me comentaba un directivo de marketing: *sigamos gastando un presupuesto brutal de publicidad en TV, para que sigan siendo fieles a nuestra marca*—.

La capacidad adquisitiva de las mujeres ha aumentado en las últimas décadas. Se estima que el 20% ganan más dinero que su pareja o que deciden 2/3 de las compras de automóviles. A modo de ilustración, en España se realizó una campaña televisiva de la marca automovilística Audi con objeto de aumentar las ventas del modelo A4. Para ello se contrató al actor Richard Gere. Fue un rotundo éxito. ¡Las mujeres deciden! En la compra de vehículos, electrodomésticos, teléfonos móviles, muebles, vacaciones, viviendas, etc.

Tenemos que diseñar productos pensados en y para la mujer. ¿Podemos hacer una versión de nuestros actuales productos o servicios enfocada a mejorar la experiencia de uso del colectivo femenino?

34. Simplificación en la toma de decisiones

Muchas de las estructuras organizativas de las empresas son tremendamente complicadas y, en ocasiones, confusas. Si le cuesta explicarlas a alguien ajeno a la empresa, es que son excesivamente complejas incluso para usted. Permítame caracterizarlas: demasiados niveles implicados en el mismo momento y demasiada implicación de la dirección general en la toma diaria de decisiones. Su influencia debería limitarse a la fijación de objetivos y directrices generales.

Lo importante en la gestión de la innovación es la velocidad, la rapidez en la toma de decisiones. Quizás su equipo no tome la decisión óptima sin usted, pero probablemente sea suficientemente buena. Tampoco crea que la decisión tomada tras un largo debate y deliberación por un comité en el que usted esté presente vaya a ser necesariamente mejor. La mayoría de participantes en los comités suelen tener conocimientos limitados a sus ámbitos de responsabilidad.

En muchos casos la toma de decisiones recuerda a una partida de ajedrez en la que, en lugar de jugar un único jugador, participase un comité, donde el alfil se moviese tras la opinión del experto en alfiles, la torre tras la opinión del experto en torres, etc.; todo perfecto, excepto si lo que no tenemos es tiempo para deliberar continuamente.

Mi consejo en este contexto es que deje que las decisiones operativas las tomen individuos o equipos lo más pequeños posibles. La velocidad y la consistencia en la toma continua de decisiones pueden compensar la potencial pérdida de calidad de una de ellas.

35. El contacto directo con los consumidores

La información sobre el mercado debe ser fresca

Cuando las empresas crecen en tamaño, los problemas internos también aumentan. Como resultado hay una tendencia natural, muy fuerte, a invertir un gran número de horas de presencia en la empresa, atendiendo y resolviendo los problemas de gestión cotidianos, y dedicando, en cambio, poco tiempo al mundo exterior. Por eso, en muchas organizaciones, la orientación al cliente tiende a ser más una declaración de intenciones que una realidad.

Sin embargo, hay que mantener el contacto directo con los consumidores. Son fuente de ideas para innovar productos. Además se lo agradecerán. Lo que el cliente aprecia será bueno para usted y para su empresa.

Salga de su torre de marfil y logre captar usted mismo la información de su mercado objetivo. Observe a sus consumidores, entrevístese con ellos, si es posible.

No coloque eslabones adicionales en la cadena de información. Cada nivel extra entre los interlocutores aumenta el *ruido* y deteriora la calidad de los datos.

La información sobre el mercado debe ser como el pescado: fresca, de lo contrario no vale para el consumo. Esos datos resultarán vitales para innovar en productos que den respuesta a las necesidades de su mercado objetivo.

Estudie el comportamiento de los consumidores

Las crisis causan grandes cambios en las preferencias de los clientes —por ejemplo, en el auge de la adquisición de marcas blancas, que son más económicas— y en sus hábitos de compra —el incremento del uso del comercio electrónico—.

No obstante, ningún experto está seguro de qué cambios subsistirán cuando se produzca una recuperación del mercado y cuáles perecerán. Tampoco lo saben los propios consumidores, de modo que los datos proporcionados por una investigación de mercado convencional puede que no nos aporten los elementos de comprensión suficientes. Son buenos para describir el comportamiento del consumidor en el pasado, pero no lo son tanto para prever el futuro.

La mayoría de los consumidores no saben articular sus necesidades o los beneficios esperados, más allá de lo que han experimentado, de modo que estos estudios de mercado no suelen aportar ideas para innovaciones de ruptura o para la creación de nuevas categorías de productos.

Se dice que Henry Ford (1913) afirmó en una ocasión: *Si le hubiera preguntado a mis conciudadanos qué mejor transporte querían, me hubieran contestado: "un caballo más rápido"*.

En esta tesitura, debemos construir escenarios que nos permitan descubrir necesidades no explícitas de los consumidores, incluso a veces ni reconocidas por ellos. Y en base a ese conocimiento, invertir en proyectos que ayuden a los clientes a manejarse —por ejemplo en una crisis—, con un posicionamiento de oferta de productos y servicios que satisfagan sus necesidades y deseos cuando se produzca la recuperación económica.

Observe, por ejemplo, cómo los consumidores compran y usan sus productos en los almacenes, en el trabajo, en los restaurantes, en el hogar. Haga investigaciones antropológicas o etnológicas a través del análisis de su comportamiento, entrevistelos. Intente captar sus necesidades y cómo puede resolverlas. Puede que logre captar un concepto que le lleve a un producto de éxito.

El ejemplo de Go-Gurt

Un buen ejemplo es el caso del yogurt Go-Gurt®, comercializado por General Mills bajo licencia de Yoplait en Estados Unidos. También se vende en Canadá, Gran Bretaña y Japón. Las peculiaridades de este yogurt destinado a los niños son su contenedor y la forma de consumo. En lugar del envase tradicional, que condiciona que se tenga que comer con cuchara, el niño lo toma apretando un tubo, de modo similar a como se consume un helado envasado en plástico.

La innovación en el envase surgió como resultado del análisis del comportamiento del consumidor. El equipo de marketing de General Mills observaba a su mercado objetivo —los niños— jugar en los patios de las escuelas y en los parques infantiles y se dio cuenta que los niños quieren divertirse y moverse. De este modo, crearon un producto adaptado para que en lugar de pararse a comer el yogur con una cuchara, pudieran comérselo mientras presionan el tubo que sostienen en una mano.

El caso de Dove España

Dove®, marca de la compañía Unilever, aloja en Facebook la comunidad Dove España, que anima a las mujeres a debatir, entre otros, sobre el concepto de belleza. Esta comunidad, moderada por la empresa y similar a la que existe en otros países, permite captar información útil para el desarrollo de nuevos productos dedicados al cuidado de la piel.

36. Es más fácil crear una nueva empresa que cambiar una consolidada

La cosa más difícil del mundo no es que las personas acepten ideas nuevas, sino hacerles olvidar las viejas.
John Maynard Keynes

El dilema explotación - exploración

¿Por qué las empresas dejan de ser competitivas y un día cierran? Porque sus fórmulas de enfocar los mercados, de fidelizar y ganar clientes, sus competencias diferenciadas, quedan obsoletas. ¿Se han estado equivocando en los últimos años? No. Sencillamente, han estado aferrándose al pasado, aplicando fórmulas anticuadas, que fueron correctas en su día, en otro entorno.

En realidad el mayor obstáculo para la innovación muchas veces está en los directivos y en los colaboradores, que son incapaces de borrar de su mente las ideas que les han dado el éxito hasta hace bien poco. Debemos lograr el equilibrio entre la explotación —el foco en la productividad y el rendimiento en los productos y tecnologías actuales— y la exploración de nuevas tecnologías y productos. Esta doble realidad puede llegar a impedirnos captar la aparición de una tecnología disruptiva que cambie las reglas del juego en nuestro sector.

Es decir, si una empresa consolidada en una industria quiere probar nuevas tecnologías o nuevos productos, quizás lo mejor sea la rápida creación de una nueva empresa o una nueva división aparte —fuera del cumplimiento trimestral de resultados— y la exploración de ese negocio, antes que intentar cambiar la organización actual para que se adapte a esa innovación. De hecho, puede que a medio plazo esa nueva empresa sea la que sobreviva y, en cambio, la original desaparezca por la incapacidad de adaptarse al cambio.

Olvide lo que ha aprendido

En algunos casos, hay que olvidar lo que uno ha aprendido. En ocasiones, hay que admitir que uno se ha equivocado. Vivimos en un mundo que parece una montaña rusa, donde los éxitos más rotundos preceden a los fracasos más sonoros.

Bill Gates afirmó en 1995 que Internet sería una moda pasajera y relativamente inútil. En su favor, una reacción rápida al darse cuenta del error, ha permitido a Microsoft generar nuevos negocios, no solo basados en Internet, sino en el mundo del teléfono móvil, de los videojuegos y del entretenimiento en el hogar. Sin embargo, en su contra, sufre amenazas de Google, una empresa minúscula en sus inicios frente a Microsoft, que le ha impuesto y le sigue pasando factura a la cotización de sus acciones.

Cuando la arrogancia, el conformismo, la falta de liderazgo o la negativa a cambiar impiden a la organización enfrentarse a la realidad de que la situación se está deteriorando, la tendencia a continuar haciendo lo mismo es casi irresistible. Esto puede conducir a la empresa a implantar cambios reduciendo los costes operativos. Estas modificaciones solo son superficiales, suelen ser más perjudiciales que beneficiosas y son el principal enemigo de la innovación.

El cementerio de empresas está lleno de empresas que tuvieron éxito. Pero los éxitos pasados no garantizan los éxitos en el futuro. Nos creemos que la experiencia acumulada nos da derecho a tregua y nos equivocamos. De ahí que la innovación no sea un capricho, sino la forma más prudente de buscar constantemente una relación competitiva con el entorno. Liderar proyectos, tomar decisiones empresariales, requiere la capacidad de escuchar, la humildad de aprender y la valentía de volver a arriesgarse. Xavier Marcet.

Brama, Visnú y Shiva

Hace unos años estuve de vacaciones en la India y, para comprender un poco más su cultura, estudié algo acerca del hinduismo. Estos conocimientos me permiten estar de acuerdo con Tom Peters, cuando afirma muy en serio que en una empresa se necesita disponer de una tríada de directivos similares a los tres dioses hindúes: Brama (el Creador), Visnú (el Conservador) y Shiva (el Destructor).

Todas las empresas buscan el equilibrio entre el sistema actual (la conservación), la invención de cosas nuevas (la creación) y la destrucción de lo no rentable. Y observe que los tres perfiles son distintos, como los dioses. El talante anímico del directivo Conservador, por ejemplo, es la antítesis del carácter del Destructor. No obstante, en la mayoría de las empresas solo domina Visnú, que vela por el negocio dominante. En algunas, afortunadamente, aunque a mucha distancia de Visnú, se nota cada vez más la intervención de Brama, el innovador, el creador que da vida a la empresa. Solo cuando las cosas van mal, y afortunadamente eso no ocurre siempre, aparece Shiva.

Este caso de estudio adjunto es un ejemplo de mala gestión. Lo incluyo porque creo que también se aprende mucho de los fracasos: La cadena de tiendas de electrónica Circuit City Stores. La empresa duró 60 años, de 1949 a 2009, dominada siempre por Visnú y, finalmente, por Shiva. Sin la intervención de Brama.

CASO DE ESTUDIO: CIRCUIT CITY: FOCO EN COSTES ... HASTA LA QUIEBRA

En el momento de su quiebra en 2009, Circuit City seguía siendo la segunda cadena de tiendas de electrónica de Estados Unidos, por detrás de Best Buy.

En el año 2000 muchas de sus tiendas estaban anticuadas y ubicadas en zonas no comerciales, incapaces de competir con las nuevas tiendas de su rival Best Buy. Varios consultores recomendaron a sus directivos dejar atrás su glorioso pasado y reinventarse a sí mismos, creando una nueva visión y una nueva identidad. No obstante, la empresa decidió seguir haciendo lo mismo, aferrándose al pasado con la esperanza de que las cosas fueran mejor, obligándose a competir con Best Buy, el líder del sector.

En el año 2000, para ahorrar costes de espacio, entrega, etc. y como primera decisión polémica, Circuit City abandonó la venta de productos de línea blanca –neveras, lavadoras, etc.–, que le reportaba una cifra de negocio de 1.600 M$. Con esa acción la compañía se perdió el boom de ventas que se produjo en los siguientes años, debido al auge del mercado inmobiliario.

Una segunda decisión controvertida fue la inversión de 1.500 M$. para adaptar las tiendas a un nuevo formato, imitando a Best Buy. Se apostó por la informática y los videojuegos. Los clientes podían colocar en carros de compra los artículos de electrónica de consumo, siguiendo un modelo de autoservicio. La figura del vendedor especialista empezó a devaluarse.

En 2003 siguió el ahorro de costes con una tercera decisión, aún más polémica, para lograr un ahorro anual de 130 M$. ¿Cómo? Reduciendo la fuerza de ventas en todo el país. El 5 de febrero –se le llamó *miércoles sangriento*– se despidió a 3.900 vendedores y se eliminaron las comisiones por venta en las tiendas. Los vendedores supervivientes pasaron a ser *especialistas de producto*, con un sueldo fijo por hora similar al resto de empleados.

En 2004 firmó un acuerdo de exclusividad para vender móviles de Version, quien colocó sus tiendas y su personal dentro de las de Circuit City. Esta alianza le obligó a dejar de vender otras marcas, con el resultado de la reducción del número de clientes y los ingresos.

En 2007 siguieron bajando los costes laborales, rebajando el sueldo fijo por hora, que pasó de 8,75$ a 7,40$ –rozando el salario mínimo– y despidiendo a 3.400 empleados más. Las ventas seguían en descenso. A finales de 2008 se anunció el cierre de 155 tiendas, en un último intento de volver a sus días de gloria, y se realizó otro recorte de costes, que consistió en despedir al 17% de la plantilla.

El 16 de enero de 2009 se produjo la quiebra. Nadie quiso asumir la abultada deuda, a pesar de los numerosos bienes inmuebles del grupo, que fueron subastados. Unas 30.000 personas perdieron su empleo el día final, el 8 de marzo de 2009, tras cerrar en dos fases todas las tiendas de la empresa. Aferrarse a lo que un día funcionó le llevó a decisiones erróneas. Su marca, por cierto, la sigue usando Systemax en un canal de ventas *on line*.

---

37. Olvide sus éxitos

Absténgase de buscar el siguiente bombazo

Muchas empresas fracasan porque quieren aferrarse a los negocios del pasado antes que *confundir a los clientes* con nuevos productos y servicios interesantes. En cambio, la innovación debe ser *el olvido organizado* en la empresa. Y eso es lo más difícil, en especial, si uno ha sido capaz de diseñar un producto que ha sido un exitazo.

Si una empresa logra un bombazo de producto —su *Coca-Cola*, por decirlo así— intentará ganar otra vez la *Champions League* y, esa obsesión en la búsqueda del siguiente éxito, le puede hacer perder de vista otros productos y servicios innovadores.

Por supuesto, tenemos que intentar superar nuestro propio récord, evitando que la búsqueda de ese superproducto nos impida experimentar con otras ideas y tecnologías. La búsqueda continua del nuevo éxito es una trampa porque, estadísticamente hablando, es muy difícil.

No sea arrogante

Sin embargo, los directivos, cuando conocemos y disfrutamos del éxito, nos volvemos arrogantes. Empezamos a creer que conocemos todas las respuestas correctas, cuando puede que no sean ni correctas ni incorrectas, sino simplemente respuestas. Del mismo modo que no hay que restarle méritos a nuestros éxitos de innovación, y que hay que celebrarlos, también hay que desterrar el orgullo, mantener siempre la humildad y no caer en la euforia. La actitud idónea para innovar es preguntar desde la humildad. La arrogancia no deja lugar a evaluar alternativas.

En ese sentido Pep Guardiola, entrenador de fútbol, y los directivos de Toyota, son dos ejemplos de una cultura de gestión que continuamente advierte a sus colaboradores para prevenir la exaltación. Abogan por olvidarse de los éxitos pasados, para seguir esforzándose por el éxito futuro. En ese aspecto, son una referencia a imitar en la gestión de la innovación.

Posiblemente sea muy difícil que si usted cree que un nuevo producto, derivado de uno existente, vaya a ser un éxito, finalmente lo sea —seguramente será una ampliación de gama—. Si conoce su uso y lo entiende, posiblemente sus competidores también lo conozcan y comprendan.

En cambio, los productos realmente innovadores, que han abierto nuevos sectores o mercados, generalmente se utilizan de una forma que no se podía imaginar en el momento de su creación. Son fenómenos de éxito analizados *a posteriori*, cuyas razones de triunfo, imprevistas y desconocidas en su momento, se racionalizan después.

Un ejemplo: el uso de los SMS en los móviles, un negocio inicialmente inesperado por las operadoras de telecomunicaciones. El público juvenil descubrió y fomentó el uso de esta mensajería instantanea de bajo coste, de la que desarrolló su propia gramática, haciendo posible que se haya convertido en un negocio de margen extraordinario.

38. Confianza en la suerte... y en el trabajo duro

La innovación es como jugar al póquer

¿Ha sido la suerte el factor clave en su última innovación de éxito? ¿Ha sido fruto de la casualidad? Puede que sí.

Henry Chesbrough cuenta que la innovación y la emprenduría solo existen en un entorno de riesgo y, por tanto, de suerte, al regirse por reglas similares a las del juego del póquer: *pagas por jugar, pagas por mayor información y luego descubres lo que tú tienes y lo que los demás tienen*. Sí, la innovación no es como jugar al ajedrez, tiene riesgo y por tanto se necesita tener suerte, como cuando uno juega al póquer, porque primero hay que saber su funcionamiento y después jugar, y además mejor que los demás...

La serendipia en la innovación

La innovación inesperada es mucho más frecuente y ocurre más a menudo de lo que uno piensa. Muchas innovaciones de éxito han sido ejemplos de *serendipia*: un descubrimiento afortunado e inesperado o lo que, de modo coloquial, diríamos *por chiripa*.

Recordemos dos famosos casos de *serendipia* en innovación, que llevaron a grandes descubrimientos posteriores, también imprevistos. En ambos se combina el azar con el trabajo duro:

- **Notas Post-it.** Los famosísimos papeles autoadhesivos de notas surgieron como una solución a un problema aún no declarado. El Dr. Spencer Silver, investigador de la multinacional 3M, inventó en 1968 una cola reposicionable de bajo poder adhesivo. Se pasó varios años buscando un producto donde aplicarla, sin éxito.

En 1974 Art Fry, un colega de 3M, cantaba en el coro de la iglesia. Estaba harto de meter papelitos en su libro de cánticos y de que estos no hicieran más que caerse. Entonces se acordó del adhesivo de Silver y pensó que si lo depositaba en la parte superior de un papel obtendría el marcador perfecto. Hizo una muestra del adhesivo y lo depositó sobre papel. Al retirar el papel encolado éste no dañaba la superficie en la que se había adherido. Lo usó para enviar una nota a su jefe y se dio cuenta de que ése sería su mejor uso. Los problemas técnicos fueron muy complejos de resolver. Colocar el adhesivo sobre papel no resultaría fácil de producción. Fry invirtió 18 meses en mejorar la tecnología, y le llevó más años desarrollar un proceso fiable de producción. Entretanto, Fry se encargaba de que las secretarias de los ejecutivos de 3M recibieran muestras del papel adhesivo, despertando el interés por el nuevo producto.

En 1977 se lanzó el Post-it en cuatro ciudades con resultados muy pobres, a pesar de la publicidad. El entonces vicepresidente de la división acudió a Lewis Lehr, CEO de 3M, para conseguir fondos para regalar muestras que se entregaron al público. El 90% de la gente declaró que compraría el producto. Finalmente, en 1980 se lanzó el producto Post-it en todo Estados Unidos. Bajo esta marca tan conocida se venden más de 4.000 productos.

- **La penicilina.** En 1928, Alexander Fleming estaba realizando varios experimentos en su laboratorio, habitualmente desordenado. Si no hubiera estado así, no se habría producido su descubrimiento. Estaba analizando un cultivo de bacterias, cuando se le contaminó por descuido la placa con un hongo. Se dio cuenta de que alrededor de ese hongo no crecían las bacterias e imaginó que ahí había algo que las mataba. El moho era el Penicillium, que producía una sustancia natural, con efectos antibacterianos: la penicilina.

Fleming fue incapaz de obtener la penicilina a partir de cultivos. Aunque informó inmediatamente de la trascendencia de este hallazgo, sus colegas lo subestimaron. La comunidad científica creyó que la penicilina solo sería útil para tratar infecciones banales y por ello no le prestó ninguna atención. Sin embargo, años más tarde, durante la Segunda Guerra Mundial se despertó el interés de los investigadores estadounidenses, que intentaban emular a la medicina alemana, que disponía de las sulfamidas. Los químicos Ernst Boris Chain y Howard Walter Florey trabajaron duro para desarrollar un método de purificación de la penicilina que permitió su síntesis y distribución comercial.

¿Puede que estuviese también la serendipia detrás de nuestro último producto innovador? Puede que sí. ¡La suerte siempre es necesaria¡ No deseable, sino necesaria. Hay que buscar la suerte. La fortuna está al alcance de todos, y estar preparado aumenta las probabilidades de toparse con ella. Sígalo haciendo, busque la suerte, trabajando duro. Trabaje más que la competencia. Recuerde la frase del presidente norteamericano Thomas Jefferson: *Creo mucho en la suerte y veo que cuanto más trabajo, más suerte tengo.*

39. La cultura de Silicon Valley

Asistí a la inauguración de uno de los muchos parques tecnológicos que se crean en España, a fin de emular, con excelentes instalaciones, el éxito del Silicon Valley. Todo el mundo quiere lograr en su país un parque clónico de Silicon Valley. Sin embargo, no se suele hacer referencia al factor que para mí es la clave de su éxito, y puede que por eso sea irrepetible: la cultura de los profesionales que trabajan allí, su cultura empresarial, no las instalaciones.

La cultura del Silicon Valley se podría resumir en el siguiente decálogo:

❶ **Tolerancia al fracaso.** *Fracasa rápido. Fracasa a menudo.* Esta es la consigna número uno de Silicon Valley. Allí los fracasos son como las heridas de guerra entre veteranos. En esa cultura es un mérito caer y levantarse, mientras sea uno mismo —no los accionistas o la Administración— quien pague los gastos del fracaso. Nadie dijo que la innovación fuese fácil. Implica la capacidad de resiliencia —de aguante y resistencia frente a la adversidad— del innovador, su capacidad de recuperarse de una situación de crisis, que conlleva la sana reflexión interna de por qué no ha funcionado el proyecto.

> **Es propio de un ignorante acusar a los otros de sus fracasos.**
> **El que ha comenzado a instruirse se acusa de ellos a sí mismo.**
> **El que está instruido no acusa, ni a los otros ni a sí mismo.**
> Epicteto

❷ **Tolerancia a la traición.** No existe la lealtad a la empresa como la entendemos tradicionalmente. Las ideas y los individuos saltan continuamente de empresa a empresa.

❸ **Búsqueda del riesgo.** Los fondos de capital riesgo saben que no acertarán en el 100% de sus inversiones. No obstante, algunas empresas les permitirán hacerse mucho más ricos. Lo mismo ocurre con los directivos de las empresas en Silicon Valley. Innovar es como jugar al póquer, no es jugar al ajedrez.

❹ **Reinversión del capital.** Los beneficios se suelen reinvertir en otras empresas ¡del mismo Silicon Valley!

❺ **Entusiasmo por el cambio.** Si una empresa no cambia, la competencia la elimina del mapa. El cambio, la innovación, son constantes.

❻ **Ascenso por méritos**. El nivel de ejecución, la excelencia, suelen ser la vara de medir. Existe politiqueo como en todas partes, pero no importa el apellido, ni el sexo, ni la raza, ni la religión.

❼ **Obsesión por el producto.** Los innovadores están enamorados de su producto. Es *the state of art* —lo último—. Les gusta su profesión, su empresa.

❽ **Colaboración abierta**. No se reinventa la rueda. Se aportan ideas que se hibridan con otras ideas tomadas prestadas de quien sea y de donde sea. Innovación abierta.

❾ **Variedad de empresas.** Estrellas fugaces junto a empresas consolidadas, con participaciones cruzadas. Creación y destrucción constante de empresas.

⑩ **Abierta a todo el mundo.** En especial a inmigrantes de talento, que merecen el respeto del entorno, que aspiran a ser ricos. El 70% de las nuevas empresas han sido fundadas por inmigrantes.

¿Podemos extraer ideas de esa cultura que nos puedan ser útiles para crear una cultura innovadora? Yo creo que sí, con sus matices obviamente, aunque nos queda aún mucho por aprender de esa cultura emprendedora. Nos sobran expertos en innovación que no arriesgan el dinero de su bolsillo. ¿No será que nos falta *hambre?* ¿No será que nos falta una cultura que acepte el riesgo? ¿No será que no toleramos el fracaso?

40. La rentabilidad a través de la curva de *payback*

El objetivo último de la innovación es generar resultados. Para poder gestionar la innovación de un modo rentable, la herramienta más eficaz que conozco y que le aconsejo usar es la *curva de payback*. La descubrí en un curso con Donald Reinertsen, en San Diego, aunque se refería a ella como ciclo de vida de innovación.

En su época de consultor en McKinsey, Reinertsen usó la curva de *payback* para destacar el valor de la velocidad en el desarrollo de nuevos productos, cuando afirmó, mediante un modelo económico con análisis de sensibilidad, que un retraso de 6 meses en el lanzamiento de un nuevo producto podía significar la pérdida del 33% del beneficio previsto en todo su ciclo de vida —supuesto de 5 años y en un mercado con erosión de precios—.

En el gráfico se muestran los resultados del cálculo del impacto en el beneficio total previsto de dos productos de ciclo de vida distinto:

Ⓐ 5 años (con erosión de precios) y
Ⓑ 10 años (sin erosión de precios)

Según el modelo económico de Reinertsen, en el caso del producto A, un retraso de 6 meses en la fecha de lanzamiento (factor 3) impacta más en el beneficio, reduciéndolo a un 33%, que el factor 1, con un incremento en el coste final del producto de un 9%. El factor 1 impacta, en cambio, mucho más en el caso B, reduciendo los beneficios globales en un 45%. Curiosamente, el impacto del factor 2, que consiste en un incremento del coste del proyecto en un 50%, resulta inapreciable en ambos casos, en contra de la intuición.

Reducción de los beneficios previstos en el ciclo de vida del nuevo producto*

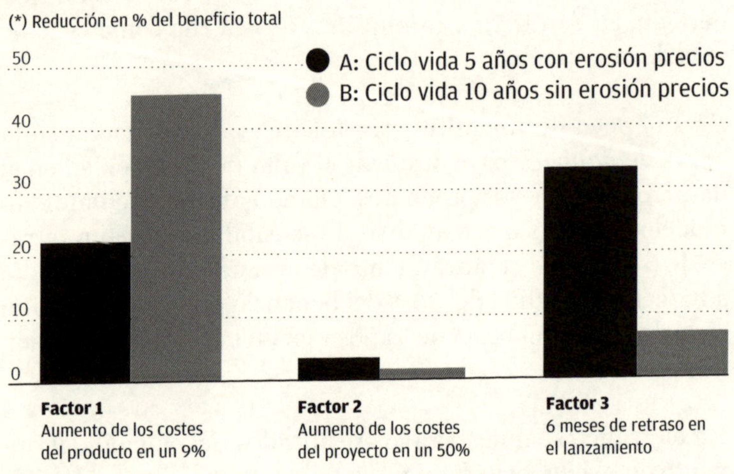

La curva de *payback* obliga a los directivos a pensar en la dinámica del flujo de caja acumulado, y ayuda a analizar, comprender y tomar decisiones para poder lograr el máximo retorno de la inversión en innovación. Es uno de los casos en los que resulta ser cierto que una imagen vale más que 1.000 palabras. Los datos que se usarán para preparar la curva de *payback* nunca podrán ser perfectos, porque estamos hablando de nuevos productos y servicios que, obviamente, carecen de datos históricos. No obstante, se podrán ajustar a medida que el proyecto de innovación avance y siga su curso.

La curva de *payback*

Para trazar la gráfica de la curva de *payback*, en el eje vertical mostraremos el flujo de caja acumulado previsto para todo el ciclo de vida del nuevo producto, incluyendo los gastos iniciales del proyecto de innovación. En el eje horizontal mostraremos el tiempo, desde que surgió la oportunidad de ese nuevo producto hasta su extinción.

La curva de *payback*

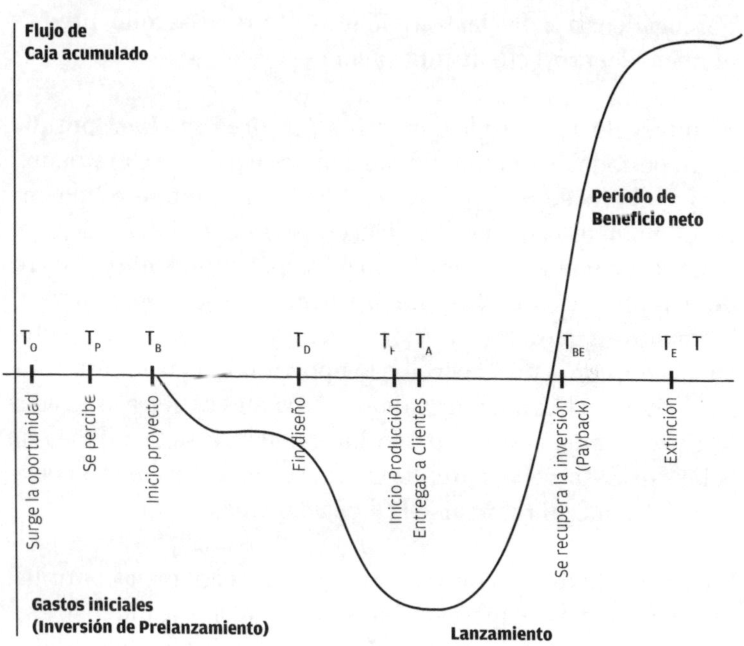

El intervalo T_A - T_O se denomina *Tiempo del ciclo de la innovación*. Es el periodo que transcurre entre el momento en que surge una oportunidad —T_O— de un nuevo producto y el momento en que empezamos a tener clientes satisfechos tras comprarlo —T_A—. La ocasión se produce en el momento en el que una tecnología emergente coincide con una necesidad del cliente y desencadena la posibilidad de un nuevo producto que pueda facilitar una solución a esa necesidad insatisfecha.

Aunque la oportunidad se manifiesta en T_O, por regla general transcurre un lapso de tiempo —que hay que reducir al mínimo— hasta que se percibe esa oportunidad —T_P—. Es el momento en que se lanza el grito de *¡Eureka!* en la empresa y se desencadenan todas las actividades de predesarrollo, previas al inicio del proyecto de innovación —T_B—.

Al intervalo T_B-T_O se le denomina *Fuzzy Front-End*, porque es un periodo de tiempo difuso, que no se percibe claramente, previo al proyecto de innovación. Es la fase comprendida entre el momento en que se podría empezar el proyecto hasta el instante en que se comienza. Muchas oportunidades de ahorro de tiempo se encuentran precisamente en esa etapa: entre el momento en que surge la oportunidad y el inicio del proyecto. De hecho, como no se percibe la oportunidad en T_O, estamos perdiendo un tiempo muy valioso. Cada mes de retraso en esta fase previa impactará de modo similar al retraso de un mes en la fase de desarrollo, e implicará exactamente un mes de pérdida de ventas al retrasarse la fecha del lanzamiento.

En este contexto se requiere, primero, una vigilancia continua de la tecnología y el mercado para captar la oportunidad lo antes posible, es decir, intentar que T_P coincida con T_O, y segundo, un proceso eficaz de presentación de propuestas de modelos de negocio a un comité de innovación ágil, que asigne rápidamente los recursos —económicos y humanos— a los proyectos, seleccionados en base al retorno de la inversión previsto en la curva de *payback*.

Tras el inicio del proyecto, se diseña el nuevo producto hasta su fin —T_D—, tras lo cual se inicia la producción —T_F—. Posteriormente, se efectúan las entregas a clientes —T_A—. Cabe tener en cuenta que en diversos sectores T_A es, a menudo, distinto de T_F. Esto puede suceder porque se necesiten unas semanas antes de decidir el lanzamiento al mercado de los nuevos productos, por ejemplo, para asegurarse de tener una calidad estable en el proceso de producción. El período de tiempo T_A-T_B se denomina *tiempo de ciclo de desarrollo* o también *Time To Market* —literalmente, tiempo hasta la llegada al mercado—.

En el eje vertical del gráfico se representan, en la parte positiva, el flujo de caja acumulado y, en la zona negativa, los costes del proyecto. El punto más bajo se sitúa en T_A y representa el coste total del proyecto, los gastos iniciales, el nivel o profundidad de la inversión de prelanzamiento. Para calcular la curva sume todos los costes reales implicados en el proyecto: los gastos de I+D+i, marketing y gastos generales, es decir, además del coste de los técnicos, prototipos, ensayos y materiales; las inversiones específicas que solo recuperará con las ventas de ese producto en concreto —por ejemplo, moldes de plástico y matrices—, las campañas de marketing de prelanzamiento y los costes financieros —si los hubiera—.

La curva pone en evidencia la *profundidad* de la inversión en innovación que tiene que recuperar —y superar— para ganar dinero con ese proyecto. A continuación, examine el margen bruto unitario que prevé obtener con las ventas de ese producto, incluyendo en los costes directos el coste de los materiales y la mano de obra:

Margen bruto unitario = Precio de Venta – Costes Directos
Costes Directos = Materiales + Mano de Obra

Tal como explica Francisco López en su libro *La cuenta de resultados*, el margen bruto —MB— expresado en % sobre las ventas, es un dato clave que debe orientar las decisiones de la empresa en temas como la elección de productos, la fijación de precios y la negociación con proveedores. El respeto a un MB mínimo debe justificar decisiones importantes como la de abandonar un producto o un proyecto de innovación, al ser imposible alcanzar ese mínimo.

A partir de la entrega del producto a los clientes, se inicia la comercialización del producto. Gracias al **MB total** = **MB unitario x Q** —siendo Q las ventas en unidades—, empezará a compensarse la inversión del proyecto de innovación, con una línea ascendente cuya pendiente en el paso por cero —T_{BE}, llamado *Break-even point* o punto de equilibrio —dependerá del margen bruto unitario y de las cantidades (Q) que vayamos vendiendo del producto. Es el momento del *payback*, cuando se alcanza la confluencia entre el gasto y el ingreso, es decir, el instante en el que recuperamos la inversión en innovación —los costes totales del proyecto—. En ese momento el flujo de caja positivo, generado por el margen de las ventas, iguala a los gastos iniciales —la inversión de prelanzamiento del proyecto—. A partir de ese punto entramos en la fase de beneficio neto.

Los posibles costos adicionales de apoyo, por ejemplo de marketing de postlanzamiento para reforzar las ventas del producto, se restarán a los beneficios derivados de las ventas.

T_{BE} —T_A es el período de *payback*. Es un criterio utilizado por directivos cortoplacistas para priorizar proyectos de innovación de productos: favorecen el proyecto que logre llegar antes al punto de equilibrio. En cambio, mi consejo se basa en dar prioridad al proyecto con el que se espera lograr el máximo flujo de caja acumulado, aunque su T_{BE} pueda ser más tardío. En otras palabras, aunque tardemos algo más en recuperar la inversión, lo fundamental es cuánto podemos llegar a ganar con ese producto en su ciclo de vida total, hasta su retirada del mercado —T_E— y no cuándo logramos recuperar la inversión.

Factores a controlar en el proyecto de innovación

La gestión de la innovación mediante la curva de efectivo se enfoca a gestionar cuatro factores esenciales. Estos aspectos afectan al éxito del nuevo producto o servicio, así como a la capacidad de generar la recuperación —*payback*— del capital invertido:

❶ Los gastos iniciales, es decir, el coste del proyecto incluyendo las inversiones.
❷ La rapidez del tiempo de comercialización o *time to market*.
❸ La escala o tiempo para lograr el volumen de ventas previsto.
❹ Los costes de apoyo de postlanzamiento, si los hubiera.

❶ **Gastos iniciales.** Unos gastos iniciales elevados aumentan el riesgo de la innovación. Si traza la curva de *payback* de su proyecto, puede apreciar el riesgo de un modo mucho más visible que en una hoja de cálculo. Observará la magnitud del agujero que está cavando en su empresa, debido a una elevada inversión de prelanzamiento.

❷ ***Time to Market.*** La rapidez del proyecto puede hacer que se logre antes el *payback*, la recuperación del capital invertido; pero atención: eso no debe ser a costa de otros factores. Un tiempo de lanzamiento muy agresivo puede hacer que aumenten los gastos iniciales o que afecte a la calidad del producto, y eso puede que reduzca su capacidad para conseguir el nivel de ventas previsto. Ser más veloz en la comercialización, para que los clientes conozcan el nuevo producto y se formen sobre su uso, puede provocar un aumento de los costes de apoyo en el postlanzamiento. Si no se puede asumir esta inversión, puede perder la ventaja de la rapidez.

La velocidad o el factor tiempo se ha convertido en una ventaja competitiva para las empresas que compiten en sectores donde el ciclo de vida de los productos es muy corto. Cuanto más breve sea el ciclo de vida y más rápida sea la posible respuesta de la competencia, más rápida debe ser su empresa en lanzar el nuevo producto al mercado. Cuando el tiempo de postlanzamiento sea más corto, los gastos iniciales se deberán recuperar en un volumen de ventas más reducido, de modo que la rapidez del proyecto debe ser cada vez mayor.

❸ **Escala.** La escala es el tiempo que transcurre desde el lanzamiento del producto hasta lograr el volumen de ventas previsto. Podemos controlar hasta cierto punto nuestra capacidad de fabricación, pero es más difícil hacerlo con la demanda del mercado. Nos interesa lograr cuanto antes el máximo volumen de producción para empezar a generar beneficios y lograr economías de escala. Cuanto antes logremos volumen en un producto innovador, mejor posición tendremos en la parrilla de salida.

❹ **Costes de apoyo.** En los costes de apoyo del postlanzamiento se deben incluir:

- las actividades de promoción y comercialización,
- los costes derivados por aumento de la distribución y ajustes de precios,
- las extensiones y mejoras del producto inicial, y
- la canibalización de productos propios por los nuevos.

Es necesario decidir si apoyamos el nuevo producto de forma que logre la escala en el menor tiempo posible. Dicho de otro modo, se debe valorar cuánto estamos dispuestos a invertir en el apoyo del producto después de la fecha de lanzamiento. La otra cara de la moneda consiste en determinar cuándo y cómo debemos abandonar el producto vigente.

Hay un gasto difícil de calcular, que es el coste de oportunidad derivado de no haber lanzado otro producto de prestaciones superiores, mientras los recursos se siguen destinando al actual. Llega un momento en el que se tiene que dejar de invertir en el producto presente. Para ello hay dos opciones, canibalizarlo con uno nuevo propio —el de la próxima generación— o simplemente dejar que reduzca su cuota de mercado, experimente un lento declive y, finalmente, acabe por desaparecer. Personalmente, prefiero la canibalización propia que observar cómo la cuota de mercado de un producto de mi empresa está siendo engullida por sus competidores.

El gráfico del lanzamiento sucesivo de dos generaciones de productos muestra cómo un producto de segunda generación permite canibalizar el producto inicial y cómo se mantiene la rentabilidad de los proyectos de innovación sucesivos.

Lanzamiento sucesivo de dos generaciones de productos

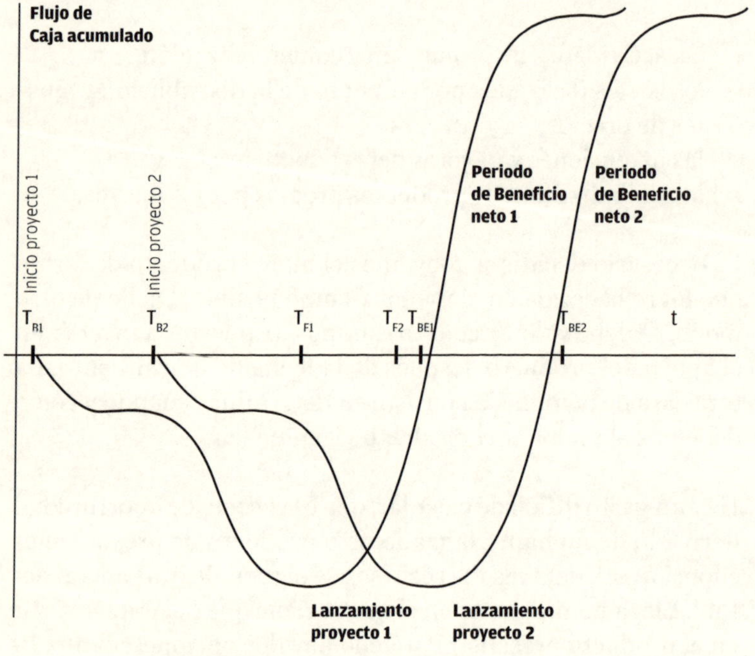

Devorar los productos propios es la forma de seguir siendo el líder, Lewis Platt, ex CEO de HP

La gestión del proyecto mediante la curva de efectivo

Al finalizar un proyecto de innovación debemos garantizar los siguientes aspectos:

- **A** Que el coste del proyecto sea el presupuestado —punto mínimo en la gráfica—.
- **B** Que lancemos el producto en la fecha fijada y con la calidad prevista.
- **C** Que el precio de venta, los costes —materiales y mano de obra— y las ventas previstas sean, *en el momento del lanzamiento y después de éste*, las presupuestadas en el inicio del proyecto, es decir, lo que se planificó meses o años antes.

Es fundamental contar con un director de proyecto que sea el responsable de garantizar los tres factores básicos de cualquier trabajo: costes, plazo de entrega y calidad. Su deber es velar por la ejecución del proyecto a la perfección, con revisiones periódicas de avance del plan. En realidad, la innovación de productos eficaz pasa por la gestión efectiva de los proyectos, imprescindible por su característico alto grado de incertidumbre.

Suponga que el coste del proyecto aumenta un 50%. Observe la gráfica del ciclo de innovación. ¿Qué ocurrirá? El punto de equilibrio se desplazará a la derecha, de modo que tardará más en recuperar la inversión. Y si se mantiene el momento de extinción, llegará a un menor máximo de flujo de caja. Si el ciclo de vida del producto es corto, posiblemente nunca recupere la inversión en I+D+i.

Imagine que se retrasa el momento de disponibilidad del producto y, por tanto, se amplía un 50% el plazo previsto para el desarrollo —*Time to market*—. Las consecuencias son también muy negativas: el punto de equilibrio se desplaza hacia la derecha y, si se mantiene la fecha prevista de extinción, logrará un menor máximo de flujo de caja acumulado.

¿Qué pasa si bajan los márgenes o las ventas previstas? La pendiente de subida se reduce, de modo que también se retrasa el día previsto de consecución del punto de equilibrio y, si se mantiene la fecha de extinción, obtendrá de nuevo un menor máximo del flujo de caja acumulado. Y si además el ciclo de vida del producto es muy corto, posiblemente no recuperará la inversión. Por eso fracasan muchos proyectos de innovación.

¿Qué ocurre, en cambio, si acorta el *time to market* respecto al plazo presupuestado? Justo lo contrario, buenas noticias: el punto de equilibrio se logra antes y, como tiene más plazo para vender el producto, es posible que logre un máximo de flujo de caja acumulado superior al previsto.

Esta representación gráfica obliga a reflexionar y revisar con sumo cuidado las cifras del proyecto. Es necesario depositar mucha confianza en los números que se están barajando, por lo que se exige precisión y disciplina. Se trata de un trabajo delicado y lejos de la frivolidad, en el que las cifras solo serán buenas si se lanza el producto o servicio en una fecha concreta —por ejemplo, coincidiendo con una feria del sector—, y en particular si el producto es estacional.

La gráfica del ciclo de vida de la innovación influirá en todo el equipo de proyecto al hacerle consciente de los riesgos implicados: ejecución, técnicos y de mercado. El mercado es mucho más complejo de lo que uno pueda imaginar. No obstante, es importante trazar la gráfica y estimar el flujo de caja previsto. Acto seguido, se debe crear un plan de innovación a partir de estas suposiciones, comprender la sensibilidad o impacto de cada una de ellas, y minimizar estos impactos mediante una rigurosa ejecución del proyecto, que minimice los riesgos.

41. Prioridad a la velocidad

En cualquier sistema dinámico, el tiempo es un factor crucial. Las reacciones a cambios en el entorno del sistema deben ser rápidas y controladas. El factor tiempo juega un papel vital en toda parte del proceso sistémico: al medir las circunstancias que cambian en el entorno, al procesar esa información, al decidir qué reacción tomar, en la reacción en sí misma y en su resultado final. Un retraso temporal en cualquier parte del proceso disminuirá el grado de control del sistema.

Lo mismo ocurre en el sistema de desarrollo de un producto. Los retrasos son negativos, en cambio, si somos capaces de acortar los plazos de las actividades, sin reducir las especificaciones, siempre tendremos impactos positivos. Hay que acortar los plazos: de recoger información del mercado, pasar pedidos, toma de decisiones, ensayos en laboratorios, modificación de prototipos, etc.

Las ventanas temporales para introducir nuevos productos son cada vez más pequeñas: si perdemos ese tren, es posible que dejemos la oportunidad de estar en el momento adecuado en el punto óptimo de la curva de experiencia. Si termina demasiado tarde un proyecto de innovación empezará con retraso el siguiente, de modo que el impacto económico no solo se refleja en el ciclo de vida previsto para un producto sino para todos los siguientes. Es necesario finalizar a tiempo los proyectos, de modo que sea fiable en los plazos de desarrollo de nuevos productos. Para ello necesita medir su rendimiento actual, trazar un objetivo de mejora y tomar acciones al respecto. Mida los retrasos individuales por actividad, o bien los retrasos en la fecha prevista de entrega del producto a Ventas. Con esos datos se puede fijar un retraso promedio o bien uno absoluto del proyecto. El objetivo es disponer de datos históricos que permitan mejorar la fiabilidad en los plazos, así como prever coeficientes de desviación a incluir en la duración de las actividades del plan del proyecto.

Además de los documentos formales de control del plan de desarrollo, puede resultar útil mostrar, en lugares bien visibles del área de I+D+i, gráficos que comparen el avance del plan respecto a las fechas previstas, tomando como referencia las fechas planificadas y realizadas de los hitos que marcan el fin de las fases en que hemos dividido el proyecto. De este modo, aumenta el compromiso del equipo de producto y se estimula la toma de acciones correctoras, si estas son precisas.

Si además estos gráficos se muestran en los respectivos departamentos de los miembros del equipo, los jefes de departamento se mantienen informados de lo que ocurre en el proyecto, y de este modo sacan sus propias conclusiones en cuanto a lo que se requiere para mejorar la situación.

42. La agilidad de los directores eficaces y de los equipos de ingeniería concurrente

En un ambiente tan competitivo como el que se experimenta actualmente en la mayoría de sectores, una toma eficaz de decisiones debe ir a la par de una ejecución rápida. Percy Barnevik, ex CEO y presidente de ABB, declaró que era más ventajoso decidir rápido, aunque alguna decisión fuera errónea, que invertir todo el tiempo necesario para tomar solo decisiones correctas.

> **La estrategia sin ejecución es una alucinación,** Percy Barnevik, Ex CEO y presidente de ABB

El propio Jack Welch, en su época como CEO de General Electric, declaró que su empresa tendría tres características de referencia: velocidad, sencillez y autoconfianza. Así que la competencia basada en el tiempo, en la rapidez de ejecución, tiene muchas ventajas:

- Ventas más tempranas en el momento de mayor beneficio.
- Menor período de recuperación de la inversión.
- Menor probabilidad de cambios a mitad del proyecto.
- *Feedback* más rápido del mercado para poder ajustar el producto.

De modo que, en el caso de los proyectos de innovación, la reducción de los plazos de desarrollo puede que tenga prioridad sobre los costes. El objetivo número 1 de un proyecto de innovación será, pues, lanzar ese producto o servicio en el menor tiempo posible. Con ello, minimizará las posibilidades de que un competidor ofrezca un producto similar en ese espacio de tiempo vital que transcurre entre el diseño del concepto del producto y su fabricación. No minimice a la competencia ni a las posibles filtraciones de información.

Innovar en el proceso de innovación

Para ello necesita organizar el proceso de innovación con la creación de equipos de proyecto que, bajo sus respectivos directores de proyecto, con autoridad —no meros coordinadores—, se obsesionen en acortar al máximo los plazos de desarrollo, innovando en cómo lograrlo, en el proceso, además de innovar en el producto.

Para reducir el *time to market* se necesita, además, cooperar con terceros y formar alianzas estratégicas, como veremos más adelante. No obstante, es fundamental contar con un director de proyecto que sea excelente en la ejecución del plan de desarrollo del producto. Eso confirma la importancia de una adecuada selección del director del equipo de proyecto, siempre que sea posible, entre expertos que hayan trabajado en varias áreas de la empresa, además de en I+D.

Lawrence Bossidy, ex presidente de Honeywell, define en su libro *El arte de la ejecución* su concepto de realización en el ámbito de la gestión: *La ejecución es la disciplina de conseguir que se hagan las cosas*, y añade: *Esa no es una capacidad que tenga todo el mundo.*

La gran diferencia entre los buenos y los malos directores, tanto generales como de departamento o de proyecto, es justamente esa, su capacidad de ejecución: lograr que se cumplan los plazos, haciendo todo lo previsto bajo el presupuesto aceptado. El director del proyecto de innovación debe lograr, desde su inicio, que todos los miembros del equipo tengan claro qué se tiene que hacer —las especificaciones, el nivel de calidad—, con qué medios —las nuevas tecnologías, los nuevos proveedores, los componentes clave—, con cuánto dinero —presupuesto del proyecto— y a qué coste se apunta —coste final del producto o servicio resultante—.

A lo largo del proyecto esa información debe ser la referencia que permita la cooperación continua entre los miembros del equipo, que facilite la ejecución de las actividades previstas de un modo concurrente, no secuencial, con objeto de ganar tiempo. En particular, se requiere la definición en paralelo del proceso productivo asociado al nuevo producto, con objeto de garantizar el inicio de producción o de las operaciones en la fecha prevista.

¿Cómo podemos reducir el plazo del proyecto de innovación? En muchos proyectos la innovación avanza mediante un proceso de ensayo y error, validando prototipos sucesivos, hasta lograr el producto o servicio que funcione de la manera prevista. Así, pues, una manera de reducir el *time to market* consistiría en disponer de los mejores técnicos mundiales del sector, que primero fuesen capaces de no cometer errores, y que además necesitaran el menor número de ciclos de prototipos y, por último, que trabajasen muchas horas extras sin que ello afectase a su rendimiento. Lo más probable es que sea difícil de lograr, pero es una vía a explorar. No obstante, debemos tener en cuenta que si consiguiéramos la colaboración de estos técnicos, aumentaríamos los costes del personal innovador.

Sinceramente, es una reflexión interesante en la que pienso cuando leo noticias sobre empresas innovadoras. Trasladándolo a otro contexto, a nadie se le ocurriría competir y pretender ganar la *Champions League* sin tener los mejores jugadores de fútbol en su club, y eso requiere invertir en fichajes y sueldos elevados. Algunos empresarios pretenden ganar la *Champions* de la innovación sin invertir un euro, con políticas de sueldos bajos. Y por otro lado, algunas universidades pretenden, ilusamente, ser escuelas de innovación a la vez que fomentan la mediocridad de sus profesores, y como resultado la de sus alumnos, que teóricamente serán los futuros innovadores.

La ingeniería concurrente

Una segunda manera de reducir el *time to market* mejorando su organización actual, es la ejecución, como procesos concurrentes, del diseño del producto y el diseño de las instalaciones de producción. De esta manera, se logra una reingeniería del proceso de desarrollo de nuevos productos, basada en la realización simultánea o concurrente de las actividades de diseño de producto y de proceso.

En los años 90 del siglo XX, las escuelas de negocio norteamericanas denominaron *ingeniería concurrente* —o simultánea— a esa manera de gestionar un proyecto de innovación, típica de las empresas japonesas de talla mundial. Este concepto se encuñó en oposición al proyecto clásico de trasvase secuencial de información entre los departamentos de marketing, I+D+i, fabricación y ventas.

Es interesante, al inicio del proyecto, pedir la colaboración de los departamentos que intervienen *aguas abajo* del proyecto de innovación —calidad, ingeniería de producción, fábrica, servicio postventa, ventas, publicidad, mantenimiento, etc.— para que aporten sus *inputs* a los departamentos *aguas arriba*: marketing e I+D+i. La fluidez de la comunicación dentro de la organización evitará modificaciones en las fases finales del proyecto y ayudará a decidir las soluciones tecnológicas óptimas.

Debemos trabajar antes, en equipo, para modificar solo lo estrictamente necesario y lograr, mediante un determinado ciclo de prototipos, el producto que pretendemos. Y por supuesto eso requerirá, en muchos sectores, como el del automóvil o el aeronáutico, una potente inversión en nuevas tecnologías, equipos, software y formación de sistemas CAD/CAM, simulación, realidad virtual, etc., para reducir el número de prototipos físicos y, con ello, los plazos y los costes del proyecto.

CASO DE ESTUDIO: INGENIERIA CONCURRENTE EN EL DESARROLLO DEL FREELANDER (LAND ROVER)

La adquisición del grupo Rover en 1994, por parte de BMW, proporcionó a la marca alemana la plataforma ideal para entrar en el floreciente mercado de los vehículos 4x4 en Europa y Estados Unidos.

BMW dio luz verde a la creación de un nuevo producto que definiera el segmento de mercado del vehículo utilitario deportivo. Se trataba de lanzar una gama totalmente nueva de vehículos 4x4 compactos, a la vez deportivos y utilitarios, aprovechando el famoso pedigrí de Land Rover en prestaciones todoterreno. El vehículo tendría que estar en producción en 30 meses, a finales de 1997, en lugar del plazo habitual en esa época, 60 meses. Había que recortar en un 50% el *time to market*. El proyecto se denominó CB40.

La integridad del proceso de diseño era muy importante para el éxito del proyecto. Simplemente, no había ningún vehículo existente como referencia, ni se estaba adaptando ningún módulo de distribución, había que hacerlo todo de nuevo. Robertson, director de la división, insistió:

Las vacas sagradas no tienen lugar en el proyecto CB40. (...) *Es necesario que pensemos con inteligencia sobre el desarrollo del producto y de los módulos.*

Se necesitó un nuevo enfoque. Se eligió una estructura de equipo de proyecto multidisciplinar y, desde el comienzo del programa, se implantó la ingeniería concurrente. El diseño del proceso de producción se realizaría en paralelo con el diseño del producto. El otro elemento facilitador fue la infraestructura de tecnologías de la información, con potentes instalaciones CAD/CAM en red, y el uso de la realidad virtual para la elaboración de los modelos. Cada diseñador debía compartir su trabajo con todos los demás miembros relevantes del equipo, creando así un equipo de trabajo verdaderamente integrado y coordinado.

El automóvil se dividió en 10 zonas. Cada zona abarcaba varios componentes procedentes de distintas áreas, todos ellos integrados, que funcionaban en estrecha proximidad unos con otros, lo que requeriría un subequipo de ingeniería simultánea para cada zona. Por ejemplo, el frontal, que contenía faros, rejilla, parachoques, radiador, etc., reunía a ingenieros de las áreas de electricidad, carrocería e interiores, aire acondicionado, etc. El sistema proporcionaba un marco para que todos los diseñadores trabajaran juntos en áreas de dimensiones manejables y desarrollaran el módulo simultáneamente. Esta revisión radical de la estrategia de diseño implicó, obviamente, un programa de formación intensivo: unos 150 ingenieros de diseño accederían a la base de datos en un momento determinado. También implicaba formular un nuevo conjunto de *normas de dedicación* para llevar a cabo el control del proyecto de ingeniería simultánea.

El Freelander fue presentado al mundo de la automoción en septiembre de 1997 y su éxito fue inmediato. El equipo podía estar orgulloso de los resultados que había conseguido. En 2001, BMW, que ya disponía de tecnología para sus productos serie X, aceptó una generosa oferta de Ford por Land Rover. En 2008 la crisis obligó a Ford a vender Land Rover, que pasó a manos del fabricante indio Tata Motors.

---

43. El método del valor acumulado

El método del valor acumulado o *Earned Value Method*, fue inventado por la NASA bajo unos principios muy sencillos. Le recomiendo aplicar solo los principios, porque ponerlo en práctica en toda su extensión requiere el manejo de ecuaciones complejas.

En las reuniones de revisión de avance del proyecto hay que situarse y analizar el progreso del presupuesto y las tareas previstas —ejecutadas totalmente o no—, respecto al presupuesto. Podemos ir, por ejemplo, al 50% de costes y solo haber ejecutado el 40% de las tareas, por tanto, el problema lo tenemos en los plazos, vamos retrasados. Pero podría ser peor, ir al 100% de costes y solo haber ejecutado el 50% de las tareas. En ese caso vamos mal de costes y de plazos.

Sea cual sea la situación, el director de proyecto plantea dos preguntas el día de la revisión:

- Al ritmo que vamos, ¿cuándo acabaremos el proyecto?
- Al ritmo que vamos, ¿cuánto nos costará terminar el proyecto?

No se trata de hacer solo una regla de tres compuesta —aunque es bueno hacerla— para extrapolar la fecha y el coste. Generalmente, si la fecha y el coste arrojado son inaceptables, el director de proyecto pide un plan de acción para corregir las desviaciones, y así hasta la próxima revisión de proyecto. Por otra parte, se requiere un control de los gastos presupuestados por fases del proyecto. Cada fase del proyecto se cierra con un hito, que suele ser un entregable en forma de prototipo, cada vez más avanzado.

Los costes totales del proyecto se deben dividir por fases. No suelen ser proporcionales al tiempo transcurrido del proyecto, por tanto, no vale con un mero prorrateo. Solo se puede gastar el importe previsto para cada fase, aunque, para dar flexibilidad, se puede otorgar autoridad al director del proyecto para excederse un 10%, sin que tenga que pedir permiso a la dirección general. Las revisiones del proyecto le autorizarán a seguir gastando. Es como viajar por una autopista. Cada revisión del fin de una fase levanta la barrera hasta el próximo peaje, es decir, hasta la próxima revisión del avance del proyecto. Solo en caso de emergencia se autorizan mayores gastos que los presupuestados.

Y además del control del proyecto, el punto más relevante de las reuniones de revisión es la actualización de la gráfica del ciclo de vida de la innovación, pidiendo a marketing, ventas, compras y producción, hito tras hito, fase tras fase, su nueva estimación de precio de venta, cantidades y precio de coste del producto, para verificar si nuestro plan se mantiene o no.

44. Uso de indicadores de eficiencia

La medida del rendimiento organizativo es parte integral de las actividades de cambio o de mejora de la empresa. Los indicadores de eficiencia o indicadores de rendimiento clave —también llamados *Key Performance Indicators* o KPI—, si se aplican de un modo continuo, pueden ayudar a la organización a influir en el proceso en la dirección deseada.

La mayoría de los KPI en las empresas, en cambio, tienen el foco en el rendimiento financiero, ya que son el resultado de complicados procesos que se traducen finalmente en efectivo. En realidad, muchos de esos indicadores no son útiles para ver qué acción correctiva debemos tomar.

Si no medimos, no podemos mejorar. Si no evaluamos un proceso no podemos controlarlo y estaremos a merced del azar. Los procesos deben ser atendidos por parámetros del proceso, no por resultados financieros. La palabra resultado expresa exactamente lo que debería ser: un resultado, un indicador *a posteriori* que ponga de manifiesto si el proceso se ha controlado correctamente o no.

La dirección general debe decidir qué aspectos son prioritarios para plantear acciones de mejora del proceso de innovación. Igual que un director financiero prepara indicadores para una correcta gestión económica, necesitamos usar indicadores que nos permitan medir y mejorar la gestión de la innovación. Debemos definir KPI que sean vitales para el control del proceso de innovación y para la gestión del día a día.

En un proceso de innovación podríamos controlar:

- fiabilidad de las fechas previstas en el plan del proyecto,
- cambios de ingeniería tras la fecha de lanzamiento,
- nivel de diversidad (o sea, cuántos códigos distintos),
- *time to market*, y
- ratio calidad/precio de los productos.

Fíjese en que no propongo medir la productividad o eficiencia de una instalación, sino la efectividad total del proceso de innovación, que es una actividad transversal que afecta a varios departamentos. Como ejemplos se comentan a continuación tres posibles indicadores:

Ⓐ **Nuevos productos**. La mayoría de expertos en innovación están de acuerdo en que un flujo regular de nuevos productos o de productos renovados es el factor principal a la hora de lograr un crecimiento y una rentabilidad sostenibles. En este sentido, un KPI que puede ayudarle a monitorizar el rendimiento de su inversión en innovación de productos podría ser el porcentaje de la cifra de ventas anual imputable a los nuevos productos, en función del tiempo transcurrido desde su lanzamiento, a fin de evaluar si disponemos de un flujo regular de nuevos productos de innovación.

Para visualizar este KPI represente en un gráfico de pastel el porcentaje actual de las ventas que se debe a productos que no se vendían hace un año —nuevos—, entre uno y tres años por ejemplo,— intermedios—, y hace más de tres años —maduros—. Un simple gráfico actualizado anualmente, o incluso cada trimestre, hablará por sí mismo. Esta ilustración le dará una imagen del grado de novedad de su proceso de innovación y le permitirá autoevaluarse al respecto.

B Fiabilidad en el cumplimiento de las fechas de las fases del proyecto. Un KPI podría consistir en el retraso de cada fase —o incluso de cada actividad en particular— y la dilación total del proyecto. Ello permite fijar la demora en valor absoluto o en porcentaje de la duración prevista.

El objetivo de este KPI es disponer de datos históricos que permitan mejorar la fiabilidad en la estimación de los plazos de entrega, así como prever coeficientes reales de retraso a incluir en las estimaciones de las duraciones de las distintas actividades del proyecto.

C Gráficos de seguimiento del avance del Plan de Proyecto. Además de los documentos formales de control del proyecto de innovación, le recomiendo mostrar en lugares bien visibles —del mismo modo que se suele hacer con los datos de producción y calidad en las fábricas—, gráficos de seguimiento —en papel tamaño A0, por ejemplo— que comparen el avance del plan respecto a las fechas previstas inicialmente. MS Project u otro programa de dirección de proyectos —*Project Management*— es de gran utilidad al respecto. De ese modo, aumenta el compromiso del equipo y se fomenta la toma de acciones correctoras para cumplir con los plazos previstos, si fuesen precisas. Estos gráficos de seguimiento facilitan a todos los implicados en el proyecto una comprensión clara sobre cuáles son los objetivos prioritarios de la dirección: cumplir con los plazos previstos.

Si estos gráficos se muestran en los distintos departamentos de los miembros del equipo de innovación, los directores de departamento pueden conocer lo que ocurre en el proyecto, se sienten más implicados y de ese modo sacan sus propias conclusiones sobre qué hacer para mejorar la situación del proyecto. Es decir, contribuimos a crear una atmósfera de compromiso y a estimular la toma de acciones proactivas, en caso de que se detecten retrasos.

45. Cooperación interna contra la competencia

Los equipos de producto y los comités son una parte de la vida diaria en la empresa. Las reuniones correspondientes incluyen a personal de grupos orientados funcionalmente, como son marketing, I+D+i, fabricación, ventas, finanzas, etc. Es por ello que la mayoría de los participantes tienen tendencia a sufrir una distorsión en su perspectiva, que les hace creer que los problemas y responsabilidades de sus respectivos departamentos son mucho más importantes que los del resto. Eso puede ocasionar conflictos *tribales* y generar juegos políticos que impiden ver al enemigo real: la competencia. En conclusión, si usted forma parte de un comité relacionado con la innovación, use su inteligencia y sus energías en una sola guerra: superar a la competencia.

Sitúese mentalmente en una escena bélica: está luchando en un campo de batalla contra el enemigo, sus competidores. Tiene que ganar para sobrevivir. Tiene que cooperar con todos sus compañeros. Se juega la vida en ello.

Esta visualización puede ayudarnos a fomentar el trabajo en equipo, al enfocar nuestros procesos mentales en único objetivo: batir a la competencia. No es una tontería, esa visión puede ayudarle a lograr una cohesión interna. Úsela con sus colaboradores cuando surjan conflictos internos.

Para innovar en sentido amplio, en las empresas hay que eliminar las pequeñas *tribus*, donde cada director de departamento busca su propio beneficio. El proyecto de innovación siempre es transversal. El líder del equipo de innovación debe ser capaz de convencer a los miembros del equipo de que el objetivo principal es crear una nueva gran *tribu*, cuyo único objetivo es conquistar y derrotar a la *tribu enemiga*, de que las luchas internas no añaden valor y de que solo el éxito colectivo del grupo les permitirá alcanzar su éxito individual. Esto no significa que no se puedan establecer *joint ventures* o alianzas con competidores para innovar compartiendo recursos y batir a otra competencia.

46. Una estrategia de innovación comprensible

Prepárese con antelación

Si es incapaz de explicar su estrategia de innovación, de un modo sencillo, a cualquiera de sus colaboradores, es posible que esté ante el síntoma de que usted, o no la tiene clara o no se atreve a contarla porque no confía en ella —o peor aún, porque no se fía de su entorno—. En mi opinión, es más grave que su organización no tenga clara la estrategia y la hoja de ruta a seguir —con los motivos que llevan a tomarla—, que el peligro de que haya fugas de información a la competencia.

Prepárese para contar la estrategia, como si se la tuviera que exponer a alguien nuevo de la empresa. Debe argumentar a sus colaboradores que el objetivo del lanzamiento de ese nuevo producto o servicio es la búsqueda de una ventaja competitiva, sea por diferenciación o bien por reducción de costes. Se debe aclarar que para diferenciarnos de la competencia debemos ofrecer unas nuevas prestaciones que serán percibidas como únicas por los clientes, y con ello podremos conseguir la creación de una nueva categoría o un nuevo segmento de mercado, con el consiguiente aumento de nuestras ventas. Por otra parte, si se opta por la estrategia de lograr un diseño y/o un proceso productivo con menores costes, se conseguirá incrementar el beneficio por la vía de mayores márgenes o bien por una mayor cuota de mercado. De esta manera, se sacará partido de la curva de experiencia de nuestro producto.

Estas son dos opciones estratégicas claras, sencillas de explicar y de entender para todo el mundo y, como consecuencia, el objetivo de la innovación en un nuevo producto debería ser lograr una u otra: la diferenciación o la reducción de costes. Pero sea coherente con la estrategia que adopte. Por ejemplo, no opte por la estrategia de reducir costes con la idea de aumentar cuota de mercado y, luego, decida subir precios. Lo estará poniendo difícil.

Comuníquese en los dos sentidos. Cree su propio *Jam*

Pues bien, una vez opte por una u otra estrategia, expóngasela a todo su equipo. Comuníquese. Evite una difusión unidireccional, usando un aburrido PowerPoint, como si participase en un *road show* con analistas financieros. La comunicación debe ser bidireccional. Reúna a todos sus colaboradores en una sala y cuente su estrategia. Acepte preguntas del auditorio. Que todo el mundo pueda participar. O bien otra sugerencia, use la tecnología, su intranet, para comunicarse en los dos sentidos con sus colaboradores. Defina un período de tiempo para plantear dudas y generar ideas. Cree su propio *Jam* o conversación en grupo. Imite a IBM.

En 2003, IBM se embarcó en un proyecto para redefinir los valores de la empresa. Con la utilización de la tecnología que denomina *Jam*, creó el primer *Jam on line*, que consistía en conversaciones entre 50.000 empleados, vía web, sobre cuestiones clave de negocio. Los textos se analizaron con un sistema informático para clasificarlos por temas.

El resultado final fueron tres valores que fueron aceptados por los empleados, porque habían sido creados vía la movilización del grupo, en lugar de ser elegidos y comunicados en un solo sentido por la dirección general:

1. Innovación que importa a nuestra empresa y al mundo.
2. Dedicación al éxito de cada cliente.
3. Confianza y responsabilidad en todas las relaciones.

Al año siguiente, el *Jam* se dedicó a intercambiar mejores prácticas y a generar ideas para implementar los valores elegidos. Participaron 52.000 empleados en un *brainstorming* que duró 72 horas. Posteriormente, se celebró otro evento para seleccionar las ideas clave.

En 2008 la sesión de *Jam* se dedicó a la innovación. Duró 72 horas y, además de miles de empleados de la compañía, se invitó a clientes, empresas asociadas y académicos de todo el mundo.

47. Transparencia con el equipo de innovación sobre la marcha del negocio

Entender que la innovación va ligada a un retorno sobre la inversión es un cambio cultural profundo que debería implantarse en muchos equipos de I+D+i. Aunque tenemos buenos sistemas de *reporting* financiero en las empresas, en muchos casos, los equipos de I+D+i desconocen la marcha del negocio asociado a la innovación. Por ejemplo, si un producto se vende con margen negativo y la fábrica funciona en su conjunto según el presupuesto, nadie se preocupa demasiado al respecto, porque las pérdidas de ese producto están enmascaradas con la rentabilidad del resto.

Algunos directivos son reacios a comunicar a los empleados de I+D+i los resultados específicos de sus productos, a decirles si las ventas de los productos que diseñan van bien o van mal, temiendo que mañana saldrá la noticia en Internet, que se enterará la competencia o que el comité de empresa manipulará en su beneficio dicha información.

Por mi parte, soy de la opinión que el equipo de I+D+i debe tener claro que no hay ninguna diferencia entre la gestión de nuestra empresa y la de la tienda de la esquina. Es fundamental entender que tenemos que ganar dinero y ser rentables, sino la empresa estará en riesgo y, por tanto, sus puestos de trabajo también.

Divulgar los resultados tendría que servir para aumentar el compromiso a todos los niveles del equipo. Si el negocio va bien nos sentiremos orgullosos, aunque sin caer en la autocomplacencia. Por el contrario, si va mal, sabremos que tenemos que hacer un esfuerzo máximo por lanzar nuevos productos que le den la vuelta a la cuenta de resultados. Es decir, no basta con contar la situación. En concreto, cuando las noticias son negativas, deberíamos aportar planes de acción y exponer cómo pensamos mejorar el negocio, cuál es la estrategia que seguiremos.

Los efectos positivos de la información sobre la moral en conjunto del equipo, serán mucho más importantes que las posibles fugas de información a terceros. El reto del directivo consiste en inspirar confianza en su equipo, aunque sea una tarea difícil de lograr.

48. Inversión en talento y en su retención

El talento es escaso

Talento no es igual a innovación, pero la innovación rara vez nace en organizaciones mediocres. *Una buena idea en manos de una persona u otra puede acabar en innovación o en un proceso infinito de marear la perdiz. Una innovación puede tener éxito o fracasar si tiene el equipo capaz de desarrollarla. Una inversión millonaria puede tener sentido si tiene el liderazgo que corresponde a su inversión; una inversión discreta puede ser muy rentable si se escoge bien quién la va a conducir*, afirma Xavier Marcet en su libro *Cosas que aprendemos después.*

Lo mismo que la calidad de un equipo de fútbol se basa en la calidad de sus jugadores, la innovación depende del talento de los miembros del equipo. Talento es un término muy concreto que comprenden muy bien los equipos deportivos de élite o las productoras de Hollywood. El talento es escaso y su búsqueda es la antítesis de la cultura de la mediocridad. El talento es el resultado de un equilibrio de competencias, de experiencia, de creatividad, de aptitud, de compromiso y de resultados. Suele estar asociado a una cultura de esfuerzo continuo, de mantener el esfuerzo y la constancia a lo largo de la vida profesional.

Busque el talento

Puede que tengamos ese talento en casa, porque hayamos imitado la filosofía ejemplarizada en *La masía* del F.C. Barcelona, una escuela de futbolistas que forma a jugadores con talento desde su infancia. Esta escuela interna ha instruido a jugadores que han llevado a lo máximo tanto al club como a la selección española de fútbol.

Es mucho más económico fichar talento entre recién titulados que comprar empresas con éxito por sumas multimillonarias. La primera opción es la elegida por grandes empresas como Microsoft, Cisco, Unilever, P&G, etc. No obstante, la política de promoción interna requiere paciencia, porque los resultados no se obtienen a corto plazo. En este contexto, la solución a la búsqueda del talento puede que deba ser mixta, es decir, que tengamos que invertir fichando a talentos con experiencia y comprando empresas excepcionales, además de invertir en el desarrollo del talento propio, para obtener resultados a corto y a largo plazo con la menor inversión.

La mejor prueba del potencial innovador es el historial de innovación. Si está valorando a un candidato de 35 años sin referencias de innovación dignas de mención en el pasado..., no espere mucho de él en el futuro.

Eduardo Montes, ex presidente de Siemens España, comentó al respecto: *El activo no está en los equipos sino en las personas. Ahora el proceso consiste en tener a los individuos y luego fijar la organización, para justificarla después con el plan estratégico. Esto no se había producido antes. Microsoft lo ha entendido muy bien*. Es decir, primero necesitamos disponer del talento.

No podemos dejar para el final la pregunta de *¿quién lo hará?*, sino que debemos hacerla al principio del proyecto de innovación, definiendo perfiles y quiénes encajan en ellos, en lugar de recurrir directamente al escalón jerárquico o al apellido. Gestionar el talento es gestionar el detalle de la ejecución. Preguntarse quién va a hacerlo no es perder el tiempo, es centrarnos en una parte fundamental de la solución. Es una de las claves del éxito en la innovación.

Retenga el talento

Logrado el talento, hay que mantenerlo en nuestra organización, y para ello hay que huir de políticas de *café para todos* —sueldo único para una categoría dada, incrementos de sueldo para todos según el IPC, movilidad internacional porque está de moda, etc.—. Al contrario, piense en qué motivará al personal con talento de su organización: ¿Responsabilidad? ¿Autonomía? ¿Teletrabajo? ¿O quizás sea un gimnasio para hacer deporte? Déselo, así como un sueldo digno, de lo contrario se lo dará la competencia. La gente con talento suele tener oportunidades de empleo tanto en buenos como en malos momentos económicos.

El departamento de Recursos Humanos y la Dirección de innovación deben tener claro el talento y el liderazgo necesarios para ejecutar los proyectos de I+D más relevantes y ejercer su influencia para que se lleven a cabo con éxito.

Si la gente con talento no se trata como parte de la solución necesaria, buscará el reconocimiento en otra parte. Sin importar cuál es el nivel de presión cada día, defina una estrategia de cómo se relacionará más estrechamente con la gente de talento de su equipo, e implíquelos en el desarrollo y ejecución de futuras estrategias de innovación.

Es fundamental que en su equipo tenga gente con talento que se sienta empresaria, que actúe como si fuese accionista de la empresa, aunque sea solo un empleado, y que innove en su función. Hay que incentivar económicamente esa actitud. Ese fue el *leiv motiv* de las denostadas *stock options,* que pretendían que los empleados se implicasen en su trabajo y actuasen como empresarios. De ese modo, si mejora la cuenta de resultados de la empresa, lograrán ser recompensados económicamente más allá de su sueldo básico.

Exija lo imposible solo de vez en cuando

Aparte de los incentivos económicos adecuados, se requiere un nivel de exigencia sostenible en el tiempo. Es decir, hay que lograr el uso de las capacidades máximas de la gente con talento, hacer que descubran sus propios límites, lograr que un individuo actúe a un nivel que nunca se podría haber imaginado antes, aunque dentro de unos límites.

Mi consejo es que intente lograr el máximo de su equipo, de sus capacidades, y que tenga cuidado con el nivel de presión. El fin no justifica los medios. Lo mismo que nos ocurre a nivel físico, un nivel de *stress* medio es saludable, e inclusive soportamos niveles de presión elevados por un período corto de tiempo, haciendo deporte, por ejemplo. En cambio, un *stress* elevado de modo continuo es dañino para el organismo y lo será para su organización. Exija lo imposible solo de vez en cuando. El elevado nivel de suicidios en el Renault Technocentre en 2007 o los de France Telecom (2009-2010) muestran que el tema no es en absoluto banal.

Existen dos elementos adicionales para ponerle *pegamento* a un grupo de gente con talento. El primer elemento básico es la confianza mutua, es el elemento estabilizador del directivo de innovación con su equipo. Si falla la confianza surgirán fuerzas centrífugas que disgregarán el equipo y el talento se irá a la competencia. La confianza empieza en el respeto que el directivo debe mostrar por sus colaboradores.

> **Al final, lo que crea confianza es que el dirigente manifieste respeto por los dirigidos.**
> Jim O´Toole, autor de *Leading Change*

El segundo elemento es el respeto, la admiración, el aprecio que causa ese directivo en sus colaboradores. Es la autoridad que emana de nosotros, no del título que ostentamos en la empresa, la que imperará en una organización innovadora. Y eso dependerá de nuestro nivel de desempeño y de nuestro nivel de criterio, percibidos desde el punto de vista de nuestros colaboradores. Lograr esa autoridad requiere tiempo.

49. La emoción como motivador

Imite a los activistas

Opino como Tom Peters: la ira es una gran fuente de innovación. Mucho más de lo que la gente cree. Se trata de una ira persistente por cómo están las cosas, por lo que está ocurriendo en el sector o en la empresa, combinada con una determinación irracional —estadísticamente inapropiada— de que poseemos una mejor alternativa al *status quo* vigente. La ira es el motor del emprendedor, cuya intención es cambiar las cosas que le molestan.

Es necesario apelar a la emociones, al orgullo, a la ira de nuestros colaboradores y de nuestros clientes. Hay que sacudir mentalmente a los individuos para que aporten nuevas ideas. Hay que lograr que los individuos compren nuestros nuevos productos. Hay que invocar sus emociones.

Hayagreeva Rao, profesor de comportamiento organizacional en Stanford, recomienda actuar como los activistas que movilizan las pasiones de la comunidad por una causa. Tras ver la fuerza con que son capaces de impulsar o borrar del mapa innovaciones radicales, recomienda usar sus métodos para movilizar a colaboradores y clientes.

La mayoría de las veces los directivos apelamos a la razón, por lo que enviamos mensajes basados en la capacidad de la mente humana para procesar y analizar la información. Los activistas, en cambio, se dan cuenta de que la cognición, el proceso psicológico para entender qué tienen los colectivos, es innata, automática; por eso apelan a las emociones básicas, usando símbolos y mensajes emotivos.

Con colaboradores

Los innovadores, independientemente del tema en cuestión, son personas que pelean tan tenazmente por algo pequeño como por algo grande. No suelen ser gente fácil, porque tienen carácter. Creen estar en posesión de la verdad, y en muchas ocasiones tienen razón.

Todos los que defienden el *status quo* vigente son enemigos del innovador. En algunos casos, sus enemigos pueden ser la competencia, en otros sus propios colegas y, en otros, sus propios jefes, que no tienen ganas de complicarse la vida. Por eso, para sobrevivir a ese entorno, la persona innovadora, la que propone un cambio, tiene que tener carácter. Y si está convencida de que tiene razón, normalmente estará muy enojada por la situación en sí. Y si no se le hace caso se enfurecerá. O aguantará el chaparrón o dejará la empresa, porque ya sabe que *intentar hacer cosas nuevas allí es inútil.*

Aunque de entrada admito que me exasperaba su actitud, mi mejor colaborador en innovación es un ingeniero que tiene la osadía de discrepar con algunas de mis ideas y decírmelo a la cara, dándome propuestas alternativas, un elemento fundamental para la innovación: opciones diferentes basadas en puntos de vista distintos.

Observe que hay una distancia muy corta entre el que se queja de todo porque sí y el emprendedor. El emprendedor aporta soluciones. Genera ideas. Convierte su enfado en acción. Por otro lado, esté alerta con las personas que coinciden con usted en el 99% de las ocasiones, y el 100% de las veces cuando se trata de algo importante. Los que se pasan el día halagando al jefe no tienen tiempo ni energía para innovar.

Evidentemente usted no puede dejar que la ira vaya demasiado lejos, pero la gente realmente indignada porque cree que tiene razón en sus propuestas, porque está harta de que las cosas no funcionen, merece como mínimo nuestra atención. Puede ser una buena fuente de innovación, especialmente en el caso de las innovaciones organizativas.

Lo mismo ocurre en una situación de crisis. Recuerdo que en los años 80, el movimiento a favor de la calidad —que transformó la industria automovilística de Estados Unidos— funcionó cuando el mensaje de sus promotores apeló a la emoción: *O mejoramos la calidad o la industria del sector del automóvil desaparecerá en manos de los japoneses.* Fue cuando se mencionó la amenaza mortal de la competencia japonesa que los activistas fueron capaces de movilizar el apoyo a las iniciativas de calidad en las empresas.

Me acuerdo que en una situación de crisis, motivada por una maniobra inesperada de la competencia, utilicé con mi equipo una metáfora para apelar a sus emociones y restaurar el orgullo y la innovación: *Hoy nos batimos con la competencia como hacían los gladiadores en el circo romano. Solo uno sobrevivirá. Vuestra inteligencia debe usarse para innovar en cómo derrotar al contrario: en producto, en distribución, en ventas. Si la competencia gana, nuestra empresa, nuestro puesto de trabajo y con ello el bienestar de nuestra familia desaparecerán. Es vuestro turno.*

Con clientes

Fue la ira contra la tiranía de los ordenadores centrales de IBM lo que desencadenó el movimiento de los *hobbystas*, que acabó en el Apple I, el kit de ordenador personal que resultó ser el primer producto de Apple.

¿Podemos dar una solución a los clientes molestos con nosotros? ¿O con la competencia? Eso sería una fuente de innovación, en algunos casos incluso organizativa.

El director general de Gujarat Gas, filial de British Gas en India, quería cambiar su organización para que de verdad se orientara a los clientes. Montó un equipo de activistas que se reunió con clientes realmente enojados. Tras el debate montaron una sesión de *rol playing* muy interesante. Enviaron a empleados para que actuaran como clientes que acudían a las oficinas a solicitar servicios. De esa manera, los empleados descubrieron todas las dificultades por las que pasaban sus clientes. Fue un *shock* que permitió innovar mejorando el servicio y focalizando a los empleados en dar un buen servicio a los clientes.

50. El cuidado de los creativos

Frente a los autores que afirman que uno puede aprender a ser creativo, mi opinión es que eso es muy difícil y, en particular, a partir de cierta edad. La gente creativa es un bien muy escaso. Aun más que la gente con talento.

¿Qué es creatividad? En mi opinión, es la habilidad de crear conceptos nuevos e inesperados. La historia tiene muchos ejemplos de teorías o productos generados por gente creativa que se recibieron con incredulidad o rechazo. En 1895, cuando la industria del automóvil con motor de gasolina estaba en sus inicios, despertaba muchas dudas. El coronel Albert Pope afirmó: *No se va a sentar la gente encima de una explosión.*

Tenemos muchos motivos para dar espacio a la gente creativa, para que trabaje en nuevas ideas, y en aportarles fondos para poder evaluar el potencial de esas nuevas ideas. Recuerdo un compañero en mi época en Philips, un diseñador industrial, que era una persona creativa. Los dos nos fuimos, en 1982, a Eindhoven —Países Bajos— para presentar su idea, un aparato de televisión con un reproductor de cintas de video, integrados en un único mueble, y que utilizaba una única fuente de alimentación para reducir costes.

La propuesta fue rechazada en un santiamén por los directivos de Philips. Sus preguntas fueron las siguientes: *¿Quién va a fabricar este producto? ¿La división de TV o la división de videos?* Su conclusión fue: *Este producto no tiene sentido.* Al año siguiente Sony presentaba un TV con video incorporado que se vendió durante años.

¿Recuerdan que al mencionar el diseño del iPod les explicaba que la idea de ese producto no fue interna de Apple, sino que se la proporcionó un ex ingeniero de Philips, Tony Faddel, a quien Philips tampoco le hizo ningún caso? Faddel era una persona creativa. Desgraciadamente, algunos directivos de Philips seguían sin entender lo que es la creatividad.

La gente realmente creativa es muy difícil de localizar. A menudo, su personalidad no encaja en organizaciones muy estrictas. Asimismo, en general no saben gestionar responsabilidades administrativas. No obstante, resultan esenciales para la supervivencia de una empresa innovadora. Son los que de verdad innovan. Debemos intentar ubicarlos en áreas donde se sientan cómodos y contribuyan, con sus ideas creativas, a estimular el ambiente innovador de la compañía.

La confianza en la creatividad es un prerequisito para una compañía realmente innovadora. Es posible que haya que recortar el presupuesto cuando la economía toma la pendiente hacia abajo. Pero, ocurra lo que ocurra, mantenga a su mejor gente, y si fuese posible quédese con los buenos que su competencia haya dejado escapar.

Parte II

Consejos para directores de innovación, directores de proyecto, equipos de innovación y comités de nuevos productos

51. Simplificación del portafolio de productos

Destruya para crear

Explotar la complejidad para crecer en mercados y marcas *premium* es una estrategia válida para crecer y obtener mayores beneficios. No obstante, lograr esos objetivos requiere la dirección magistral de la orquesta del comité de nuevos productos: I+D+i y Marketing.

La proliferación de nuevos productos *per se*, sin motivos económicos, solo aumentará los costes operativos y no cosechará ninguno de los beneficios previstos. Incluso puede deteriorar el crecimiento que pretendíamos con la innovación. Es una de las trampas más frecuentes en las que caen los comités de innovación, y para evitar precipitarse en ella necesitamos un nuevo modelo mental y desafiar los prejuicios de la empresa.

Esto puede requerir actos de *destrucción creativa*. Muchas empresas innovadoras en gran consumo lo están haciendo. Están pasando de un modelo de proliferación incontrolada de nuevos productos para crecer en volumen, a un análisis profundo de la rentabilidad de los productos, que se traduce en decisiones difíciles, como la anulación de productos que estaban destruyendo valor, eliminándolos o vendiéndolos.

Esas empresas siguen el consejo y se inspiran en el espíritu del economista Joseph Schumpeter, que en los años 30 del siglo pasado escribió: *Este proceso de destrucción creativa es el hecho esencial del capitalismo. Esto es en lo que consiste el capitalismo y con lo que toda preocupación capitalista tiene que convivir.*

Reduzca la complejidad

Una revisión de la complejidad de su portafolio de productos le llevará muy probablemente a la decisión de simplificarlo, eliminando aquellos productos que *nunca* podrán ser rentables. Nos referimos a esa determinación como la racionalización del catálogo de productos, lo que nos recuerda etimológicamente que en ese proceso tenemos que usar la razón, la lógica. Es contradictorio racionalizar nuestra gama de productos sin un análisis riguroso de su rentabilidad.

Pregúntese por cada uno de sus productos o categoría de productos: ¿Podemos lograr que sea rentable, es decir, que el beneficio supere el capital invertido, mediante:

- la innovación en el proceso?
- la mejora de los costes simplificando los componentes?
- el *outsourcing*?
- el aumento de precios?
- la reducción de los costes unitarios aumentando el volumen?

Si no ve cómo lograr que sean rentables, elimine esos productos, simplifique, racionalice su catálogo. Evite caer en la trampa de pensar que es un error hacerlo porque, si no actúa, bajará la cifra de ventas. Sin duda, paralizarnos, manteniéndonos inactivos frente a una complejidad creciente, solo hará que se destruya valor. La simplificación le permitirá liberar recursos para ofrecer al mercado, mediante la innovación, mejores productos y en un plazo más breve. Es inviable mantener productos que consuman el tiempo, la atención de los miembros del comité de nuevos productos y que nunca serán rentables. Opte por la destrucción creativa.

52. La hoja de ruta hacia el futuro

Conocer a la competencia y vigilarla de cerca es esencial. El *benchmarking*, el comparar nuestros procesos con los de las mejores empresas de nuestro sector o de otros sectores, es fundamental para mejorar la calidad, los costes y los plazos, intentando aprender cómo hacer las cosas mejor, más rápido y más barato. Y eso es válido, por tanto, para el proceso de creación y desarrollo de nuevos productos.

De modo que es necesario tener una vigilancia constante sobre nuestros competidores más peligrosos. Necesitamos conocer —lo ideal sería prever— su estrategia de marketing, política de productos, organigrama, éxitos y fracasos. Ello nos puede permitir anticipar los futuros pasos de la competencia y reaccionar a sus productos actuales. Pero dese cuenta de que es una táctica puramente reactiva, en base al análisis de un producto *actual* de un competidor. De modo que significa tomar una decisión en base a una decisión tomada por la competencia meses o años atrás, y eso puede que signifique que lleguemos demasiado tarde con nuestro propio producto.

De modo que, aunque estoy totalmente a favor de la vigilancia de la competencia y del *benchmarking*, no basta con eso. Es necesario trazar nuestra propia hoja de ruta, marcar una línea que nos permitirá superar, en algún momento, la línea proyectada por nuestro competidor. Tomar partido del rol de seguidor, y solo innovar imitando a la competencia, es un grave peligro para los comités de nuevos productos. En primer lugar, puede desorientar al resto de la organización y, en segundo lugar, y quizás lo más importante, puede que esa decisión funcione en algunos casos, pero que en otros llegue demasiado tarde.

53. Definición de la estrategia y asignación de presupuesto

Si definimos la innovación como la invención explotada con éxito, está clara la conexión que debe haber entre los programas de innovación y el mercado. La continuidad de los proyectos de cada programa requiere, como prerequisito, la definición de una estrategia clara, consistente y directa. Si la política que define nuestra hoja de ruta es confusa, iremos dando bandazos y malgastando los recursos asignados al programa de innovación. Y eso desmotivará a nuestros equipos.

Recuerde que simplificando las diversas opciones estratégicas, el objetivo del lanzamiento de un nuevo producto debería consistir en la búsqueda de una ventaja competitiva, mediante la diferenciación o la reducción de costes. En el primer caso, buscamos diferenciarnos de la competencia mediante el ofrecimiento de unas nuevas prestaciones que sean percibidas como únicas, o bien, en el segundo caso, con el aumento de los márgenes por haber logrado un diseño con menores costes.

Si un proyecto en el programa de I+D+i no encaja ni en una estrategia de costes ni en una estrategia de diferenciación, lo mejor es que no reciba ninguna asignación presupuestaria. Será difícil que obtenga éxito en el mercado.

54. Reducción de la complejidad

Un factor que afecta indirectamente al *time to market* es el número de códigos o de componentes de un producto. Además, perjudica a los costes operativos, porque el número de personal indirecto aumenta si el número de códigos es mayor. En conclusión, minimice el número de componentes, promueva la estandarización de las soluciones tecnológicas.

El código que identifica un componente, subconjunto o producto final, desencadena una secuencia inevitable de eventos. Primero, hay que especificarlo, diseñarlo y documentarlo. Después, administrarlo, fabricarlo, verificarlo, distribuirlo y venderlo.

De hecho, creo que no me equivocaría mucho si estimo que, en una empresa industrial, el 50% del personal indirecto es directamente proporcional al nivel de complejidad derivado de la diversidad de productos. En realidad, es otra manera de expresar la cantidad de códigos existentes.

Es difícil calcular el coste asociado a la complejidad, pero mi consejo es dar prioridad a las soluciones de diseño que minimicen el número de códigos, siendo el resto de factores similares. El efecto positivo de un diseño con menor número de componentes se hará visible a lo largo de los procesos de la empresa, desde el desarrollo de producto hasta el servicio postventa. ¡Apueste por la sencillez!

Del mismo modo que un código desencadena una secuencia inevitable de eventos, cada etapa adicional del proceso de fabricación tiene una influencia negativa sobre la cantidad de personal, directo e indirecto, necesario para operaciones, costes, calidad y plazo de entrega. Determinará la distribución en planta y la organización de la planta, los almacenes, la logística y la planificación, además del nivel de defectos y la calidad resultante. Por tanto, todo diseño debería evaluarse en función del número necesario de etapas de fabricación.

Otro factor que reduce, indirectamente, la duración de un proyecto, es el número de códigos o de componentes del producto. El motivo es que si se reduce la diversidad de los componentes necesarios para la producción, se reduce el trabajo del personal indirecto asociado. Eso significa que, aunque el coste por pieza parezca mayor, se deben elegir las soluciones que minimicen el número de códigos, porque el coste global debido a la tarea del personal indirecto será menor. Es decir, se debe favorecer la estandarización en los nuevos productos.

De modo similar, cada etapa distinta en el proceso de fabricación, debida a un nivel adicional en la estructura del listado de materiales del producto, afecta al coste de producción, al aumentar el personal indirecto asociado y los stocks intermedios. En cada revisión, a lo largo del proyecto, se debe intentar reducir el número de códigos distintos y el número de niveles en la estructura de producto.

CASO DE ESTUDIO: LA INICIATIVA *VALUE INNOVATION* EN TOYOTA

El plan de innovación radical, implantado por el ex CEO de Toyota, Katsuaki Watanabe, empezaba por reducir un 50% el número de piezas de un vehículo. Su objetivo consistía en lograr que sus fábricas fuesen más flexibles y ágiles. Imagínese el reto que representaba esta iniciativa, una verdadera reinvención del vehículo. Por este motivo la denominó *VI = Value Innovation*. Bajo ese enfoque, Watanabe esperaba que Toyota recortase en 8.700 millones de dólares sus costes operativos.

Además de la innovación en producto, se crearon equipos en producción con el objetivo de innovar en los procesos, simplificándolos bajo el slogan *Simple and Slim* –sencillo y ligero–.

Parece que Toyota empieza a sufrir los problemas de ser el fabricante número uno de vehículos en el mundo. Ese volumen parece afectar su nivel de calidad. No obstante, iniciativas de este tipo le permitirán emerger de la crisis aún más fuerte que al principio.

Ahora piense usted en un producto que fabrique en la actualidad e imite a Toyota. Fíjese, como primer objetivo de innovación, reducir a la mitad el número de componentes. Quizás no lo logre, pero sea cual sea el porcentaje de reducción alcanzado, mejorarán sus costes operativos. Como segundo objetivo, busque la simplificación de todos los procesos. Empiece a actuar y verá los resultados.

---

55. Diseño de productos fáciles de usar

Demasiados productos presuponen unos determinados conocimientos técnicos por parte del usuario. Como resultado, se limita su difusión masiva y, por tanto, su grado de éxito.

La creciente complejidad de muchos productos nuevos, en especial en el ámbito de las nuevas tecnologías, la electrónica de consumo e Internet, justifica por sí misma la existencia de departamentos de atención al cliente. Aunque es cierto que, en teoría, los jóvenes son más capaces que los mayores de poner en funcionamiento los dispositivos electrónicos, la realidad es que muchos productos tienen principios operativos fuera del alcance del consumidor medio. En definitiva, el usuario común no domina los principios básicos de su funcionamiento y además debe enfrentarse a modos de empleo incomprensibles.

Es preciso poder manejar los productos de una manera natural e intuitiva. El consumidor medio, y en particular el de edad media o avanzada —habitualmente de mayor poder adquisitivo—, no tiene conocimientos ni interés sobre los principios técnicos de los productos. Sin embargo, su uso requiere algún conocimiento básico de su funcionamiento. Un ejemplo ocurrido en España fue la desaparición de la TV analógica, sustituida por la TV Digital Terrestre. Este cambio tecnológico requirió que muchos consumidores necesitaran que algún experto les programara los receptores o descodificadores, imprescindibles para recibir las emisiones.

Afortunadamente, el *software* permite infinitas posibilidades de operar los dispositivos de un modo sencillo y comprensible para todas las edades. Es necesario estandarizar los funcionamientos. En este sentido, es paradójico que un mismo fabricante lance al mercado aparatos electrónicos con mandos remotos incompatibles entre sí. Otro ejemplo, pruebe a poner en hora los relojes incorporados en sus dispositivos electrónicos después de quedarse sin electricidad durante un tiempo. Todos funcionan de diferente forma.

Cabe destacar que la usabilidad de un producto mejora sus ventas. El ejemplo de la videoconsola Wii es una muestra. Además de ser usada por los jugadores habituales de PlayStation o Xbox, la emplean públicos de todas las edades: niños, padres y abuelos. Por supuesto que tiene más elementos innovadores que su sencillez de manejo como clave del éxito, pero es evidente que la usabilidad de la Wii ha contribuido a que sea uno de los productos más innovadores del siglo XXI, con más de 70 millones de unidades vendidas.

CASO DE ESTUDIO: VIDEOCONSOLA Wii DE NINTENDO, EJEMPLO DE USABILIDAD

Wii es la sexta videoconsola producida por Nintendo, desarrollada en colaboración con IBM y ATI. Compite contra la Playstation 3 de Sony y la Xbox 360 de Microsoft.

El éxito mundial de la Wii ha llamado la atención de los programadores. Algunos incluso han pedido disculpas a Nintendo por haber lanzado juegos de baja calidad, al no haber sido optimistas con el sistema debido a su inferioridad gráfica respecto a otras consolas.

La crítica, en cambio, se ha mostrado entusiasmada desde el momento de su lanzamiento, puesto que por primera vez se amplía el abanico de consumidores a niños, padres y abuelos.

En una conferencia de prensa el directivo Satoru Iwata insistió en que *no estamos pensando en la lucha contra Sony, sino en las personas a las que podemos llegar para que jueguen. No estamos pensando en nuevos sistemas portátiles, consolas, y así sucesivamente, sino que queremos que la gente juegue a juegos nuevos.*

La característica más distintiva de la consola es su mando inalámbrico, el Control Remoto Wii, que puede ser usado como un dispositivo manual con el que se puede apuntar y como detector de la aceleración de los movimientos en tres dimensiones. La Wii puede sincronizarse con la consola portátil Nintendo DS, lo cual permite el aprovechamiento de la pantalla táctil de esta.

Desde su lanzamiento, la Wii ha recibido premios por la innovación de su mando y por la popularidad que ha generado rápidamente. El Wii Remote es el mando principal de la Wii. Utiliza una combinación de acelerómetros incorporados en la detección por señales a través de Bluetooth y de LED Infrarrojos de la Barra de Sensores, para dar sentido a su posición en el espacio. Este diseño permite a los usuarios el control del juego con gestos físicos tradicionales, así como mediante la presión de un botón. El controlador se conecta a la consola mediante Bluetooth, puede vibrar, y tiene un altavoz interno.

La consola dispone de una gran variedad de accesorios, que incluyen pistolas, volantes, raquetas de tenis, etc. Algunos de los accesorios son complementos al diseño del Control Remoto Wii, tales como Wii Zapper, que convierte al controlador en una pistola o una ballesta. En julio de 2007 se presentó el Wii Balance Board, un accesorio que facilita la realización de ejercicio físico como aerobic, yoga o estiramiento de músculos. El equipo viene acompañado con su respectivo software, conocido como Wii Fit. Wii Balance Board es uno de los accesorios de mayor éxito de la consola. Se vendieron más de un millón de unidades en los tres primeros meses de su lanzamiento.

Desde su lanzamiento, el número mensual de ventas de la consola Wii ha sido el más alto de entre los competidores en todo el mundo. Según el Grupo NPD, en el primer semestre de 2007, la Wii vendió más unidades en Estados Unidos que la suma de Xbox 360 y PlayStation. Esta ventaja es aún mayor en el mercado japonés, donde actualmente es líder en las ventas totales. En Australia, la Wii superó en su lanzamiento el récord establecido por la Xbox 360, para convertirse en la consola de juegos más vendida en la historia de Australia. El 12 de septiembre de 2007, el *Financial Times* informó que la Wii había superado a la Xbox 360, lanzada un año antes, y se había convertido en la líder del mercado de videoconsolas domésticas.

Nintendo ha optimizado la producción de sus equipos para obtener beneficio por cada consola vendida. Sin embargo, sus competidores Microsoft y Sony sufren pérdidas en la producción de sus consolas y ganan solo en la venta de *software*. *Forbes* revela que la Wii tiene un beneficio operativo de 6 dólares por unidad.

El 23 de septiembre de 2009, Nintendo anunció su primer recorte de precio en tres años. En 2006, su precio en los Estados Unidos era de $249,99, y a partir del 27 de septiembre de 2009, pasó a $199. Como resultado, en diciembre de 2009, Nintendo vendió 3 millones de consolas en Estados Unidos, frente las 2,14 millones de unidades el año anterior.

---

56. Caídas de precios compensadas con nuevas prestaciones

Siempre que haya suficiente crecimiento en el mercado o en nuestra cuota de mercado tendremos posibilidades de compensar precios más bajos con la venta de más unidades. Cuando los mercados o los segmentos de mercado maduran, y las cantidades y las cuotas de mercado se estabilizan, la facturación y la rentabilidad tenderán a la baja. El fenómeno de la curva de experiencia hace que la tendencia inexorable de los precios de venta de muchos productos sea a la baja, deteriorando los márgenes. Esa es la causa principal de la crisis de muchas empresas de sectores de productos de consumo duradero.

Este fenómeno debe compensarse mediante la innovación, adoptando una política de nuevos productos que persiga dos objetivos:

- Aumento de la cuota de mercado mediante una política agresiva de mejora de la relación calidad /precio del nuevo producto.
- Incremento del precio medio de venta, con la incorporación constante de nuevos productos de gama alta, con mejores especificaciones, nuevas prestaciones y nuevas posibilidades de aplicación.

La integración de artículos de alto nivel —con más prestaciones y un mayor precio de venta— permitirá la recuperación de los márgenes. Aparte de proteger la cifra de ventas, es la mejor estrategia para diseñar y ensayar nuevas prestaciones, o penetrar en nuevos segmentos de mercado sin demasiado riesgo. Por otra parte, es la secuencia natural a la incorporación de nuevas prestaciones en los productos, primero en la gama alta, para clientes innovadores que estan dispuestos a pagar un *premium* por el uso de ese nuevo producto y, más tarde, para el resto de públicos.

CASO DE ESTUDIO: DAIKIN, INNOVACIÓN ENFOCADA EN LAS ALTAS PRESTACIONES

Analicemos la estrategia de innovación que ha seguido la empresa japonesa DAIKIN, que le ha permitido convertirse en un líder mundial del sector del aire acondicionado desde que empezó a fabricar equipos industriales en 1951. Su política de producto ha consistido en una innovación continua mediante la incorporación de productos de altas prestaciones, hecho que le ha permitido compensar las caídas de precios del sector.

En 2009, Daikin facturó 8.500M€ y su política de inversión en innovación le llevó a dedicar 235 M€ en I+D+i, con la intención de lanzar nuevos productos diferenciados, destinados a mejorar la calidad del aire y reducir el consumo energético.

Una beca del EU Japan Institute, concedida para mostrar cómo innovan sus empresas, me permitió visitar, en 1993, las plantas de Daikin en Japón.

Una característica fundamental de Daikin es la política de innovación basada en una estrategia de evolución. El empleo de avances tecnológicos significativos le permite desarrollar nuevos productos con mejores prestaciones. Además, lanza esos productos con una mayor frecuencia que la de sus competidores occidentales.

De este modo, Daikin sigue una estrategia de desarrollo de productos basada en innovaciones incrementales. Busca lograr ventajas frente a la competencia en base a ofrecer continuas mejoras, avanzando en su nivel de prestaciones, de operación o de instalación.

De 1960 a 1980 la estrategia de Daikin se centró en la mejora de la productividad de sus fábricas con la reducción de costes, sin dejar de innovar en producto. Diseñaron la bomba de calor –en invierno, el equipo de aire acondicionado funciona al revés y da calor–. A partir de 1980 potenciaron el área electrónica e introdujeron controles electrónicos con microprocesador, así como otras funciones destinadas a aumentar las ventas, tales como tuberías de gas refrigerante de conexión rápida. El objetivo real de esa mejora era lograr un producto que fuese más sencillo de instalar. La unidad condensadora se separaba de la unidad interior, muy silenciosa –sistema split–, y se instalaba en el exterior, alejada del local. Los resultados de esas innovaciones fueron que las tiendas de electrodomésticos de línea blanca podrían vender equipos de aire acondicionado y los instaladores preferirían Daikin por su facilidad de montaje.

El siguiente paso fue la presentación de equipos con un nivel de ruido muy bajo, menor consumo eléctrico y tamaño muy reducido. El compresor clásico, ruidoso, se había sustituido por un nuevo tipo, más discreto y más eficiente que, combinado con la aplicación de aletas y tubos ranurados en los equipos, se traducía en un menor consumo eléctrico y un tamaño inferior.

En 1982 se lanzó un producto que incorporaba una innovación relevante, que representaría la futura línea de producto de alta gama para las próximas décadas. Se trataba de un sistema de volumen de refrigerante variable (VRV) con un control de velocidad para los compresores, el denominado circuito electrónico *inverter*, y válvulas electrónicas. Este producto reducía aún más el nivel sonoro de la unidad exterior y, sobre todo, el consumo eléctrico, al adaptar la capacidad frigorífica que puede suministrar el equipo a las necesidades de la sala en cada instante, permitiendo frío o calor.

En ese momento Daikin había logrado una diferenciación en producto que le suponía una ventaja competitiva. Conseguía una posición de liderazgo tecnológico que le permitiría tener un producto de más altas prestaciones y que podría vender a un mayor precio.

Desde entonces Daikin ha seguido innovando en productos de alta gama, tanto en el sector residencial como en el comercial. Los productos de aire acondicionado doméstico, aparte de reducir su tamaño año tras año, incorporaron el filtro electrostático, eficaz contra el humo del tabaco, y, por su menor consumo eléctrico, popularizaron las ventas de equipos con *inverter*, a pesar de su mayor precio.

Desde 2007, Daikin vende purificadores de aire que permiten humidificar o deshumidificar el aire, además de limpiarlo, en una diversificación de producto acorde con las necesidades de muchos clientes de zonas no excesivamente cálidas y en entornos de locales con fumadores.

En su último informe a los accionistas, Daikin expone su estrategia de incorporar continuamente nuevos productos de gama alta: "Hemos aumentado nuestra cuota de mercado en Japón promoviendo nuestra capacidad de suministrar espacios con aire confortable y presentando propuestas medioambientales enfocadas en productos de alto valor añadido, como la preselección de hasta 12 patrones de flujos de aire, además de la limpieza automática del filtro de aire, muy silenciosa".

Ahí es donde radica la fuerza de Daikin, en lograr un diseño dominante, una síntesis autoritaria de innovaciones aplicadas a sus productos, que seguramente se impondrán como uno de los estándares del sector, con la consecución de economías de escala que le permitirán reducir los costes y aumentar su tasa de penetración.

El enfoque de innovación basada en compensar la caída de precios mediante productos de altas prestaciones le ha permitido generar una brecha difícil de salvar por la competencia.

57. Visión a largo plazo basada en mejoras continuas graduales

Desde el momento en que un ingeniero en I+D+i tiene una idea brillante que puede reemplazar una solución existente, esa idea se convierte en prioritaria en su mente. Las ventajas de esa nueva idea, al analizarlas, son claras. De modo que: ¿por qué no aplicarla inmediatamente? Sin embargo, la mayoría de ingenieros de diseño tienen un conocimiento limitado del proceso productivo que sucede a la etapa de desarrollo.

La mejora de la eficiencia y la calidad de un desarrollo de producción es un proceso gradual, que lleva tiempo. Descubrir todos los posibles problemas que puede presentar un producto requiere un plazo; mejorar su calidad también, y lo mismo ocurre cuando queremos automatizar el proceso productivo. A lo largo de un período de tiempo —que deberá medirse en muchos sectores en años, y no en meses—, se va generando una experiencia y un conocimiento sobre el nuevo producto y su tecnología, de un modo gradual en toda la empresa, desde operaciones industriales a marketing y ventas, desde su director hasta el último colaborador. De ahí que la adopción de una nueva tecnología requiera el acuerdo de todas las partes involucradas, más allá del departamento de I+D+i.

El avance de los productos debería hacerse paso a paso, teniendo en cuenta el entorno productivo que les rodea, facilitando un flujo continuo de mejoras, tanto en su calidad como en sus prestaciones. Diseñar nuevos productos es la función básica del departamento de I+D, aunque ello no implica necesariamente productos radicalmente nuevos que incorporen tecnologías aún no contrastadas. Una revolución en la mente de un ingeniero no es seguida fácilmente por todos los implicados en el proyecto.

Las nuevas tecnologías deben evaluarse separadamente de las líneas de producto actuales e introducirse solo cuando su calidad y facilidad de fabricación hayan sido verificadas en la práctica. Eso requerirá, en muchos casos, una visión a largo plazo, simultánea, del producto y de su tecnología de producción y operación, una perspectiva que deberá ser aceptada por todas las disciplinas involucradas. Por otra parte, en muchas ocasiones bastará con que el nuevo producto sea el resultado de la utilización de soluciones experimentadas en productos anteriores con algunas nuevas prestaciones, con lo que revertirá en la reducción del tiempo de desarrollo.

58. Aplicación de *Six Sigma* en la mejora de la calidad

Six Sigma como metodología

El control de calidad en producción no mejora la calidad del producto ni del proceso, del mismo modo que un análisis de sangre no mejora nuestra salud. Solo cuantifica lo bien o lo mal que lo hacemos en nuestra empresa. Existen diversas causas que afectan la calidad del producto y del proceso. La insuficiencia de calidad no es resultado del azar, sino de un nivel de diseño o de conocimientos limitado, una tecnología que no dominamos, falta de disciplina en producción, proveedores de bajo nivel tecnológico, etc. De modo que para mejorar el nivel de calidad se requieren proyectos de progreso que actúen sobre esas causas.

Six Sigma es una metodología que le recomiendo. Su enfoque, basado en proyectos de cinco fases —definir, medir, analizar, mejorar y controlar—, ha sido utilizado desde hace décadas por empresas tanto industriales como de servicios.

Six Sigma como nivel de excelencia

No sé si el nivel de excelencia denominado *Six Sigma*, que corresponde a 3,4 defectos por millón (dpm), le parece excepcional. Para la mayoría de empresas lo sería, porque se siguen aceptando niveles de defectos medidos en porcentaje. Aparentemente, nos da la sensación de que vamos bien, sobre todo si estamos en el entorno del 1 %. Visto de otro modo, nos da un 99% de calidad, que parece bueno.

Ahora mida el nivel de defectos en partes por millón. Tiene el mismo efecto que ver al microscopio electrónico muestras de polvo. De lo invisible aparecen monstruos. Para pasar a defectos por millón deberá multiplicar ese porcentaje por 10.000. Por ejemplo, un 1% de defectos serían 10.000 defectos por millón. Observe lo alejados que estaríamos del nivel *Six Sigma*, de los 3,4 dpm.

En realidad nunca deberíamos acordar un nivel *aceptable* de defectos. El único nivel admisible tendría que ser cero, pero es evidente que el pragmatismo en la empresa, al evaluar los costes necesarios frente al nivel de calidad, debe llevarnos a una solución de compromiso. De modo que no le aconsejo la búsqueda de los 3,4 dpm en todos los casos.

Defina su propio nivel de calidad

Mi consejo es: aplique la metodología *Six Sigma* para lograr un nivel de calidad mejor que el de la competencia. Ese nivel dependerá del sector, del producto, del proceso y del nivel de sus competidores, de si compite en un ámbito local o internacional. Inclusive, si existen diferentes productos y procesos en una misma empresa, puede optar por distintos niveles de calidad. Deberá ser una decisión estratégica, no fruto del azar.

Por ejemplo, si volamos en una compañía aérea esperamos que el porcentaje del defecto *caída del avión*, definido como el número de aviones que caen dividido por número de aviones que han despegado, tenga un nivel mejor que el correspondiente al nivel *Six Sigma* (3,4 dpm). Los estudios manifiestan que lo tendrá cuanto menor sea la antigüedad media de su flota y mejor su mantenimiento —además de suponer que pilotos y controladores son perfectos = cero defectos—. En ese sector, las inversiones cuentan y las compañías buscan diferenciarse para evitar ese defecto. Aparte de cuestiones éticas, el impacto mediático de un accidente de avión es brutal para la facturación futura de esa compañía —no los costes, puesto que todos los aviones están asegurados—.

En cambio, no espere ese nivel de defectos con la facturación de sus maletas. Se estima que en un 5% de los casos (50.000 dpm) no llegan al aeropuerto previsto. ¿Por qué? Porque todas las compañías tienen prácticamente el mismo nivel de calidad al depender del personal y de la tecnología de los aeropuertos. No existe diferenciación. Además, las penalizaciones para las compañías aéreas son muy bajas o nulas. No les sale a cuenta mejorar ese nivel de calidad.

Lo mismo ocurre en la empresa que más ha popularizado los beneficios de *Six Sigma*: General Electric. Afortunadamente, no tiene el mismo el nivel de calidad en sus equipos de diagnóstico médico o en motores de aviación que en otras divisiones, aunque todas apliquen la misma metodología *Six Sigma*.

59. Reducción de la tasa de defectos año tras año

Muchos responsables de empresas cometen el error de pensar que la metodología *Six Sigma*, que promueve un nivel altísimo de calidad —3,4 dpm—, no es válida para mejorar la calidad de su producto. Tienen la convicción de que esas cotas de calidad son inalcanzables y se sienten cómodos con un producto cuya tasa de defectos —por ejemplo del 3%, o sea, 30.000 dpm— es diez mil veces mayor. Estos directivos se equivocan. Nos interesa la metodología *Six Sigma*, independientemente del nivel de calidad inicial.

Mi consejo consiste en la reducción de la tasa de defectos de los productos a la mitad, año tras año. Al cabo de unos años comprobará que era indefendible el nivel de calidad que ahora le parece aceptable. Por ejemplo, aunque considere que hoy en día un nivel tolerable de defectos es de, por ejemplo, el 1 por ciento, fije el objetivo de que sea el 0,5 por ciento el año próximo.

Es similar a un régimen de adelgazamiento. Supongamos que usted tiene sobrepeso. Lograr el peso ideal sería como lograr el nivel *Six Sigma*, los 3,4 dpm, y eso, a la mayoría de los afectados nos parece una quimera. Y decidimos no adelgazar. Pero es mejor que no aspire a lograr de golpe el peso ideal. Adelgace medio kilo mes tras mes, con un régimen adecuado. Verá, al cabo de solo un año, que los beneficios en su salud con 6 Kg menos. Su cintura se habrá reducido y con ello habrá aminorado la probabilidad de sufrir un infarto o cáncer de colon.

Lo mismo ocurre con *Six Sigma*. Fíjese un objetivo de mejora de la calidad del producto mes a mes. Ponga en marcha proyectos apoyados con la metodología *Six Sigma* en todos los ámbitos de su empresa y verá una mejora progresiva de la calidad y, como resultado, la reducción de los costes operativos.

60. Planificación de múltiples generaciones del producto

Six Sigma, metodología que busca la excelencia mediante la mejora de la calidad de los procesos productivos, tiene una rama que se focaliza en la creación o diseño de nuevos productos. Se llama *Diseño para Seis Sigma* y también se conoce por su acrónimo en inglés, DFSS *—Design for Six Sigma—* .

El DFSS es un conjunto de herramientas —QFD, Método TRIZ, etc.— utilizadas para obtener productos que, desde la perspectiva del cliente, rocen la perfección en su nivel de calidad. Existen numerosos libros dedicados al respecto, por lo que me centraré en una técnica que no figura en la mayoría de manuales y que puede ser de su interés si apuesta por la innovación incremental. Se trata de la MGPP, *Multi Generation Product Planning* o Planificación de múltiples generaciones de producto.

La idea es muy simple: No parta de cero en cada nueva generación de producto. Cuando diseñe un nuevo producto no solo piense en uno que cubra las necesidades actuales del mercado —1ª generación— sino también en las necesidades futuras a corto y medio plazo —2ª generación, 3ª generación, etc.—, sobre las que habrá mayor o menor desconocimiento en función del tiempo entre generaciones. Es decir, base su diseño de producto en una plataforma escalable, aunque ello implique aumentar los costes de su primera generación de producto.

Habitualmente, esta condición necesita recurrir a un diseño modular, que permita la sustitución de alguno de los módulos por uno nuevo, y que ello posibilite la mejora de prestaciones que implica la siguiente generación de producto. Recomiendo planificar como mínimo tres generaciones de producto. Es decir, diseñar un nuevo producto pensando en los dos siguientes que le sucederán.

El consejo es aún más válido si quiere competir contra un producto de éxito de la competencia. Sea rápido. Iguale prestaciones en su primera generación y compita en precio. Cierre rápidamente el gap con la competencia. No intente superarlo en su primer producto, porque su competencia ya está preparando su siguiente generación. El *time to market* es vital. Diseñe el primer producto y, a la vez, prevea el siguiente, cuyo objetivo sí será superar en prestaciones al vigente del competidor. Obviamente, también es una estrategia de diseño válida si usted es el pionero en desarrollar un nuevo producto que espera sea un éxito. Planéelo pensando en, como mínimo, tres generaciones. Cuando su competidor lance la imitación de su primera generación, usted lanzará su segunda generación, y así sucesivamente. Así sostendrá su ventaja competitiva.

No obstante, una advertencia. El *time to market* es básico, aunque debemos dar margen suficiente para amortizar los proyectos de innovación y obtener los beneficios esperados. Hay que decidir rápido y, posiblemente, la decisión sea mantener un éxito durante mucho tiempo en el mercado sin necesidad de gastar el siguiente cartucho de forma inmediata.

61. Arquitectura de diseño modular

Una arquitectura de sistema o de producto que permita dividir el problema total en un número dado de problemas más pequeños —módulos—, con una clara definición de sus interfaces, tiene muchas ventajas.

La modularidad en el diseño no implica necesariamente modularidad física. Esta última sería obvia en aquellos casos que tuvieran funcionalidades desde el punto de vista del cliente. En otros casos, puede que afecte negativamente a los costes y a la fiabilidad. Deberá reflexionar al respecto. No obstante, el tiempo y el esfuerzo que invirtamos en definir la arquitectura quedarán compensados sobradamente por la posibilidad de ejecutar el proyecto de innovación con grupos que trabajen en paralelo, de modo concurrente. Es esencial, además, para poder compartir estos módulos entre distintos productos o servicios.

La arquitectura de diseño modular tiene varias ventajas:

- mejor control del proceso de diseño,
- *Time to market* más corto,
- posibilidad de aceptar algunas especificaciones sin afectar a todo el proyecto, y
- construcción de la base de mejoras paso a paso en las especificaciones o bien en los costes del nuevo producto.

62. Orientación del diseño a la fabricación y al montaje

Las fases iniciales de un proyecto de innovación determinan los costes del producto o servicio. Esas tempranas etapas son el momento propicio para modificar el diseño y adaptarlo al proceso productivo y su mantenimiento. Implique a todas las áreas lo antes posible. Involucre a la ingeniería de proceso desde el inicio del proyecto. Sin su participación activa y temprana, el desarrollo del producto no será óptimo.

Tiene que haber una comprensión clara entre todos los *stakeholders* —los implicados e interesados— sobre las especificaciones, las tecnologías de producto y de proceso, la planta donde se fabricará, la distribución en la planta productiva y los proveedores de los principales componentes y de los medios de producción, incluyendo moldes y matrices. A lo largo del proyecto esta comprensión debe ser la base para la cooperación continua de las distintas áreas funcionales, que deben trabajar en paralelo tanto como sea posible para ganar tiempo, en lugar de adoptar un proceso de desarrollo secuencial. Esto significa que hay que pensar en el diseño del proceso productivo a la vez que se diseña el nuevo producto. Este enfoque permite mejores diseños, mejores utillajes y equipos de producción, así como garantiza la fecha más temprana posible de inicio de fabricación con la mayor calidad posible, al haber detectado y solucionado los problemas con antelación.

Además de la cooperación interna y continua, los miembros del equipo de innovación deben formarse en los principios de un diseño enfocado al proceso de fabricación y montaje. De esta forma se creará una cultura de la optimización. Existen técnicas de gestión y programas para mejorar los diseños adaptándolos al proceso productivo. Destaco dos:

- AMFE —Análisis Modal de Fallos y de sus Efectos—, un análisis para identificar los posibles modos de fallo del producto y del proceso productivo, para evitarlos o reducir su impacto, y
- DFMA —*Design For Manufacturing and Assembly*—, Diseño para producción y montaje —que, en realidad, incluye dos técnicas:
  - DFM —*Design For Manufacturing*—: diseño de los productos de modo que sean fáciles de fabricar. Los métodos dependen de las tecnologías de fabricación —circuitos impresos, máquinas de CNC, circuitos integrados, moldes de plástico, etc.—, y
  - DFA —*Design For Assembly*—: diseño de los productos de modo que sean fáciles de montar.

Si un producto tiene menos piezas, será más fácil de montar, y además se reducirán los costes. Esa es la idea clave. Si, por añadidura, las piezas son fáciles de manipular por una persona o un robot, los tiempos de montaje se reducirán. Existen programas informáticos de DFA que aportan criterios para simplificar el producto y datos sobre parámetros de fabricación de piezas, tiempos de montaje y propiedades, a fin de facilitar su proceso productivo.

Asimismo, debemos prever que el test y control del producto en el proceso de producción sea rápido y fácil. Para ello probablemente haya que incluir protocolos de test estándar, incrustados en el propio control de funcionamiento del nuevo producto. La popularidad del uso de microprocesadores para controlar las funciones de los nuevos productos, permite fácilmente adoptar este consejo.

Además, para minimizar el efecto de los largos plazos de entrega de los componentes y facilitar el proceso productivo, hay que diseñar los productos usando el mayor número de componentes comunes. La estandarización facilita enormemente el proceso productivo.

63. Orientación del diseño a servicio y mantenimiento

El diseño enfocado en el servicio y mantenimiento del producto permite obtener unos márgenes superiores durante el ciclo de vida total del producto, que superan en algunos productos el margen inicial imputable a su venta.

Asimismo, hay que diseñar el producto pensando en que su servicio y mantenimiento sean accesibles para la empresa o socios en la cadena de valor, y muy complejos o imposibles para terceros —piense en el mantenimiento de un BMW, Audi, etc.—, de modo que mediante el apoyo de contratos de mantenimiento, el producto se convierta en una fuente de ingresos constante. Ese es el caso, por poner más ejemplos, del sector de los ascensores o de los equipos de electromedicina para el diagnóstico por imagen —RMN, TAC, ecógrafos, etc.—, en el que las empresas obtienen sustanciosos márgenes mediante contratos anuales de mantenimiento.

Además el producto debe diseñarse de modo que sea extraordinariamente fiable durante el período de garantía —legalmente, dos años en España—, con objeto de minimizar los costes derivados de averías durante ese período. También debe tenerse en cuenta que el material consumible necesario para su operación sea fácil de cambiar y difícil de copiar por terceros, de modo que se convierta en una fuente de ingresos adicional durante todo el ciclo de vida del producto. El sector de las impresoras es un buen ejemplo al respecto, puesto que el mayor margen se obtiene de los consumibles y de los contratos de mantenimiento. Probablemente, este consejo requiera alianzas con terceros y acuerdos de exclusividad de mayor o menor duración.

64. Personalización en la fase final de producción

Si diseñamos el producto de manera que pueda ser personalizado lo más tarde posible en el proceso de producción, podremos fabricar componentes o conjuntos comunes a todos los productos finales hasta añadirles la diversidad final propia de cada variante. Podemos explicar gráficamente este concepto mediante la representación del flujo de producción en fábrica como un embudo invertido. Para lograr la parte inicial del ciclo de producción —el tubo del embudo—, se necesita un diseño del producto que tenga un núcleo común, con total estandarización, al que se le añade la diferenciación al final de la producción —la parte ancha del embudo—.

Cualquier componente que intervenga en la parte inicial del proceso de producción, se estandarizaría en todas las variantes del producto, ya fuese a través de la elección de un diseño básico común o mediante la incorporación del nivel necesario de redundancia de diseño. Por redundancia de diseño me refiero a la estandarización deliberada de un componente o conjunto que puede adaptarse a cualquier configuración del producto final, en lugar de diseñar una gama de componentes distintos, cada uno de los cuales es específico para una variante en concreto. Por ejemplo, se puede diseñar un cableado eléctrico para poner en funcionamiento todas las prestaciones ofrecidas en un vehículo. Sin embargo, en el momento de la producción, los circuitos que alimentan el aire acondicionado pueden conectarse o no, dependiendo de si el vehículo incorpora o no este sistema de climatización.

Aunque el coste unitario del componente o conjunto aumente inicialmente por la inclusión de una prestación posiblemente redundante, su curva de experiencia y la menor complejidad en toda la cadena de suministros ejercerán una presión a la baja sobre sus costes.

65. Reducción de proveedores e incorporación de socios estratégicos

El consejo sobre la reducción de la complejidad es aún más válido en la cadena de suministro. Un menor número de proveedores significa menos costes indirectos de gestión y, además, constituye la única manera de poner en marcha proyectos de innovación conjuntos. ¿Por qué? Porque si se quieren socios estratégicos no se puede tener un número ilimitado. Se requieren contactos personales estrechos para definir y gestionar relaciones que nos permitan avanzar, en productos y servicios, de forma conjunta con esos proveedores.

Lo que planteo es la antítesis de las compras por subasta en Internet, el ejemplo más sencillo de las relaciones B2B. En ese caso, basta colocar una especificación con o sin precio de refencia, esperar ofertas y pulsar un botón. El inconveniente es que no existe una relación estratégica con el proveedor. Por supuesto que ese proceso de compras tiene sentido para muchos materiales, aunque no en el caso de muchos de los componentes o sistemas claves para la innovación de producto o servicio. La incertidumbre y el proceso convergente de prueba y error le forzarán a mantener contactos personales interactivos, que por fuerza deben limitarse en número a unos proveedores de primer nivel.

La reducción activa en el número de proveedores debería formar parte del programa de acciones de mejora continua de todos los departamentos de compras. El motivo es que el recorte del número de proveedores permite exigir una mayor disminución en los costes unitarios de producción.

Supongamos, a modo de reflexión, una hipótesis simplificada. Si operamos en un sector productivo con una curva de experiencia en la que al doblar la producción, por ejemplo, se reducen los costes en un 10%, si redujéramos a la mitad el número de proveedores, y les diésemos a cada uno de los elegidos, de modo proporcional, el doble de producción, podríamos exigirles, con una lógica justificada, una reducción del 10 % de los costes.

66. El proceso y los equipos de producción estándar

Si necesita equipos de producción específicos para fabricar un producto, eso representa, además del diseño de un nuevo producto, el diseño de esos nuevos equipos de producción, sea que los diseñe su ingeniería propia de proceso o una empresa externa. Los equipos específicos de producción suponen incertidumbre, altos costes y largos plazos de entrega.

Si queremos reducir el *time to market*, porque los ciclos de vida del producto sean cada vez más cortos, es obvio que las necesidades de equipos de producción específicos deberían reducirse al mínimo imprescindible. No podemos poner en riesgo el plazo de desarrollo de un nuevo producto por los tiempos de entrega de equipos de producción específicos. Y también es evidente que, en ese caso, sería preferible el uso de un equipo de producción controlado por *software*, por su flexibilidad —solo necesitamos cambiar el programa informático para adaptarlo rápidamente a un nuevo producto—, antes que un equipo controlado por un *hardware* específico, que deba ser sustituido cada vez que cambiamos el producto a fabricar.

Las interfaces que pueden provocar la necesidad de estos equipos de producción específicos pueden minimizarse a través del diseño de los productos con soluciones unificadas, el uso de protocolos de comunicación habituales en su sector y la aplicación de sistemas de conexión, fijación, test y ajuste, estándares.

La estandarización en el diseño nos ayudará a tipificar los equipos de producción, con la consiguiente reducción de las inversiones y los plazos de entrega.

67. La importancia de la I+D+i y de la marca

La empresa industrial virtual

Hace una década afirmaba[5] en uno de mis libros: *Un grupo reducido de proveedores de primer nivel se responsabilizaría del montaje final. La red de distribuidores, propia o con terceros, comercializaría y daría la asistencia técnica al producto. El papel de la antigua empresa fabricante se reduciría a la coordinación de todos los flujos de información relacionados con el diseño, el I+D+i, las especificaciones, el proceso óptimo de fabricación y las ventas. Si esta visión de empresa virtual se hiciera realidad en múltiples sectores industriales, el codiseño entre proveedor y cliente sería cada vez más aplicado porque se necesitaría entre todas las empresas, en cada uno de los niveles de la pirámide de proveedores.* Apple ha demostrado desde entonces la viabilidad económica de este modelo de empresa industrial virtual.

Llevando a un extremo este concepto de desintegración vertical tendríamos que, en el futuro, la empresa industrial en Occidente se convertiría en virtual porque prácticamente carecería de operaciones de fabricación. En este sentido, compraría los productos a un CM —*Contract Manufacturer*— [6], en lugar de fabricarlos ella misma, retendría los procesos clave de su negocio bajo un I+D+i propio y, sobre todo, gestionaría su imagen de marca.

---

5 *Ingeniería concurrente*. Pág. 49, E. Barba, Ed. Gestion 2000, Barcelona, 2001.

6 *Un Contract Manufacturer* (CM) es una empresa que fabrica componentes o productos para otra empresa que la contrata. Es una forma de outsourcing o externalización de la producción. Gracias a las economías de escala y a estar ubicadas en países de mano de obra barata, sus costes son más bajos que los de la empresa que la contrata.

De este modo, este tipo de empresa industrial virtual se concentraría en coordinar el diseño del producto, que sería realizado por sus proveedores de primer nivel. Estos proveedores serían responsables del diseño de un sistema completo, para lo que desarrollarían sus pirámides propias de suministro. La planta de montaje podría ser financiada por los mismos proveedores, o bien se usaría la capacidad del *Contract Manufacturer*.

Mi consejo es, por tanto: todo lo que pueda comprar no lo fabrique, concéntrese en mantener la I+D+i y la marca bajo su control.

No obstante, para los productos o componentes que están completamente integrados en su proceso productivo, como por ejemplo las pantallas de LCD, los microprocesadores, etc., disponer de equipo de producción propio, que implica unas inversiones millonarias, sí puede resultar decisivo para obtener una ventaja competitiva. Esa ha sido la apuesta estratégica, por ejemplo, de Samsung, que le valió el liderazgo mundial en su sector.

El valor está en el diseño, no en la fabricación

En otro caso, como en la fabricación de aparatos de televisión, aunque se usen esas mismas pantallas de LCD, el valor añadido del montaje es muy limitado, así como su valor estratégico. Por este motivo, Sony tomó la decisión de abandonar la producción propia en su división de Electrónica de Consumo. Sony está imitando a Apple. Con casi una década de retraso, después de sufrir pérdidas multimillonarias y de colocar por primera vez a un occidental al frente de la empresa, Sony imitó a Apple. Inició una política de abandono de sus centros productivos en todo el mundo y venta a un *Contract Manufacturer* —Hon Hai—, reducción de su personal propio en I+D+i y apoyo básicamente en su marca, una de las más valiosas del mundo y, en mi opinión, su mayor activo.

En el contexto del sector de la electrónica de consumo, es mucho más relevante el diseño del producto para obtener una ventaja competitiva que la fabricación. Lo mismo ocurre en otros sectores o en el diseño de los equipos de producción. Puede ser más efectivo comprarlos que diseñarlos y fabricarlos. Si los recursos de ingeniería de I+D+i y de proceso son un bien escaso en su empresa, use ese talento interno en la innovación en producto y en el proceso de fabricación de componentes especiales. Y si puede recurrir a un *Contract Manufacturer* bueno en su sector, hágalo.

Busque su *Contract Manufacturer*

Imite de nuevo a Apple. Foxconn fabrica en China los productos de Apple. Se trata del mayor fabricante de productos electrónicos del mundo. Facturó casi 62.000 M$ en 2009, con más de 200.000 empleados en Asia, América y Europa. Reflexione un momento sobre el tamaño y las ventajas de economía de escala de esta empresa.

Los productos de Apple se fabrican en la Foxconn City, en Shenzhen, China —oficialmente el Parque de Ciencia y Tecnología Longhua, aunque coloquialmente le llaman la iPod City—. Este parque está formado por una área de 3 km^2, con 15 fábricas, residencias, una zona comercial con restaurantes, banco, tienda de comestibles y un hospital que atiende a un número de operarios que oscila entre 300.000 y 450.000, según las fuentes.

El aumento del número de suicidios en 2010 en la planta de Shenzhen de esta empresa taiwanesa —que se ha intentado paliar ¡con redes anti suicidios! y un aumento de sueldo—, ha puesto en evidencia las condiciones laborales de sus empleados. Aunque nos pueda afectar la conciencia durante unos segundos, la realidad es que los consumidores seguiremos comprando iPods, iPhones y iPads *Made in China, Designed in the USA.*

China se ha convertido en la fábrica de Occidente. De pequeño, mi madre me decía: *Enric, acábate la comida, que en China se mueren de hambre.* Cuando tenga un(a) nieto(a) le diré: *Acaba los deberes y estudia mucho, que los chinos vienen a por vuestros puestos de trabajo.*

Países como España son poco competitivos en costes de mano de obra. Otro tema es Latino América, donde los costes laborales, en México y Brasil, por ejemplo, son aún muy competitivos. No obstante, la realidad es que en la mayoría de sectores industriales, fabricar no suele aportar ventajas competitivas, de modo que incluso el trasladar plantas a países de mano de obra barata, tampoco tiene porqué ser la panacea. La clave son las economías de escala, la curva de experiencia. Si no tenemos un negocio de ámbito mundial, es muy difícil ser competitivos en el mundo de la fabricación.

CASO DE ESTUDIO: FLEXTRONICS, UN *CONTRACT MANUFACTURER* GLOBAL

Flextronics International Ltd es un proveedor de EMS (servicios de fabricación electrónica), que participa en toda la cadena de valor, desde el diseño, fabricación y logística al servicio postventa. Por sus características se autocalifica como una empresa tecnológica de la cadena de suministro. Tiene su sede en Singapur, factura 24.000 millones de dólares, y cuenta con plantas en 30 países, con una superficie total de 2,5 millones de m^2. Está organizada en cinco unidades de negocios: Multek (placas electrónicas y displays); Vista Point Technologies (productos que usan cámaras); Global Services (logística); FlexPower (fuentes de alimentación y cargadores) y Retail Technical Services (red de servicio postventa).

Sus clientes proceden de varios sectores, pero obviamente la mayoría son del sector electrónico: informática, electrónica de consumo, móviles, electromedicina, automóvil etc. Como clientes destacados tiene a Cisco, Kodak, Ericsson Telecom, Microsoft –consola Xbox–, Tektronix y Fluke –instrumentación electrónica–, LG Electronics –le fabrica en México sus TV para América–, Motorola, RIM –Blackberry 9800–, Sony-Ericsson o Lenovo –ordenadores personales–.

Por supuesto, no todo son experiencias positivas. Un ejemplo al respecto. Hace unos años, Lego, la empresa danesa del sector del juguete, decidió subcontratar con ellos la producción de sus piezas de plástico. Sin embargo, Lego dio marcha atrás. La calidad de producción no fue la esperada. Por otra parte, Lego tiene que recibir todas las piezas de sus modelos simultáneamente, para poder entregar sus conjuntos completos. Sin conocer los detalles, probablemente la causa estriba en que Flextronics esté acostumbrada a fabricar piezas de plástico para equipos informáticos de ciclo de vida corto –impresoras por ejemplo–, con moldes de bajo mantenimiento, pensados para fabricar miles, no millones de piezas.

---

68. Programa de innovación continua en toda la cadena de valor

Los proyectos de innovación de procesos —calidad, plazos de entrega, productividad, etc.—, aunque muchas veces tienen éxito, suelen ser eso, proyectos, y por tanto tienen un inicio y un fin, es decir, un carácter temporal. Una vez se ha logrado el objetivo previsto, fuese ambicioso o no, el personal se sienta, respira profundamente y murmura: *Gracias a Dios que ya se ha acabado el proyecto*. En estos casos, el peligro real radica en que después de que desaparezca la presión, los resultados gradualmente empiecen a decaer, hasta que al cabo de unos años una crisis revele la necesidad de otro proyecto para revitalizar la organización.

Mi consejo para evitar caer en ese error es fijar metas ambiciosas, que se aspiren a lograr mediante un programa o conjunto de proyectos sucesivos de innovación, en un sentido amplio, y que abarquen toda la cadena de valor: diseño, compras, ingeniería, producción, logística, etc., y que requieran la atención continua de sus colaboradores, año tras año.

Para ver la tendencia innovadora en la empresa se requiere medir, tomar datos, crear indicadores de rendimiento que se entiendan y se usen continuamente, de modo que a lo largo de los años se pueda crear un clima de innovación continua en toda la cadena de valor. El éxito de un programa de este estilo solo será posible, primero, con el interés y atención personal de todos los directivos que deberán implicarse en este proceso de innovación en sentido amplio y, segundo, por la colaboración de todos los empleados.

69. Los equipos multifuncionales y el *Project Leader*

Equipos multifuncionales

Organice el máximo trabajo posible de la innovación en base a proyectos por equipos. La estructura de equipos de proyecto tiende a ser más fluida, con áreas de trabajo más permeables y menos rígidas. Además, permite crear proyectos con equipos de toda forma y tamaño. La organización de desarrollo de productos en las empresas japonesas de talla mundial se basa en equipos multifuncionales, compuestos por especialistas de marketing, ingeniería, calidad, compras, fábrica y servicio postventa, que juegan un papel activo desde el inicio del proyecto y en todas sus etapas. El equipo aplica la metodología de la ingeniería concurrente: el diseño en paralelo del producto y de su proceso de producción.

En el sector farmacéutico, GlaxoSmithKline ha creado, en base a equipos multifuncionales, Centros de Excelencia para el Descubrimiento de Medicamentos, que son independientes de las áreas funcionales. Están dirigidos por poderosos gestores de proyectos, que intentan ser más ágiles que los departamentos de innovación clásicos de la empresa. Por su parte, Samsung ha creado centros de excelencia en el diseño con personal multifuncional, que intentan ser referencia para el resto de la compañía.

El *Project Leader*: factor clave en la innovación

La innovación requiere la ejecución perfecta de proyectos con un alto grado de incertidumbre, es decir, precisa de una excelente gestión del proyecto que abarca desde la organización general a los aspectos técnicos y financieros. Estos requisitos evidencian la importancia de una adecuada elección del gestor del proyecto, que además debería ser el auténtico líder del proyecto: el *Project Leader*.

Con el objetivo de tener un responsable con una visión global, la selección del líder de proyecto debería ser realizada, siempre que sea posible, entre individuos que hayan trabajado en varias secciones de la empresa, no solo en el área de I+D+i. Por otra parte, el control y la planificación del proyecto de innovación deben incorporar técnicas de gestión avanzadas.

En mi opinión, sería bueno que los líderes de proyectos de innovación se formasen para obtener el título de PMP® —*Project Management Professional*—. Esta especialización facilitaría el dominio de la gestión de proyectos y de los recursos, internos y externos, con el fin de cumplir los objetivos de coste, calidad y plazos previstos.

Desde el inicio del proyecto, el *Project Leader* debe lograr que todos los miembros del equipo de producto tengan claras las especificaciones, las nuevas tecnologías a utilizar, los posibles proveedores, los costes a lograr, etc. A lo largo del proyecto esta información debe ser la base de la cooperación continua entre los miembros del equipo, que permita ejecutar las actividades de un modo paralelo en lugar de secuencial, en un entorno de ingeniería concurrente. Esa cooperación resulta en una retroalimentación más temprana de los problemas, lo que se traduce en mejores productos, en equipos de producción más prolíficos y, muy probablemente, en la entrega del nuevo producto en la fecha prevista, algo que suele ser muy difícil de lograr.

Sin embargo, en algunas empresas los miembros de los equipos de producto pueden sufrir una distorsión en su perspectiva, que haga que sus problemas y responsabilidades funcionales les parezcan mucho más importantes que los de otros departamentos representados en el equipo de producto. En este contexto, si cada miembro del equipo actúa en busca del beneficio del propio departamento, la situación puede degenerar fácilmente en conflictos interdepartamentales, con la desaparición de la imagen del adversario real: la competencia.

El líder del proyecto debe ser capaz de convencer a sus colaboradores de que la meta principal es constituir un equipo ganador, cuyo único objetivo sea el de superar a la competencia y que las luchas internas por el poder no añaden valor, sino que será el éxito colectivo del grupo el que contribuirá a su éxito individual.

La tecnología, el proceso y los medios de producción forman la base de un buen producto y, por tanto, ese producto debe diseñarse conforme a la información que proporcionen los expertos de cada una de estas áreas. Solo de este modo la actividad de diseño se convierte en un esfuerzo colaborativo.

El 90% de la innovación requiere o puede beneficiarse de un trabajo que traspasa los límites entre funciones. Una clave del éxito innovador es la ruptura de fronteras entre departamentos. El proceso de desarrollo del nuevo producto debe ser más relevante que cualquier fase, técnica o departamento en particular, sirviendo como una estructura de aprendizaje y capacitación de la entera organización. Muchos esfuerzos innovadores fracasados se han debido a una mala relación funcional cruzada. Este aspecto también afecta a los proveedores de componentes y de medios de producción, con quienes se debe lograr lo antes posible una cooperación estrecha en el proyecto.

70. La experiencia industrial en el área de I+D+i

En la área de I+D+i, el nivel de comprensión del entorno de producción suele ser muy bajo, en especial entre los recién titulados en materias muy específicas, como telecomunicaciones o informática. En realidad, su conocimiento global del mundo empresarial es lamentablemente muy bajo. Muchos recién graduados tienen la falsa creencia de que las empresas privadas cuentan con un fondo monetario inagotable para el área de I+D+i y se sorprenden, cuando en una crisis, pasan a formar parte del colectivo de desempleados.

Para paliar el grado de desconocimiento del entorno industrial, le aconsejo que sitúe en el área de I+D+i a alguien que posea experiencia contrastada en ingeniería de producción. El objetivo es que esa persona se convierta en el referente del diseño —en relación a la fabricación y el montaje—, de la consecución de mejoras en los costes año tras año y del logro de un inicio de producción sin serios problemas.

Disponer de personal con conocimientos del entorno productivo en el área de diseño es un elemento vital para lograr el diseño concurrente del producto y del proceso productivo. Puede convertirse en un activo valioso que le permita lograr los costes previstos para su nuevo producto.

71. Promoción de la cultura de la innovación y aceptación de los errores

La cultura empresarial es clave para innovar

La innovación con éxito solo es posible en una cultura empresarial que la promueva. Definir esa cultura e implantarla puede requerir medidas distintas, según el caso, y variar de empresa a empresa. En primer lugar, sus colaboradores y usted mismo deben querer sus puestos de trabajo por el trabajo en sí mismo. Si les gusta, se sentirán ligados con la empresa que se lo proporciona. Es más probable que los empleados comprometidos rechacen ofertas de cazatalentos, que lo contrario.

La cultura de una empresa innovadora debe apoyarse en políticas de reconocimiento y recompensa por los logros en la innovación. En mi opinión, el impulso más grande para motivar a la gente para que contribuya a la innovación es la creación de un plan de incentivos. Específicamente, no me refiero solo a incentivos económicos, tanto más importantes cuanto menor sea el sueldo del individuo, sino incentivos en forma de planes de carrera, reconocimiento público, un premio para el equipo, etc.

Acepte los fallos

Debe irse con cuidado de no crear un clima donde se castigue el fallo, entendido como el no cumplimiento de determinados objetivos. Es necesario crear una política de tolerancia ante posibles fallos en los proyectos innovadores, derivados de circunstancias poco previsibles. Por lo general, tanto el fallo como el éxito suelen ser responsabilidad de un grupo, más que de un individuo, de modo que debería evitarse su atribución personalizada. Si eso ocurre, la gente tendrá miedo a asumir riesgos, y la innovación, en consecuencia, se verá resentida.

Por supuesto, todo tiene sus límites y si el fallo fuese continuado, por falta de capacidad y de interés por el proyecto, es importante que el grupo de innovación entienda que no todo vale, y que tanto la aptitud como la actitud adecuadas son fundamentales para formar parte de un equipo de innovación.

CASO DE ESTUDIO: DYSON = 5.126 FALLOS ANTES DEL ÉXITO

Los inventores suelen fracasar a menudo, aunque la perseverancia les puede llevar a innovar con éxito. El inglés James Dyson era un apasionado de la ingeniería, el diseño y las aspiradoras. Sí, las aspiradoras, porque hay gustos para todo. Estaba obsesionado con el problema de que las aspiradoras perdían capacidad de succión a medida que la bolsa recogía el polvo.

En 1978, James Dyson se dio cuenta de que el filtro de la cámara de pintado de su planta se obstruía continuamente con las partículas de polvo —al igual que los poros de la bolsa de una aspiradora—. Por esa razón, diseñó y construyó una torre con un ciclón industrial que era capaz de quitar las partículas de polvo, creando fuerzas centrífugas superiores a 100.000 veces la fuerza de la gravedad. ¿Podría funcionar el mismo principio en una aspiradora? James Dyson se puso a trabajar y, 13 años y 5.127 prototipos más tarde, logró la primera aspiradora del mundo sin bolsa.

Su primera aspiradora sin bolsa se vendió en Japón. Conocida como la *G Force*, ganó en 1991 el premio International Design Fair en Japón. Los japoneses estaban tan asombrados por el rendimiento de la *G Force* que se convirtió en un símbolo de estatus social, vendiéndose por un precio de 2.000$ la unidad.

Con los ingresos obtenidos de la licencia japonesa, James Dyson decidió fabricar un nuevo modelo bajo su propio nombre en Gran Bretaña.

En 1993 abrió su centro de I+D en Wiltshire, cerca de su casa, y desarrolló una máquina que recogía las partículas más pequeñas de polvo. El resultado fue la DC01, la primera de un amplio catálogo de aspiradoras.

El sistema Dual Cyclone™ fue el primer avance tecnológico significativo desde la invención de la aspiradora en 1901. Dyson había demostrado que se podía hacer un mejor producto, accesible a la gente. La tradicional bolsa fue sustituida por dos ciclones que no se obstruyen con el polvo. La suciedad más grande se queda en el ciclón externo, mientras que el ciclón interno, gracias a la fuerza centrífuga, separa del aire las partículas más pequeñas de polvo, perjudiciales para la salud.

El sistema se desarrolló tarde debido a patentes y costes legales. A diferencia de un compositor, a quien pertenecen los derechos de autor de las canciones que escribe, un inventor debe pagar importantes tasas anuales para renovar sus patentes. Durante sus años de investigación, Dyson no tenía ingresos, dependía del sueldo de su esposa como profesora de arte, y eso casi le llevó al borde de la ruina. Arriesgó todo y afortunadamente se vio recompensado.

En 1999 Hoover trató de copiar una Dyson y Dyson se vió forzado a ir a los tribunales para proteger su invento. Tras 18 meses de proceso, Dyson ganó a Hoover por infracción de patente. Es curioso que Dyson había ofrecido su invento a Hoover, que lo había rechazado ¡porque afectaría a su negocio de recambios de bolsas para aspiradoras!

Me gustan sus aspiradoras, pero ¿cuándo va a crear una aspiradora que se pase sola? Esa petición de un cliente hizo que la mente de Dyson se pusiese a trabajar. Crear algo que rebotara contra los muebles y aspirara el polvo era fácil, pero James Dyson quería que su aspiradora no solo limpiara adecuadamente, sino que esquivara los obstáculos mejor que una persona. Tras 60.000 horas de investigación, creó un robot de limpieza metódico y eficaz, con 3 microprocesadores y 50 sensores incorporados.

Para Dyson, *diseño* significa cómo *funciona* algo, no cómo *es*. La funcionalidad debería ser el punto de partida del diseño. Por ello, los diseñadores de Dyson son ingenieros. Por desgracia, según Dyson, a algunos sistemas educativos solo les interesa que los jóvenes obtengan un título académico y no utilicen las manos para crear cosas. Cree que es curioso que eso ocurra en el país de la Revolución Industrial. James Dyson confía en que esto cambie.

Considerando que a Dyson le llevó 14 años introducir su primer producto en el mercado, es agradable saber que sus aspiradoras se pueden adquirir e incluso ver en diversos museos del mundo.

---

72. En busca de la excelencia

En el momento en que un nuevo producto se empieza a vender, deja de ser novedoso. La misión de la empresa debería ser el convertirlo en obsoleto mediante un nuevo producto. ¡Mejor que lo haga usted que lo haga la competencia! Puede crear algo simplemente mejor, más pequeño, más simple, más barato, más sofisticado, más bonito.

Busque la excelencia. Ignore el éxito. Tom Peters

Esta motivación de mejora en todos los aspectos de un producto debería estar en el ADN mental de todos los miembros de un equipo de innovación, debería ser un valor intrínseco de sus miembros, sean de perfil técnico o comercial. Eso requiere una cultura empresarial que fomente la excelencia, no la mediocridad, en todos los ámbitos de la empresa. Y uno encajará o no en esa cultura en función de su actitud mental. Porque la búsqueda de la excelencia en la empresa es un estilo de trabajar, es un tema cultural. Solo se logrará con el compromiso de los empleados, si ellos deciden por ellos mismos, ser excelentes innovando, retándose cada día a superar sus éxitos previos.

No espere que el jefe lo motive a ser excelente. Lo máximo que hará será intentar acordar con usted qué significa serlo. Usted es el único que puede motivarse a sí mismo, usted tiene que motivarse para crear su propio *Récord Guinness* de la innovación.

73. Inversión del 5% del presupuesto en ideas *locas*

El impulso a la creatividad en toda organización debe ser una de las consecuencias más visibles de una cultura innovadora. Es importante que esa cultura valore, por un lado, los factores clave que estimulan o motivan la generación de nuevas ideas y que, al mismo tiempo, elimine los obstáculos que impiden su generación. Una de las mayores barreras que dificultan la creatividad es la ausencia de tiempo para pensar, así como la dedicación completa a proyectos muy focalizados.

Muchos productos innovadores de éxito nacieron a partir de ideas *locas*, es decir, como resultado de programas de producto no predeterminados. Una empresa que quiera seguir siendo innovadora debe permitir que individuos creativos tengan su libertad para generar ideas, por muy temerarias que nos parezcan, y un presupuesto para transformarlas en prototipos que validen su factibilidad. ¿Por qué? Porque no hay nada mejor para *vender* productos realmente novedosos que mostrarlos: ver es creer. Por este motivo se requiere asignar capacidades y medios a ideas no programadas.

Déles dinero a todos. Es esencial dar la oportunidad a todos los que están en la organización de disponer de algún dinero para *jugar* —ése es el término correcto— con alguna idea alocada. Los primeros en hacerlo fueron los directivos de 3M. Ahora Google hace lo mismo.

Por otra parte, antes de profundizar en un tema, asegúrese de disponer de un par de ideas que parezcan, en principio, irreflexivas. En el peor de los casos, habrá ejercitado el cerebro, lo que no está de más, y en el mejor de los casos habrá dado un paso para ser realmente innovador.

El mundo empresarial está lleno de ideas de locos que resultan ser finalmente éxitos insuperables. Por ejemplo, los canales temáticos de televisión ESPN (deportes) y The Weather Channel (meteorología). Ambos canales fueron tildados *de ridícula fantasía de un loco de atar*. Pasó bastante tiempo hasta que la idea se convirtió en un negocio millonario, pero acabó siéndolo. Eso demuestra que es muy sensato prestar atención a todas las ideas, por muy excéntricas que nos parezcan.

Dedicar el 5% del presupuesto anual de el área de innovación a pensar y elaborar nuevos conceptos, me parece un nivel adecuado, porque seguro que recuperará una inversión de esa magnitud, sea explotando las nuevas ideas resultantes, o simplemente por una mayor motivación de su equipo, que valorará la cultura innovadora de su empresa.

74. Elección de los proveedores por tecnología, calidad y fiabilidad

Adoptar nuevas técnicas de gestión es parte de la innovación empresarial. La realidad es que en muchas empresas, la cultura vigente con el trato a los proveedores, sigue siendo la misma que hace 30 años: costes bajos, stocks de seguridad, múltiples proveedores, etc.

A pesar de que los proveedores son clave para la innovación, por ser fuente de ideas y determinar la calidad final de nuestros productos, en muchos casos siguen siendo seleccionados en base al precio. Se publican muchos libros sobre *Lean Management*, pero el personal y muchos directivos aún tienen que cambiar de mentalidad, es decir, reemplazar su cultura empresarial y desaprender lo aprendido.

Aunque muchos directores de compras, en muchos casos siguiendo las instrucciones de la dirección general, tienen esa cultura, no suelen hacer lo mismo a la hora de elegir un restaurante, ni un viaje de vacaciones, ni probablemente a la hora de elegir un cirujano, si tienen opción de hacerlo. Por lo menos yo no lo haría. Por supuesto que el precio sigue siendo un factor crucial, pero solo si los requerimientos de tecnología, calidad y plazo de entrega se cumplen.

Muchos productos innovadores han fracasado por problemas de calidad no imputables al diseño, sino a los proveedores. Recuerdo la visita a una planta de Shentzen, China, de un proveedor de *inverters*, un complejo circuito electrónico para controlar la velocidad de un motor. Llegué un día en el que coincidí con una fuerte tormenta, algo habitual en la zona. Aparte de que el agua inundaba el suelo en algunas zonas de la planta, lo peor eran las goteras que caían del techo, que parecía un queso de Gruyère. Nadie había tomado medidas preventivas para reparar el techo de la planta. El agua de la lluvia caía sobre las placas electrónicas durante el proceso de producción, sin que nadie detuviese el proceso de fabricación en aquellas circunstancias. Lo importante era fabricar y cumplir con las entregas. Ya se repararían las placas defectuosas al final de la línea, si es que se detectaban. El director de planta ignoraba que un control de calidad no permite detectar el 100% de los componentes defectuosos, ni los componentes afectados que puedan fallar en el futuro. ¿Con qué criterio se había seleccionado ese proveedor? ¿Costes? Pues lo que uno se ahorraba con ese proveedor lo malgastaría dos veces en pagos de garantías, además del impacto negativo sobre la imagen de marca de la empresa.

La calidad del proveedor debe tener un nivel que permita las entregas a producción sin controles de inspección. Desgraciadamente muchas empresas han eliminado esos controles sin previamente garantizar, mediante las auditorías adecuadas, el nivel de calidad de sus proveedores.

Los proveedores deben ser nuestros socios en la cadena de suministro. Deben ser parte integral del proceso de innovación y del proceso de producción. Su *know-how* es vital. ¿Dominan la tecnología? ¿Disponen de equipos propios de innovación? ¿Invierten en I+D+i de manera sistemática? ¿Se obsesionan por la calidad?

Lo mismo ocurre con sus plazos de entrega. La fiabilidad en las entregas es un criterio fundamental a la hora de seleccionar un proveedor. Le animo a hacer un sencillo estudio estadístico. Anote los plazos de entrega desde que se lanza el pedido. Calcule la media y la desviación típica —o estándar— de las entregas del último año. Vea primero si la media coincide con la fecha prometida en todos los casos. Si coinciden, el proveedor es fiable; si no, no es digno de confianza. Luego revise las desviaciones típicas. Cuanto mayor sea la desviación típica —supuesto el mismo valor medio—, menos creíble será. Así descubrirá los proveedores fiables en sus entregas y los que no lo son.

Además, para obtener una garantía del 95% en el cumplimiento del plazo de entrega, debería calcular ese dato sumándole dos desviaciones típicas a la media. Me parece un enfoque demasiado conservador, que representaría términos de entrega demasiado largos, de modo que le aconsejo sumarle solo a la media una desviación típica, pero no programe los pedidos con la hipótesis de que la desviación típica será nula. Nunca lo es.

En resumen, ante plazos de entrega similares en media, el factor de selección determinante será el proveedor que tenga una menor desviación típica. Esa virtud compensa en muchos casos pagar un mayor precio.

75. Obsesión por los clientes y su opinión

La satisfacción del cliente debería ser la regla para medir a todos los directivos de una empresa en cuanto a su verdadero afán por innovar. Por cliente no me refiero solo a clientes externos, sino también a los clientes internos, los receptores de nuestro trabajo en la empresa. Para mí un cliente puede ser el siguiente ingeniero en el área de I+D+i, el área de producción, otra división en la empresa, o quien compra mis productos o quien los utiliza.

Pero quien no sabe cómo le evalúan sus clientes, difícilmente mejorará sus productos y sus procesos. Y si no se obtiene esa retroalimentación, ¿cómo innovar?, ¿cómo mejorar? La innovación nace de una cultura orientada a hacer las cosas mejor. Los clientes son una fuente inagotable de ideas para innovar. Ellos colaborarán con ideas si perciben que nuestra empresa tiene una cultura en la que su opinión cuenta. Por eso necesitamos obsesionarnos por nuestros clientes, estar junto a ellos, pedirles su opinión, sincera y veraz, y, siempre que sea posible, de forma cuantitativa.

Déjeme explicarle una anécdota personal al respecto. Recuerdo que cuando empecé a colaborar como profesor en el MBA de ESADE, hace 15 años, las evaluaciones de los alumnos —mis clientes— no fueron buenas. En una encuesta anónima se espera que obtengas al menos un 5,5 de nota media —en una escala de 1 a 7—. Si no lo logras en dos años consecutivos, pueden invitarte a dejar el departamento. Yo no lo logré el primer año. Hablé con algunos alumnos, que me expusieron mis puntos fuertes y mis puntos débiles. El director del curso me apoyó y me dio también consejos para mejorar. Asistí a sus clases, innové en cómo hacía mis presentaciones, mejoré mis puntuaciones y desde entonces sigo colaborando con dicha escuela de negocios.

El año pasado, tuve la satisfacción inesperada de recibir un correo electrónico de un alumno en el que me decía que, en su opinión, otro profesor y yo habíamos sido sus mejores profesores del MBA. Perfecto, pero ¿qué opinaban el resto de clientes en la encuesta? Al participar un mayor número de personas, el cuadro no fue tan favorable. La verdad es que un grupo me puntuó con una media de 6 —sobre 7— y otro grupo con un 5.

Conclusión: Un cliente estaba encantado conmigo pero algunos de mis otros clientes no estaban aún suficientemente satisfechos. Tenía que seguir mejorando y no caer en la autocomplacencia. Sin datos objetivos es muy difícil mejorar.

¿Cree que los clientes están satisfechos con usted porque su cifra de ventas sigue en buena forma? ¿O bastaría una oferta ligeramente mejor de la competencia para que le abandonasen, hartos de la prepotencia de su empresa? ¿Será esa la causa de la infidelidad constatada en la alta tasa de pérdida de clientes —también conocida como *churn rate*— que suelen experimentar tanto el sector financiero como el de telecomunicaciones?

Es imprescindible mantenerse informado sobre cómo le valoran sus clientes, externos e internos, y por tanto hay que poner en marcha un procedimiento oficial de medición de la satisfacción del cliente, para tomar medidas correctoras. Y eso debe formar parte de la cultura empresarial: obsesionarse en lograr clientes satisfechos. Aunque, en mi opinión, no hay ningún sustituto a las visitas y contactos personales con sus clientes. Muy a menudo, la mayoría de las veces, la mejor información y la más veraz no nos llega por e-mail, sino cara a cara.

76. El primer eslabón: la planificación del programa de I+D+i

Con la presión creciente de un entorno competitivo, agravado en algunos casos por la crisis, la velocidad con la que nuevas ideas pueden implementarse se convierte en un factor cada vez más decisivo para lograr el éxito en la innovación.

Las ideas muy creativas y novedosas son difíciles de planificar, precisamente por su grado de novedad e incertidumbre, pero en la mayoría de los departamentos de I+D+i solo representan el 1% de la carga de trabajo total. El resto, un 99% de las tareas, se pueden planificar. Recuerde que Edison afirmó que el genio consistía en el 1% de inspiración y en el 99 % de transpiración, es decir, que se requería un arduo trabajo y no solo la genialidad de las ideas para llevar a cabo un proyecto ingenioso.

De modo que la planificación no contradice tampoco los principios de una área de I+D+i. La planificación mejora la productividad y además, creo sinceramente, que un nivel de presión razonable estimula la creatividad del personal de I+D+i. Si no hay plazos previstos para la obtención de resultados, si no hay presión de ningún tipo sobre los investigadores, estaremos a merced del azar porque no controlaremos nada, excepto la imputación de gastos.

Por supuesto, la planificación de la innovación debe tener en cuenta el alto nivel de incertidumbre implícito en el proceso, de modo que, a la hora de estimar, hay que añadir márgenes a los plazos y costes de las actividades del proyecto. La planificación de los proyectos que constituyen el programa de I+D+i deberá, pues, tener flexibilidad, situando el foco, principalmente, en los hitos del proyecto y en el cumplimiento de la calidad, costes y plazos en tales fechas, siendo más flexibles y dando una mayor libertad en la ejecución de las actividades entre hitos. En cualquier caso, se requiere una planificación rigurosa y un director de programa que impulse con su liderazgo el avance de los proyectos a su cargo para lograr el *time to market* previsto de cada uno de ellos.

77. La visualización de la innovación en los prototipos

El rol del experimentador

Tom Kelley, de la consultora IDEO, considera que existen 10 roles o estilos distintos de individuos que resultan ser claves para el éxito de la innovación. Uno de ellos es el experimentador, un rol clásico que se asocia a genios perseverantes y tenaces como Edison.

Sin embargo, la creación temprana de prototipos para innovar no es tarea de genios, sino el resultado de la actitud de profesionales que trabajan duro, que tienen una mente curiosa y que están abiertos a la serendipia, porque a veces el azar juega a nuestro favor, sobre todo si trabajamos tenazmente y de modo constante. Uno recuerda a los hermanos Wright y su éxito clave para el desarrollo de la aviación, aunque probablemente usted no sepa que ensayaron más de 200 formas de alas distintas, destrozaron siete prototipos y arriesgaron sus vidas hasta lograr su avión.

No hay ningún premio Nobel científico que al explicar su éxito no se refiera a los muchos experimentos que tuvo que ejecutar. Haga experimentos.

Construya prototipos rápidamente

Esta es uno de las herramientas que IDEO aplica en sus servicios profesionales: Pasa rápidamente de la idea innovadora a un prototipo. *Una imagen vale más que 1000 palabras*. IDEO propone hacer prototipos de casi todo, tanto de nuevos productos como de servicios, con una baja inversión en los modelos iniciales, ignorando los detalles y gastando solo lo suficiente para visualizar y comunicar la idea. En fases posteriores, se invertirá más tiempo y dinero en maquetas de versiones más definitivas.

Los prototipos representan una obsesión en empresas como Sony, dado que permiten visualizar las ideas de modo tangible, más allá de la imagen en una pantalla. No es algo que emane de un *sistema de gestión de la innovación*, sino que es una cuestión cultural. Las empresas que crean prototipos, aunque sea con materiales baratos y rudimentarios, muestran una actitud de experimentación, quieren ver rápidamente cómo será el futuro producto. El objetivo es lograr una maqueta en una semana, por poner un ejemplo, con la intención de reunir a expertos y pedirles su primera impresión. Y a partir de ese prototipo seguir reelaborando las funciones del dispositivo o bien abandonar la idea. Es posible que se construya más de un modelo, con el fin de seleccionar una de las distintas opciones. Igual que cuando visitamos una tienda de ropa para elegir un traje, nos disgustaría ver solo uno. Cree tantos prototipos como sea posible dentro de los límites de su presupuesto y plazo. Hágalos tan baratos y tan rápido como le sea posible.

La innovación en sí es la reacción a un prototipo (...). Hacer prototipos puede ser la competencia básica más valiosa que una organización innovadora pueda esperar tener (...). No puede ser un innovador de verdad hasta que no esté preparado y dispuesto a jugar en serio. El juego serio no es un oxímoron, es la esencia de la innovación. Michael Schrage, investigador del MIT

Modifíquelos hasta que funcionen a la perfección

La modificación de los prototipos hasta su correcto funcionamiento es una de las competencias esenciales que debe dominar una empresa innovadora, sea con medios propios o externos. Cabe señalar que los prototipos rápidos contendrán muchos errores, y habrá que modificarlos y cambiarlos admitiendo los errores cometidos. *Falla a menudo para triunfar más rápido* es uno de los axiomas de la cultura de IDEO. En esta consultora, el experimentador es un individuo que hace tangibles las ideas mediante prototipos. De modo que un buen experimentador no debe tener miedo al fallo. Es necesario eliminar el temor a cometer una serie de errores, ya que nos pueden llevar al diseño óptimo. El fracaso puede ser el precursor del éxito. En la gestión de la innovación es imposible hacerlo bien a la primera.

Michael Bloomberg, alcalde de Nueva York y fundador (1981) de Bloomberg, la empresa de noticias y servicios financieros, cuenta que cometieron muchos errores en su primer software y que lo arreglaron repitiéndolo reiteradamente. Es su metodología habitual. En lugar de perfeccionar el diseño, como hace la competencia, ellos van por la versión 5.0 del prototipo. Esa es la diferencia entre planificar y actuar: *Nosotros actuamos desde el primer día; otros planifican el plan inicial durante meses.*

Sin embargo, en nuestro ADN, lo que realmente atemoriza son los errores que nos pueden costar represalias de la dirección. Por este motivo se requiere una cultura empresarial que acepte, obviamente dentro de unos límites, los errores en la experimentación. Son la vida de la innovación real.

CASO DE ESTUDIO: ABIL - LOS CAJEROS AUTOMÁTICOS DE BBVA

Los cajeros automáticos ABIL, del banco BBVA, con una gran pantalla táctil, son el resultado de un proyecto realizado por IDEO, que definió el diseño conceptual, la usabilidad y el prototipo, que evolucionó a lo largo del proyecto.

El primer prototipo se ensayó a finales de 2007 en España, México y Estados Unidos, con objeto de analizar la experiencia de usuarios de varios países y culturas y, en particular, de los usuarios *extremos*, es decir, tanto los que nunca usan un cajero, como los de perfil más tecnológico que lo utilizan muy a menudo. El objetivo consistía en lograr definir los conceptos clave que permitirían desarrollar nuevos prototipos –2008-09– para satisficer al usuario estándar.

El cajero resultante combina conceptos como facilidad de uso, rapidez, seguridad y ergonomía, con la intención de facilitar la experiencia del usuario. El terminal incorpora una mampara, y la pantalla está girada 90º para tener mayor privacidad. Se han fusionado conceptos del ATM tradicional y el iPod, en un proyecto de innovación abierta en el que además han participado NCR, Fujitsu, Microsoft, Intel y DNX.

78. Decisiones con criterio

Decida, decida, decida

Un proyecto de innovación de producto está compuesto de una larga secuencia de actividades, con hitos relevantes y continuas decisiones. Antes de que se dé una señal clara de inicio del proyecto, se empieza por la obtención y análisis de la información del mercado, las consultas con las organizaciones de ventas, así como un proceso interno de toma de decisiones dentro del comité de productos.

Ante cualquier idea, el criterio profesional es básico; se convierte en una competencia fundamental para innovar con éxito. Porque no todo es bueno ni todo vale. Hay que analizar las ideas con rapidez y tomar decisiones sobre su utilidad en la empresa. Tener criterio está vinculado a la capacidad de decidir rápidamente.

Muchos sistemas de planificación se ponen en marcha después de tomar la decisión de lanzar una idea al mercado en una reunión de lanzamiento —*kick off*—. Se concentran en los plazos, calidad y costes del nuevo proyecto de innovación, ignorando el hecho de que antes de esa fecha se ha tenido que hacer mucho trabajo previo para tomar la decisión de apostar por esa idea, y que la calidad de toda esa fase preliminar determinará el éxito final del proyecto.

Es un hecho probado que un trabajo sin planificar se terminará siempre más tarde de lo previsto. Miguel de Cervantes decía que *La preparación es la mitad de la victoria* y eso también vale en los proyectos de innovación.

Planifique muy bien las fases iniciales

Si queremos acortar la duración total de un proyecto de innovación, debemos definir y planificar toda la fase preliminar previa a la fecha de inicio del proyecto, que incluye actividades de predesarrollo, concretando qué documentos y qué información es la mínima imprescindible para permitir tomar la decisión de lanzar o no ese proyecto.

Las especificaciones —el qué—, la cifra de ventas, la respuesta tecnológica de ingeniería y producción —el cómo y a qué coste— y el plan de proyecto —cuándo, dónde, por cuánto— deben estar suficientemente claros como para permitirnos tomar la decisión de seguir adelante o no con ese proyecto, de acuerdo a nuestro criterio profesional.

Tener criterio no significa no equivocarse, sino que representa tener capacidad para decidir con rapidez, en base a una información y a los datos disponibles, cuantos más mejor. A medida que avance el proyecto debemos incluir reuniones de revisión de esos datos, con la actualización de la información de costes, plazos y calidad, con el objeto de seguir tomando decisiones en tiempo real en cada hito, con criterio sobre la lógica o no de seguir avanzando en el proyecto de innovación. La toma continua de decisiones con juicio resultará fundamental para el éxito del proyecto de innovación.

79. Soluciones en paralelo

La innovación va asociada a la incertidumbre. Cuando somos pioneros en la aplicación de una tecnología no podemos seguir a nadie en ese camino, así que debemos aprender a prever la incertidumbre. Un número sustancial de retrasos en los proyectos se originan a partir de problemas subestimados, en unos planes de desarrollo que reflejan deseos, no realidades, a los que no se asignan capacidades ni recursos suficientes, ni se prevén retrasos. En cambio, es preferible prever de antemano un porcentaje de retraso en la duración de las actividades, variable en función del grado de novedad del diseño y de los datos históricos de que dispongamos.

Un proyecto estándar, sin innovaciones radicales, de bajo riesgo, puede planificarse con gran exactitud, los plazos son muy definidos. El problema surge si se aplican nuevos componentes o tecnologías avanzadas, cuyo desarrollo va asociado a un plazo indefinido. Sin embargo, la prioridad de un plan de desarrollo es entregar en un plazo dado un producto con una serie de especificaciones técnicas. De modo que cualquier tecnología que pueda ocasionar una demora en el proyecto debe ser validada de antemano, previendo en paralelo soluciones alternativas que permitan independizar esa innovación tecnológica de la renovación de la gama de productos.

Por otra parte, es preferible ensayar esa tecnología de forma controlada en productos vigentes a fin de que, en caso de fracaso, no se dañe la imagen de marca. Solo en caso de resultados satisfactorios se decidiría su introducción en los nuevos productos. En resumen, los cambios que impliquen nuevas tecnologías en los productos deben introducirse solo cuando la calidad y su posible fabricación en serie se hayan validado en la práctica. El objetivo es independizar la investigación de nuevas tecnologías del desarrollo de nuevos productos.

80. Concentración de fuerzas y evitación de multitareas

Aprenda de la estrategia militar

Durante siglos la organización militar ha sido la referencia en excelencia tecnológica y organizativa, con un único fin, derrotar al enemigo. De ella hemos tomado términos para nuestro argot de directivos, como son estrategia y táctica —aunque algunos aún los confunden—. También hemos aplicado sus soluciones a problemas de logística o de delegación de autoridad, por citar otros ejemplos.

Es fascinante observar, no obstante, que aunque usamos términos militares en la gestión empresarial, nos olvidamos de principios básicos para la supervivencia y la victoria. Cualquier militar con mando en tropa sabe y está constantemente al tanto del peligro de dispersar demasiado sus fuerzas, de que estén demasiado repartidas. O sabe que nunca se debe intentar cruzar un tramo de río demasiado ancho. O que si se está en territorio enemigo hay que concentrarse con gran fuerza en unos pocos puntos e intentar consolidar las cabezas de puente como base de un progreso futuro.

Aunque no soy militarista, tengo que admitir que aprendo bastante de estrategia empresarial estudiando batallas famosas de la historia. Sobre todo me interesan las de la Segunda Guerra Mundial y una en particular: la batalla de Stalingrado. Verá cómo la motivación y la inteligencia de los generales del ejército ruso les permitieron crear una estrategia capaz de derrotar al ejército alemán, que cometió el error, entre otros, de dispersar sus fuerzas.

Aunque le sorprenda, hay bastantes principios de la estrategia militar válidos en la gestión de la innovación. Nos pueden ser útiles al entrar en nuevos mercados, al dirigir individuos y equipos, y al tomar decisiones sobre desarrollo de nuevos productos. El principio clave es el siguiente: no dispersemos demasiado nuestros escasos recursos.

¿Cómo cruzará el río?

Pongamos un ejemplo más pacífico. Tenemos dos personas que tienen que trasladar dos botes de remo cruzando un río del punto A en una orilla al punto B en la otra. Sobre el río cruza un puente. Podemos hacerlo de dos maneras:

- **A** una persona por bote, remando simultáneamente desde A hasta B, o
- **B** dos personas en un bote, remando juntas desde A hasta B, regresando las dos por el puente hasta A, para, de nuevo, remando las dos en el segundo bote, moverlo desde A hasta B.

Probablemente piense que la opción b es una estupidez, porque perdemos el tiempo. Sin embargo, puede que la opción b sea la única posible. ¿En qué caso? Si hubiera una corriente muy fuerte en el río —compare con una situación crítica en el mercado— y una persona sola remando fuese incapaz de llegar a la otra orilla. En ese caso, la solución a) no aportaría ningún resultado y la solución válida sería la b).

Al asignar recursos a los proyectos, muchas veces tendrá que decidir entre asignarlos a proyectos en paralelo o secuenciales en el tiempo. Es una decisión vital, sobre todo para una pyme, donde los recursos son muy, muy escasos...

¿Cómo asignará los recursos?

Pongamos otro ejemplo para ilustrar mejor el concepto. Supongamos que su plan de innovación sea desarrollar dos nuevos productos A y B. Dispone de 10 ingenieros. Debe plantearse una primera opción: si asigna la mitad de los recursos —5— a cada proyecto, de modo que en dos años, por poner un plazo a título de ejemplo, pueda disponer de los dos productos A y B o, en cambio, pensar en una segunda opción, asignar todos los recursos —10— al proyecto A, terminarlo en un año y, a continuación, iniciar el proyecto B con todos esos 10 recursos y tenerlo listo un año después, al final de un 2º año.

Uso de recursos simultáneos y secuenciales

5 PERSONAS **> PROYECTO Ⓐ**
5 PERSONAS **> PROYECTO Ⓑ**

10 PERSONAS **> PROYECTO Ⓐ + PROYECTO Ⓑ**

Mi consejo es que no divida los recursos dilatando la obtención de resultados en el tiempo. Busque un sustituto para el producto que sea más sencillo de confeccionar —o el menos rentable— , supongamos que fuera el B, sea mediante un simple rediseño estético de un producto interno antiguo o bien comprándolo a terceros durante unos dos años de espera. Por otra parte, dedique el máximo de recursos a un único proyecto, el A. Con esta segunda opción, al cabo de un año ya dispondrá del nuevo producto A, un año antes que la primera opción, y se pueden plantear con mayor detalle las especificaciones del futuro producto B, un año más tarde.

Prefiero esta segunda opción aunque admito que sea discutible mi postura. Prefiero dedicar el máximo de recursos a un único proyecto y no dividirlos dilatando la obtención de resultados en el tiempo. Observe que con la primera solución, hasta dentro de dos años no dispondrá ni de A ni de B, y que se lanzarán al mercado dos nuevos productos A y B con especificaciones antiguas, definidas hace dos años.

Evite las multitareas

La misma reflexión podemos aplicarla a los recursos humanos, es decir, a los profesionales de I+D+i que trabajan en los proyectos. Si un individuo tiene muchos problemas en paralelo esperando una solución, el plazo de entrega sufrirá. Especialmente en las pyme, los técnicos se enfrentan a muchos conflictos o proyectos en paralelo, con lo que su plazo de entrega es demasiado largo.

A todo el mundo le encanta hablar de multitareas, de tener un millón de cosas en marcha y de tratar de hacer media docena de ellas a la vez. Sin embargo, cuanto más pienso en ello y más lo analizo, más convencido estoy de que un profesional debe dedicarse a una sola tarea a la vez, porque eso es lo más efectivo en términos de productividad y rendimiento de la organización de I+D. ¿Por qué? Por la dependencia. Si estoy intentando hacer seis tareas a la vez, y voy pasando de una a la otra, estoy impidiendo que una de ellas pase al profesional que tiene que intervenir en el siguiente paso. En cambio, si me concentro en una sola labor y la termino lo antes posible, la puedo transferir al siguiente profesional *procesador de la información* y conseguir que los proyectos fluyan, con el consecuente aunmento de la velocidad del conjunto, además de la calidad. Estoy en contra de las multitareas en un centro de I+D, por el mismo motivo por el que está prohibido conducir con el teléfono móvil pegado a la oreja, porque puede provocar distracciones y errores.

En mi experiencia laboral he visto que bastantes profesionales no solo se dedican a procesar varias tareas a la vez, sino que además las acumulan, y eso ralentiza su trabajo. Algunos incluso atesoran su trabajo. Les da miedo que parezca que no tienen suficiente. O son muy perfeccionistas. O quieren dar la impresión de que son muy importantes porque tienen mucho trabajo que despachar. En resumen, debería limitar el número de proyectos en paralelo asignados a un mismo profesional y, si fuese posible, evitar los recursos compartidos.

Las reglas del juego para un profesional en un departamento de i+D+i deberían ser las siguientes: si te asignan una tarea, la aceptas y la llevas a cabo. Es la de mayor prioridad en ese momento. Y además la haces lo más rápidamente posible, hasta que ocurra una de las tres siguientes situaciones. Primera, se acaba la tarea y se pasa la documentación al profesional que tenga que procesarla a continuación. Segunda, estás bloqueado y tienes que parar porque tienes que esperar algo que necesitas de un tercero. O tercera, te asignan una nueva tarea más prioritaria, en cuyo momento dejas de hacer la que estabas haciendo y te dedicas a la nueva tarea hasta finalizarla.

81. Los cuellos de botella

¿Ha leído el libro *La meta?* Vale la pena. El concepto básico que se fomenta en el libro es la búsqueda —y solución— de los cuellos de botella, es decir, las instalaciones cuya capacidad productiva limitan el flujo de producción máximo de una fábrica. Este obstáculo productivo ha dado lugar a la denominada *teoría de las limitaciones* o TOC —*Theory of Constrains*— .

Esta tesis puede extrapolarse a las organizaciones de desarrollo de nuevos productos, de modo que la TOC es válida tanto en fabricación como en innovación, porque existe una analogía entre los procesos de innovación y los procesos de producción. Ambos tienen sus stocks, sus tiempos de espera, sus cuellos de botella, etc. Lo mismo que en fabricación, veremos que en el proceso de innovación de productos tendremos que resolver problemas de flexibilidad, de tiempos de cambio demasiado largos, de cuellos de botella...

La *teoría de las limitaciones* (TOC)

Para dar una explicación lo más breve posible, la TOC sostiene que todo sistema, en nuestro caso el formado por los departamentos que ejecutan el proceso de desarrollo de un nuevo producto, está integrado por recursos que tienen sus limitaciones. El rendimiento del sistema estará limitado por el recurso en serie más escaso, el que tenga más limitaciones, que se convierte en un cuello de botella. Por lo tanto, la forma más eficiente de gestionar el sistema en su totalidad es optimizar el flujo de los procesos, maximizando el proceso en el cuello de botella y la subordinación de todos los demás recursos a las necesidades del cuello de botella. La TOC nos ayuda a detectar dónde concentrar las mejoras de un sistema, para maximizar su impacto.

Identifique los cuellos de botella

En un proceso de desarrollo de un producto tenemos que resolver problemas análogos y localizar el cuello de botella que limita el sistema del proyecto. Es posible que el cuello de botella sea el único especialista que tenemos en una determinada tecnología —sea en el diseño de piezas de plástico o en programar en un lenguaje determinado, por poner ejemplos— y que además sea compartido por todos los jefes de proyecto de la empresa. También puede darse el caso de que sea el taller de prototipos, el laboratorio de ensayos, propio o externo, las máquinas para prototipaje, un instrumento, etc.

Logre el máximo rendimiento de los cuellos de botella

Identificado el cuello de botella —la limitación de la capacidad del sistema— debemos lograr el mayor rendimiento de su tiempo. Asimismo, es necesario alinear, sincronizar y subordinar el resto de procesos del sistema de innovación al proceso que lleva a cabo el cuello de botella, con el fin de que aumente el flujo de las tareas que procesa, para que nunca pare y para que se gestione rápidamente la información antes y después de él.

Las mismas soluciones que se proponen en el ámbito de producción, como por ejemplo el aumento de la capacidad en las máquinas del cuello de botella, son aplicables a los proyectos de innovación. Una vez tengamos el sistema enfocado en optimizar la producción del cuello de botella, si las circunstancias económicas de la empresa lo permiten, podremos aumentar la capacidad del cuello de botella, mejorando su limitación —por ejemplo, contratando más especialistas, ampliando las instalaciones de ensayo o el taller de prototipos, etc.—

Tal como en producción nos encontramos con stock delante de una máquina en particular, que resulta de su limitación de capacidad, podemos y debemos esperar encontrar proyectos aparcados delante de nuestros cuellos de botella —especialistas, instalaciones, etc.—. Un exceso de capacidad previo al cuello de botella es bueno para acomodar fluctuaciones de su carga de trabajo. Hay que ser flexibles. Lo importante es que nunca pare el cuello de botella. El problema se produce, sobre todo, si esos recursos son compartidos por diferentes directores de proyectos. Se incurre en un coste de tiempo y dinero.

Fije las prioridades de los cuellos de botella

El aumento de la productividad de un centro de I+D no es directamente proporcional al número de recursos. Aunque sí que aumenta si crece la capacidad y la productividad de los condicionadores —especialistas, instrumentos, instalaciones, etc.— del sistema. Si no se dispone del número necesario de especialistas y estos se convierten, de forma intermitente o continua, en cuellos de botella para los proyectos de innovación, no se podrá avanzar el plazo de entrega global de los nuevos productos. En otras palabras, esos recursos limitadores fijan el flujo o avance de los proyectos, debido a su situación de obstáculo en el sistema. La fijación de prioridades a las tareas que ejecutan los cuellos de botella es clave para la velocidad del proceso de innovación.

Aumente la velocidad de la innovación actuando sobre los cuellos de botella

Es necesario aumentar la productividad de los cuellos de botella. Puede que le interese optimizar su proceso mediante proyectos *Lean* o *Six Sigma*. En el caso de que se trate de recursos humanos, será ventajoso cerrar acuerdos de flexibilidad en cuanto a su jornada laboral —puede que le interese que trabajen intensivamente un fin de semana o en vacaciones—, así como tenerlos bien remunerados para evitar que se vayan a la competencia. Es posible que necesite mejorar esa limitación aumentando su capacidad, contratando a más profesionales o subcontratando parte de sus tareas en el exterior. Se requiere un análisis objetivo de las actividades internas para descubrir los profesionales que son cuellos de botella, que evitan que seamos capaces de aumentar la velocidad de nuestro sistema de innovación.

Del mismo modo que los recursos humanos, la capacidad de las instalaciones, los talleres de prototipos, los laboratorios de ensayo o la propia organización del sistema de innovación —inclusive directivos o comités de I+D periódicos que invierten demasiado tiempo en la toma de decisiones y que fijan largos tiempos de espera entre fases—, pueden convertirse en cuellos de botella que se deben solucionar aplicando las ideas de la TOC. En este sentido, se pueden reorganizar, por ejemplo, los talleres y laboratorios, aumentar su capacidad —trabajando quizás 24 días x 7 horas—, optimizar el sistema de I+D, organizar tareas en paralelo, aumentar el número de prototipos para ensayos en paralelo, subcontratar tareas no clave, etc.

En algún caso necesitará disponer de un mayor número de especialistas, si estos se convierten en cuellos de botella y no puede garantizar la fecha de lanzamiento del nuevo producto. En otras ocasiones necesitará subcontratar parte del proyecto en empresas de ingeniería externas: la innovación abierta.

Detectar los cuellos de botella de un sistema de I+D es relativamente fácil. Optimizarlos requiere creatividad y olvidarse de los conceptos tradicionales de eficiencia. Hay que optimizar su procesamiento de la información y, si la velocidad global del sistema es insuficiente para reducir los plazos de entrega, seguramente necesitará invertir más. El incremento de recursos probablemente sea la única solución a las limitaciones, si pretende reducir e*l time to market*, el plazo de desarrollo global del proceso, cumplir o superar los tiempos previstos y mejorar con ello la rentabilidad de la inversión en I+D.

82. Planificación realista y ejecución sin retrasos

La gestión de la innovación, en realidad, es la gestión de proyectos de alta incertidumbre. Uno de los factores con mayor dubitación son los plazos de ejecución de las actividades del proyecto. Existen varias causas de retrasos en los proyectos de innovación:

- **Excesivo optimismo en la planificación de actividades.** Suele decirse que el hombre es el único animal que tropieza dos veces con la misma piedra. En el tema que tratamos tropieza no dos, sino n veces. Un proyecto de innovación tiene mucha incertidumbre, de modo que debe preverse un porcentaje de retrasos por causas imprevistas, aspecto ignorado en muchos proyectos. Ese porcentaje deberá depender del grado de novedad del proyecto. Es necesario prever retrasos, debemos ser realistas aunque no pesimistas.

  Los procedimientos de planificación formal deben ser parte del proyecto de innovación y es necesario ejecutarlos con rigor y disciplina, cualidades que no están reñidas con la innovación. Para ello, tanto el líder del proyecto como su equipo deben estar personalmente comprometidos con el plan y con sus detalles. En este sentido, es fundamental que todos estén muy motivados, porque el viaje a la innovación está plagado de eventos estresantes imprevistos.

- **Cambios en las especificaciones.** Esta es una de las fuentes de problemas más extendidas en un proyecto de innovación. Los cambios de especificaciones del nuevo producto, sin una revisión realista del plazo de entrega previsto, constituyen una de las mayores causas de retrasos y generan, como resultado, un rechazo hacia el uso de planes de proyecto formales.

Es evidente que a medida que avanzamos en el proyecto hay que hacer modificaciones en el diseño, para corregir problemas de calidad o de prestaciones del producto. Cabe decir que, en muchos casos, los cambios son originados por la competencia —en una estrategia reactiva— o por reflexiones *a posteriori*, una vez fijadas las especificaciones.

Un principio al que deberíamos adherirnos es que un cambio en las especificaciones debe significar un nuevo plan de proyecto. Prohiba que los cambios de especificaciones no impliquen una revisión de la planificación del proyecto. Por lo general, las alteraciones en las especificaciones se traducirán en retrasos en el lanzamiento del nuevo producto al mercado; en un aumento de costes del proyecto para mantener la fecha; o en problemas de calidad por no llevar a cabo todos los tests previstos. No hay *free lunches*, como se dice en inglés.

Lo máximo que puede hacer el líder del proyecto es minimizar el impacto de ese cambio de especificación. En consecuencia, la dirección debe evaluar si no será peor no tener un producto en la fecha prevista que tenerlo a tiempo, aunque las especificaciones no sean las óptimas y teniendo en cuenta que se podrán modificar más tarde.

Asimismo, un retraso en el lanzamiento de un producto es irreversible y causa demoras en desarrollos futuros. Es obvio que, a medida que una empresa sea capaz de reducir el tiempo de desarrollo de los nuevos productos, menor será la posibilidad de que se necesiten cambios en las especificaciones durante ese intervalo de tiempo. Con respecto a productos o proyectos que requieren un ciclo largo de desarrollo, se necesita un ajuste gradual de las especificaciones, que se tendrá que hacer en cada hito del proyecto, previendo esa flexibilidad en la fecha prevista de entregas al cliente.

Los cambios innecesarios o los cambios cuyas razones no se explican claramente al equipo, pueden llevar a una falta de motivación y a una disminución de su rendimiento.

83. Finalización de las especificaciones

Congélelas a partir de un determinado momento. Un cambio en las especificaciones normalmente debería significar un cambio en los plazos del proyecto. Uno de los mayores problemas que afectan a la duración de los proyectos y que generan rechazo hacia el uso de los planes de desarrollo, son los cambios de especificaciones del producto sin una revisión realista del plan previsto. La razón es obvia. Los cambios son la causa principal de los retrasos en el lanzamiento de un nuevo producto.

Es evidente que hay que hacer cambios en el diseño para corregir problemas de calidad o de prestaciones del producto, aunque en el caso de cambios en las especificaciones, la situación no está tan clara. En muchos casos, los cambios son originados por la reacción a productos de la competencia, en otros por reflexiones tardías, o incluso por cambios en el mercado, que se han sucedido por un retraso considerable en el proceso de desarrollo. Los cambios en las especificaciones se traducen inexorablemente en demoras en la ejecución y, como resultado, en la fecha de lanzamiento del nuevo producto al mercado.

En mi opinión, es siempre peor no tener disponible un nuevo producto en la fecha prevista de su lanzamiento, que tener a tiempo uno con una especificación que puede que no sea la óptima y que se pueda mejorar en una versión posterior. Un retraso en el lanzamiento de un producto no se podrá corregir, es un hecho irreversible y puede causar retrasos en otros proyectos de diseños futuros.

Cuanto más rápido es un proceso, menor será la probabilidad de necesidad de cambios en el mismo. Por este motivo necesitamos una organización ágil, capaz de lanzar productos al mercado en un plazo breve. A medida que una empresa sea capaz de reducir el tiempo de desarrollo de los nuevos productos, menor será la posibilidad de que se necesiten cambios en las especificaciones durante ese intervalo de tiempo.

Con respecto a proyectos de nuevos productos que requieran un largo plazo de desarrollo, y para los que sea imposible o incómoda una especificación definitiva al inicio del proyecto, es probable que sea preciso un ajuste gradual de las especificaciones, que se tendrá que realizar en cada uno de los hitos del proyecto. Quizás sea un prerequisito tener una arquitectura modular escalable, previendo además esa flexibilidad en la fecha prevista para las entregas sucesivas al cliente.

Los cambios imprevistos y los ajustes no planificados en un proyecto de innovación son un despilfarro de recursos, de tiempo y de dinero. Si además, no se explican claramente al equipo de trabajo las razones de dichos cambios, se puede producir una falta de motivación y una disminución de su rendimiento. Si queremos mejorar la *fábrica del diseño* —nuestro proceso de innovación de productos—, uno de los objetivos deberá ser justo ése: la eliminación del despilfarro.

84. Evitación de riesgos

El excelente registro de seguridad de la mayoría de compañías de aviación comerciales se debe a la eliminación sistemática de riesgos. Todas las funciones claves e indicadores están duplicados o bien tienen un sistema de *back up*. La seguridad se considera más importante que los costes o el peso de la instrumentación adicionales.

Del mismo modo, el objetivo número 1 de un proyecto de innovación debe ser la entrega a tiempo de un diseño, según las especificaciones acordadas. Esto implica que deben identificarse y analizarse de antemano todos los factores críticos de riesgo que puedan impedir que se logre dicho objetivo. Para ese efecto, se diseñan soluciones de *back up* por si se producen esos riesgos y/o se asignan equipos que trabajen sobre el mismo tema en paralelo, a fin de tener alternativas disponibles en plazo y coste.

La empresa Toyota suele aplicar esta estrategia, tal como expuso Allen Ward y otros autores en un famoso artículo sobre la paradoja de demora de las decisiones. Esta metodología consiste en esperar a tener clara qué solución tecnológica adoptar, para luego ser más rápido que la competencia en ponerla en práctica. Su enfoque se basa en el montaje y estudio de varios prototipos distintos en paralelo, a fin y efecto de validar la factibilidad de las soluciones y optar por una de ellas al final del proceso de desarrollo. Ese aparente gasto innecesario de tiempo y recursos le permite, en cambio, ganar mucho tiempo *a posteriori*, al no correr riesgos en el momento de implementación de esa nueva tecnología.

Un número sustancial de retrasos en proyectos de innovación se debe a la subestimación de los riesgos. Si el objetivo prioritario es la entrega a tiempo de un producto fiable, debemos tomar medidas efectivas para reducir los riesgos, descartando problemas tecnológicos.

85. Posibles riesgos y planes alternativos

La gestión de proyectos con un alto grado de incertidumbre, como son los de innovación, requiere una evaluación de riesgos muy detallada, que debe formar parte del plan de proyecto. Un proyecto de bajo grado de innovación, una extensión o mejora de un producto existente, puede planificarse con bastante exactitud porque el nivel de riesgo es bajo. El problema empieza cuando se requiere aplicar nueva tecnología, cuando el grado de innovación es alto. La única manera lógica de actuar es tomar medidas de control del riesgo. Se puede hacer de dos maneras:

- Preparando una solución de *back up* con la tecnología tradicional *—legacy—* del módulo o subsistema con nueva tecnología que pueda incorporarse en el diseño de modo inmediato. Será una solución más cara pero, en caso de emergencia, nos permitirá cumplir con la fecha de lanzamiento del nuevo producto. Por supuesto, la arquitectura del nuevo producto debe permitir esa flexibilidad.
- Desacoplando los *inventos* de la *innovación*. Es decir, separando el uso de nuevas tecnologías del ciclo de renovación previsto en el plan de nuevos productos. Ensayando primero las nuevas tecnologías, los nuevos componentes o los nuevos sistemas en productos existentes, es decir, manteniendo el resto de factores constantes. Introduciendo esas nuevas tecnologías en proyectos de nuevos productos una vez se haya verificado su nivel de prestaciones y de fiabilidad en los actuales productos.

Intente aprender de proyectos previos. Evalúe los proyectos que fueron bien y los que fueron mal. Debata las lecciones aprendidas con su equipo. La memoria humana no es fiable, discrimina los recuerdos destacando los éxitos y enterrando los fracasos. En la práctica diaria olvidamos los errores del pasado rápidamente y, por el contrario, deberíamos analizarlos y usarlos como oportunidades de mejora.

El análisis de riesgos debe incluir un estudio objetivo de proyectos más o menos similares ejecutados en el pasado, con el fin de estimar las causas de retrasos, incrementos de costes, problemas de calidad, etc. Además deben analizarse todos los nuevos sistemas en el nuevo producto o proceso.

Prevea lo imprevisible

Con el objeto de evitar demoras imprevistas en los nuevos elementos del proyecto debemos tomar medidas de contingencia. Podemos hacerlo aplicando redundancia:

- preparando una solución de *back up* con tecnología y/o sistemas actuales,
- trabajando una segunda solución en paralelo, y
- añadiendo un margen suficiente en los plazos y costes del proyecto.

Todas estas opciones de redundancia tienen un precio. Requieren recursos adicionales, tiempo y dinero extras. La experiencia me ha demostrado que el optimismo en la gestión de proyectos de innovación es muy peligroso. Prefiero ser pesimista y reservar capacidad y recursos extras desde el inicio del proyecto, que afrontar situaciones de emergencia sin ningún plan alternativo.

86. Innovación en producto o en proceso

La mayoría de grandes proyectos que combinan a la vez innovación en producto y nuevas tecnologías de proceso sufren numerosos problemas imprevistos que derivan en retrasos. Evite asumir riesgos innecesarios. Excluya revoluciones tecnológicas del proceso productivo aún no ensayadas en el camino crítico de un proyecto. Al contrario, experimente las innovaciones tecnológicas de proceso en productos actuales.

El consejo consiste en que debemos planificar el desarrollo de nuevos productos, de manera que solo incluyamos en el camino crítico del proyecto la resolución de los problemas que son vitales para la realización de las nuevas especificaciones previstas para el nuevo producto. Es imprescindible evitar que las innovaciones tecnológicas en proceso nos marquen plazo en el camino crítico del proyecto de innovación.

El resto de innovaciones que no son clave en el proceso productivo para la introducción con éxito de ese nuevo producto, deberían abordarse en un camino paralelo e implantarse en producción solo después de que su factibilidad se haya comprobado. Esquive, pues, revoluciones tecnológicas de proceso en el desarrollo de nuevos productos. Aunque, por supuesto, siempre habrá excepciones a este consejo, es evidente que la probabilidad de éxito de un proyecto que combine simultáneamente innovación de producto con innovación de proceso se reduce, al poder estimarse como el producto de las respectivas probabilidades de éxito, menores de uno, puesto que son eventos independientes. Si, por ejemplo, creemos que el nuevo producto tiene una probabilidad de éxito del 80% y que la nueva tecnología de proceso productivo tiene una probabilidad de éxito del 80%, el producto de ambas se reduce a solo 0,80x0,80 = 0,64.

Por eso es preferible ensayar nuevas tecnologías de proceso o nuevos componentes en productos existentes, bajo circunstancias controladas. Cuando desarrollamos un nuevo producto, las circunstancias raras veces estarán controladas.

87. Implicación de todos los interesados desde el principio

Un conocimiento limitado de las fases que nos llevan al lanzamiento de un nuevo producto —que son específicas de cada sector—, generará un producto alejado de sus prestaciones ideales. Los únicos que pueden aportar el *know how* necesario para lograr un diseño óptimo son los expertos de cada una de las fases del proyecto de innovación, independientemente de que su intervención esté prevista al inicio —*upstream*— o al final —*downstream*— del proyecto.

La búsqueda del diseño ideal requiere que los departamentos *downstream* den su información a los que intervienen *upstream*. De este modo, las necesidades que de otra manera surgirían más tarde y ocasionarían modificaciones en el diseño, se contemplan desde el inicio del proyecto. En este contexto, es imprescindible la participación activa de los departamentos de producción, compras, ventas, mantenimiento, servicio postventa, desde el inicio del proyecto. Es el desarrollo concurrente o simultáneo del proyecto de innovación.

La tecnología, el proceso, la *testabilidad*, los medios de producción, los componentes especiales, etc., son claves para el éxito de la innovación, de modo que deben formar la base del diseño del nuevo producto, y éste, por tanto, debe fundamentarse en información aportada por los expertos en dichos ámbitos. Con este enfoque, la actividad de diseño se convierte en un esfuerzo colaborativo, que se traduce en un diseño óptimo desde una perspectiva global y en un *time to market* incluso más corto, al no tener que incluir modificaciones ya previstas.

Esta implicación temprana en el proyecto debe extenderse a las empresas externas que colaboran en la innovación: diseñadores industriales, proveedores de componentes, sistemas, medios de producción o servicios. Es una relación de *outsourcing* especial. No se basa solo en el precio. La condición es que su *know how* sea mayor o igual al nuestro. Si no, no tiene sentido su colaboración en el proyecto. Perderemos tiempo y dinero.

La colaboración interdepartamental y con terceros en un proyecto de innovación debe basarse en una relación de continuidad y en el rendimiento de ambas partes, con el fin de lograr el objetivo número 1: lanzar el producto en el plazo previsto.

88. Los sistemas informáticos

La moda actual en programas informáticos para ingenierías de producto son los sistemas PLM —*Product Lifecycle Management*—, destinados a gestionar el ciclo de vida completo de un producto, desde su concepto, a través del diseño, producción, servicio y mantenimiento, hasta terminar en su reciclaje. El núcleo del PLM es la creación y gestión centralizada de todos los datos del producto y la tecnología usada para acceder a esa información. En mi opinión, deriva e integra las herramientas de CAD/CAM y PDM —*Product Data Management*—, necesarias si usted diseña y fabrica productos.

Muchas empresas informáticas suministran programas de este tipo, que ayudan a organizar e integrar las diferentes fases del ciclo de vida de un producto, en particular las del proyecto de desarrollo de un nuevo artículo. Aunque creo que estos programas pueden tener su utilidad en la gestión del flujo del proceso de diseño de un producto, soy escéptico en cuanto a que sean fundamentales para optimizar la gestión de la innovación o para darle un enfoque estratégico, como afirman algunos de sus proveedores. Frente al enorme abanico de soluciones informáticas, prefiero adoptar una postura de *wait and see* —esperar a ver qué pasa— para minimizar las inversiones hasta que vea claro el retorno de la inversión —ROI—.

En cualquier caso, mi consejo es que si usted decide optar por implantar un nuevo sistema informático que le ayude a mejorar su proceso de innovación, evite hacerlo antes de simplificar y agilizar dicho proceso, en particular el de desarrollo de nuevos productos. ¿Por qué? Porque si lo hace instaurará por un largo período de tiempo un flujo de proceso de innovación que se podría haber optimizado antes.

¿Cómo puede hacerlo? Del mismo modo que puede optimizar cualquier otro proceso. Busque las tareas sin valor añadido y elimínelas o redúzcalas, identifique los tiempos de espera y los cuellos de botella, intente colocar el mayor número de tareas en paralelo, busque reducir los plazos y todas las ineficiencias del proceso. En la mayoría de los casos solo necesitará disponer de una inversión mínima: reúna a los expertos en el proceso en una sala, con una pizarra grande donde poder dibujar, tachar y borrar. Una vez optimizado el proceso de innovación, ya puede decidir si introducir o no un nuevo sistema informático.

89. Innovación progresiva y personal cualificado

Innove paso a paso

Los macroproyectos de innovación en procesos productivos deberían tener siempre una arquitectura que permitiera la introducción de la automatización paso a paso, con riesgos limitados en cada etapa. Eso facilita también la retroalimentación y la implementación de acciones correctivas si resultan ser necesarias. Otra ventaja de la automatización paso a paso es que el *payback*, el retorno de la inversión, se logra antes, de modo que incluso puede generarse flujo de caja positivo para acometer el siguiente paso.

La aplicación de los principios del *lean manufacturing* nos aconseja optar mejor por un determinado número de máquinas de menor capacidad productiva que por un sistema de alta capacidad. Ventajas: el inicio de producción es más rápido y la experiencia de la primera instalación se puede usar para el resto. Con una estrategia de inversión paso a paso, si un equipo falla no paramos toda la producción y lo más relevante: la capacidad productiva total es más flexible en términos de cantidad y diversidad.

Tenga personal cualificado en la planta

De mis estancias en Japón he sacado la conclusión de que existe una gran diferencia entre las empresas industriales occidentales y las japonesas: el elevado número de ingenieros japoneses, con preparación universitaria, que hay en las plantas de producción. Las fábricas japonesas tienen una mayor cantidad de ingenieros dedicados a innovar en el proceso productivo que las fábricas occidentales. Además, su personal dedicado al proceso productivo está más cualificado. Ello no solo aumenta el nivel técnico de la fábrica sino que a su vez logra que el personal de producción influya en el diseño de los nuevos productos, mejorando su facilidad de montaje, fabricación y control, logrando que los ingenieros de diseño entiendan los problemas diarios que existen en el taller de producción.

La clave del éxito parece radicar, pues, en que en el proyecto de innovación se le da más atención al diseño orientado a la producción, a su control, a su facilidad de montaje. Un dato ilustrativo al respecto: Hitachi asigna el 50% de su personal de I+D+i a sus laboratorios de investigación básica. El 50% restante está distribuido por las distintas fábricas de las divisiones de la empresa. Esta política de personal cualificado en las factorías facilita, además, la introducción de nuevas tecnologías en el proceso productivo: la innovación en proceso.

En otro estudio, donde se comparan los fabricantes de robots en Japón con sus competidores de Estados Unidos, se destaca el hecho de que aunque todos invierten más del 10% de su cifra de ventas en I+D+i, los fabricantes japoneses dedican una mayor proporción de ese presupuesto a innovar en el proceso productivo, lo que les permite ser un 30% más rápidos y un 10% más económicos que sus competidores americanos a la hora de introducir mejoras en los robots. Si no se modifica la estrategia de recursos humanos en las fábricas, las empresas occidentales corremos el riesgo de perder nuestro liderazgo en tecnología y en innovación, que son las fuentes de la ventaja competitiva a largo plazo, ya que tal ventaja nace de la innovación en producto y proceso.

90. Calidad en el proyecto

La calidad del nuevo producto es prioritaria

La calidad siempre es rentable y debe ser prioritaria. Los departamentos de atención al cliente también lo son. De modo que la calidad y la fiabilidad de un producto deben tener siempre prioridad. Ambas son resultado de un proceso: se determinan a lo largo del proyecto de innovación.

Por calidad del nuevo producto no me refiero al cumplimiento de las normas de garantía de la calidad, que se han convertido en una simple tarjeta de presentación. Exagerando la cuestión, usted podría fabricar salvavidas de hormigón y tener la empresa certificada según la Norma ISO 9001. Me refiero a diseñar un nuevo producto de calidad, en términos de prestaciones y de fiabilidad, con los costes previstos en el plan de desarrollo. Porque a la hora de innovar siempre existe el compromiso teórico de mayor o menor calidad en función del coste. Sin embargo, un comité de nuevos productos debe lograr un producto equilibrado en términos de calidad y precio. El motivo es obvio: un producto que tenga un ratio calidad/precio excelente, tiene una probabilidad elevada de éxito en el mercado.

La entrega de productos prácticamente sin defectos —es decir, a un nivel *Six Sigma* de 3,4 defectos por millón de oportunidades— y con una larga vida útil, se está convirtiendo en un objetivo alcanzable. Pero la clave no está en el control de calidad, sino en el diseño del producto y del proceso productivo. Los fallos de montaje, por ejemplo, pueden aparecer de vez en cuando en un producto, pero los errores de diseño, una vez se han cometido, son endémicos, estarán presentes en todos los productos hasta que se solucionen.

La calidad en producción debe ser excelente

Es interesante recordar aquí el estudio de Garvin (1983), que comparaba la calidad y la productividad de empresas fabricantes de equipos de aire acondicionado en Estados Unidos con sus equivalentes japonesas. Su informe reveló una mayor calidad y productividad de las empresas japonesas frente a las norteamericanas, por varias razones que voy a comentar. Una primera diferencia notable entre las empresas de ambos países era el grado de estabilidad del diseño en la producción. Los fabricantes de Estados Unidos, que tenían una mayor calidad y productividad en el proceso, eran los que tenían menos cambios en el producto. Eso no tiene mucho mérito, ya que el objetivo, en principio, sería innovar y por tanto lanzar el mayor número posible de nuevos productos, no lo contrario. Resultaba notable que las empresas japonesas lograsen tasas de averías más bajas, a pesar de tener una gama de productos más amplia, con innovaciones de producto cada temporada.

Parte del éxito japonés radicaba en el énfasis dado a la fiabilidad en el diseño, así como a cuidadosas revisiones de los nuevos productos antes de su lanzamiento en producción. Los ingenieros japoneses están sometidos a una fuerte presión para que reduzcan el número de componentes, y para que usen los mejores, a fin de aumentar la fiabilidad del sistema. Otra diferencia notable que se detectó fue el número de prototipos antes del lanzamiento. En EE.UU. se ensayaban menos prototipos antes de pasar a la producción piloto; sin embargo, los ingenieros japoneses repetían el proceso hasta tres y cuatro veces.

Existe, por último, otro factor fundamental en la gestión de la innovación de las empresas japonesas: la estrecha conexión entre diseño, desarrollo y línea de producción. Así el volumen de producción previsto —en algunos productos, millones de unidades— ya se tiene en cuenta en la fase de concepto. Uno de los objetivos del diseño es que sea fabricable en serie, lo que requiere tener en consideración los problemas de producción, incluyendo la testabilidad del producto.

El departamento de atención al cliente también es rentable

Aparte de otros beneficios, la fiabilidad de un nuevo producto reduce los costes operativos del servicio postventa. Si fabricásemos productos sin defectos, teóricamente no necesitaríamos departamentos de atención al cliente. La mejor garantía de satisfacción de los clientes es suministrarles productos que funcionen de acuerdo con sus expectativas, sin necesidad de repararlos. La mayoría de esos departamentos de atención al cliente en realidad son departamentos de reclamaciones de los clientes y nos cuestan dinero. Asimismo, existen costes ocultos, no visibles, en la no calidad de un nuevo producto: la pérdida en la imagen de marca —muy difícil de crear, pero muy fácil de echar a perder—, o los clientes insatisfechos que, salvo en mercados de monopolio u oligopolio, nunca más nos volverán a comprar.

En la cadena total de la actividad de una empresa, el valor añadido aumenta gradualmente hasta el momento de la venta. Exactamente lo mismo ocurre con los defectos. Cuanto más pronto se cometan fallos, mayores serán los costes añadidos. La diferencia con el valor añadido es que los costes de los defectos pueden seguir acumulándose incluso después del momento de la venta. El área de I+D+i está situada en la etapa inicial de esa cadena y por consiguiente tiene una responsabilidad e influencia decisivas para la estructura de costes, incluyendo los costes de no calidad.

No obstante, cualquier queja que llegue de un cliente puede ser una oportunidad de mejora, una innovación de producto con éxito. De modo que los departamentos de atención al cliente pueden llegar a ser rentables, por convertirse en una fuente de ideas para la innovación.

91. Proveedores implicados como socios

El desarrollo de un nuevo producto necesita la contribución profesional de los proveedores durante el diseño de un nuevo subsistema o en la aplicación de nuevas tecnologías, materiales o componentes. Eso implica que la selección de proveedores debe efectuarse mucho antes de que puedan obtenerse ofertas de precio que se aproximen a la realidad.

La selección debería basarse en el conocimiento de las capacidades técnicas de los proveedores, pretendiendo el éxito y los beneficios para ambas partes. La interacción temprana de los proveedores con los diseñadores del nuevo producto combina las ideas innovadoras con la experiencia industrial del proveedor y facilita, de este modo, el avance rápido en conceptos factibles.

Mi experiencia en el sector de electrónica de consumo me ha permitido obtener ahorros de coste del 20% sobre el precio previsto en piezas plásticas y metálicas, gracias a la participación temprana de los proveedores en el proyecto. Además lograremos que el arranque de producción sea menos problemático, porque se reducirá el número de modificaciones en los moldes y matrices en la serie de pruebas, y por tanto los costes totales en inversiones.

92. Codiseño con proveedores

El codiseño es clave en todo proyecto

Los proveedores están muy implicados en el valor de los productos. Tienen además una influencia decisiva en la calidad y fiabilidad de los mismos. Por tanto, una empresa fabricante debe colaborar directa y abiertamente con sus proveedores de componentes o subsistemas, haciéndoles participar en su proceso de desarrollo de nuevos productos desde el inicio del proyecto, responsabilizándolos del diseño y del suministro, a cambio de relaciones comerciales estables.

> **No he fallado. Solo he descubierto 10.000 maneras en las que esto no funciona.** Thomas Alva Edison

Este sistema favorece la reducción del número de proveedores, logrando reducir los costes finales de los componentes, por efectos de economía de escala. Asimismo, induce un ambiente de cooperación e innovación que permite al proveedor adquirir, con cada nuevo cliente, un mejor nivel de gestión. Del mismo modo, los proveedores de los medios de producción deben trabajar en paralelo con el departamento de producción, pudiendo definir los medios con mayor antelación. El codiseño requiere de una excelente comunicación y un alto nivel tecnológico de las partes implicadas, tanto del fabricante como de sus proveedores, de modo que se logren los objetivos comunes: un producto con éxito.

Busque socios

En consecuencia, la participación del proveedor en las fases iniciales del ciclo de desarrollo se convierte en algo vital, en especial para los proveedores de componentes de tecnologías avanzadas, que suelen estar más predispuestos a invertir en la fase de diseño del producto. Se obtiene así una relación de *partnership* —sociedad—, que pretende lograr una estabilidad a largo plazo en la relación cliente-proveedor.

El codiseño reduce la probabilidad de perder el suministro, lo que anima a que los proveedores hagan inversiones más elevadas y participen en los proyectos de I+D+i del fabricante cliente. Por ejemplo, en el sector del automóvil, los sistemas de diseño CAD/CAM de los proveedores están integrados con los sistemas de diseño del cliente, e incluso destinan a ingenieros propios para que trabajen en sus instalaciones.

Debido a la alta competencia en precios en el sector de la automoción, la necesaria reducción de costes de los fabricantes pasa, en la actualidad, por una mayor desintegración vertical, tanto en diseño como en producción. Eso produce una estratificación en las empresas del sector: a primer nivel, los fabricantes, a segundo nivel, los proveedores de componentes y sistemas que colaboran en el diseño, a tercer nivel, los proveedores que suministran a los anteriores. Y puede haber incluso otros niveles de subcontratación. Los automóviles son el resultado de una pirámide de proveedores, muchos de los cuales son comunes a varias marcas.

Lo mismo ocurre también en otros sectores industriales, como electrónica de consumo, informática, aeronáutica, electrodomésticos, etc., que han sufrido una desintegración vertical en la última década.

93. Bases de datos de diseño y de proceso

La reducción de los costes de los productos se logra innovando simultáneamente en ingeniería, compras y producción. Para conseguirlo, se requiere la exactitud —cero errores— en las respectivas bases de datos. Una gestión eficaz de las modificaciones introducidas a lo largo del proyecto de innovación es clave para la mejora de la calidad y de la productividad. Los cambios en los productos son la génesis de las discrepancias entre las bases de datos de ingeniería y la realidad constatable en fabricación. Esas modificaciones a lo largo del proyecto de innovación son inevitables, cuando se innova mediante el ensayo de prototipos sucesivos a lo largo del proyecto.

Los errores en los datos que figuran en el listado de materiales, en las rutas de fabricación y en las fichas de los materiales o de los conjuntos ocasionan, no solo problemas de calidad, sino problemas de productividad, además de discrepancias de inventarios que afectan directamente a la cuenta de resultados. Por eso insisto en que deberíamos tener cero errores en todas nuestras bases de datos. Deberíamos compartir una sola base de datos, o asegurarnos de que están depuradas y alineadas.

La herramienta para resolver este problema son las auditorías periódicas de las bases de datos mediante muestreos, que permiten controlar la exactitud de las bases de datos en las diversas actividades de la cadena de valor (ingeniería de producto, ingeniería de producción, fabricación y servicio postventa), desde el inicio del proyecto de innovación y a lo largo de todo el ciclo de vida del producto.

Se necesita crear una cultura que fomente la ejecución perfecta de todas las actividades del proyecto de innovación, y eso requiere atención a los detalles. ¡El diablo está en los detalles!

94. Reducción del *time to market*

Es evidente la afirmación que viene a continuación: un retraso de una semana entre el inicio de la producción y el inicio de las entregas al punto de venta impacta tanto en la cuenta de resultados, como una semana de retraso en el proyecto de innovación. El flujo de caja empieza una semana más tarde y el mercado empieza a responder una semana más tarde. Sin embargo, la percepción en muchas empresas no es esa.

Obviamente, el prerequisito es cumplir con la fecha prevista de inicio de producción y con el nivel de ejecución previsto. El nivel de calidad en las operaciones tiene que ser excelente desde el primer día. Si no, no podremos liberar las entregas del producto a la distribución.

La logística no suele recibir la atención que merece. Debería formar parte de las actividades del plan de desarrollo del nuevo producto. Es una área clave para la innovación, porque necesitamos vender lo antes posible. Debemos tener preparada toda la cadena logística para que el día en que liberemos la producción, una vez comprobado el nivel de calidad, las entregas en el punto de venta se efectúen de modo casi instantáneo. Y lo mismo ocurre con el área de Marketing. Anuncie de antemano las entregas de su nuevo producto o servicio. Cree un clima de expectación en los medios. De nuevo imite a Apple.

95. El equipo cohesionado

Puesto que una empresa está organizada funcionalmente, la pertenencia a cada área funcional genera un sentido de *tribu*, con el peligro de que los intereses tribales tiendan a prevalecer. Los comités de nuevos productos suelen estar constituidos por miembros de diferentes tribus, de modo que la máxima prioridad de quien preside un comité de nuevos productos es la formación de una nueva tribu, la de la unión de todos con la única misión de luchar contra la competencia. El mensaje básico es el siguiente: logre la cooperación interna, porque el enemigo es la competencia.

Por ello, si usted forma parte de un comité de nuevos productos, invierta sus energías en una sola batalla: superar a la competencia. Sus colegas en otros departamentos son miembros de su mismo equipo. Es fundamental evitar los comités de nuevos productos donde cada director de departamento busca su propio interés, a costa del beneficio global de la empresa. Participamos en comités para innovar, no para hacer política.

El líder del comité de nuevos productos debe ser capaz de convencer a los miembros del comité de que el objetivo principal consiste en lanzar el mejor producto lo antes posible y, por tanto, no hay que perder tiempo en luchas internas que no añaden valor. Es esencial transmitir que el éxito colectivo del grupo contribuirá al éxito individual.

96. Búsqueda del mejor producto, no del consenso

Discrepo de la actitud del directivo que propone la búsqueda del consenso, cuando le pagan por tomar decisiones. Es un hecho habitual cuando examinamos la gestión de la innovación en muchas empresas, por ejemplo, tras sesiones maratonianas de comités que definen nuevos productos.

El consenso de una comisión se producirá cuando todos sus miembros acepten caminar juntos con la manada. Y la regla de oro de la manada es: más vale equivocarse juntos que acertar en solitario. Por eso, en mi opinión, el consenso no es válido en un comité de innovación. El objetivo de un comité de nuevos productos no es que todos estemos de acuerdo, sino que diseñemos el mejor producto. La consecución de este objetivo requiere debate, discusión abierta, análisis y revisión de escenarios.

Si tienes a dos personas que piensan lo mismo,
despide a una de ellas. ¿Para qué quieres tener duplicados?
Jerry Krause, ex manager de los Chicago's Bulls

La existencia de un contraste abierto de ideas es clave para la innovación, aunque eso no significa que sea sencillo ni tranquilo de manejar. No obstante, el equipo debe entender que, a pesar de que haya opciones distintas, no se adoptará una solución porque tenga consenso, sino porque cumpla con los objetivos estratégicos de la empresa, siendo la decisión final responsabilidad del director de innovación o, en su caso, de la dirección general.

97. Cooperación con los proveedores

Es necesario formar al personal para que aprenda a cooperar con los proveedores, para que los seleccione en base a su competencia técnica, calidad, fiabilidad, flexibilidad, etc., para que colabore con ellos en el diseño del nuevo producto. En caso contrario, el codiseño no funcionará. Si no estamos convencidos de que estas prioridades son claves para innovar con éxito, tanto en el producto como en el proceso, de que de este modo los costes operativos globales serán más bajos, de que el producto se lanzará al mercado antes y a un coste más bajo, no lograremos progresar con esa innovación organizativa.

Existe una fórmula de reflexión válida para cualquier innovación organizativa: la efectividad (E) de una idea, es igual a su calidad (Q) intrínseca multiplicada por su grado de aceptación (A).

Si el nivel de calidad de la idea de la colaboración con un proveedor (Q) es igual a 10, pero el grado de aceptación por parte de su personal (A) es igual a 0, su efectividad (E) será nula: E= 10x0 =0.

Si el personal sigue teniendo en su mente las prioridades de la gestión industrial de hace 30 años, no avanzaremos. Es necesario que estén convencidos de que estas nuevas prioridades son clave para la innovación en la empresa. Eso requiere formación continua y entender que las relaciones con los proveedores están avaladas por su éxito en compañías como Apple, Toyota, Daikin, etc.

98. Formación de los proveedores en *Lean* y *Six Sigma*

Obviamente, para que este consejo pueda implantarse requiere que su empresa haya optado por la aplicación de ambas técnicas de gestión. En este contexto, no basta con que solo nosotros las apliquemos. Nuestros proveedores son socios en la innovación, así que si ellos tienen unos criterios de gestión distintos a los nuestros, no lograremos el éxito en la innovación.

Más allá de que los proveedores implanten, por ejemplo, nuestro mismo sistema de CAD, es necesario actuar sobre las personas, es fundamental formarlos de modo que compartan nuestras mismas ideas de gestión empresarial. Del mismo modo que tenemos que exigirles que cumplan con elevados requerimientos de productividad y calidad, debemos proporcionales las herramientas formativas, directa o indirectamente, en *Lean*, para reducir los costes operativos, y *Six Sigma*, para que no lo hagan a costa de la calidad. De esta forma, tendremos un lenguaje empresarial común, que fomentará la innovación continua en producto y proceso, la calidad y la productividad.

99. Cooperación interna en la implantación de nuevas tecnologías

Las nuevas tecnologías suelen acompañar a los productos más innovadores. La adopción de esas tecnologías requiere un esfuerzo y un compromiso por parte de las personas que intervienen en el lanzamiento de un nuevo producto, en especial en el área de producción. Es importante tener en cuenta que la transferencia de ideas o de conocimiento dentro de una empresa se puede ver frenada por diversas barreras, que derivan en la pérdida de tiempo y dinero.

Cuando el tiempo es crucial para llevar nuevas ideas y tecnologías al mercado, deberíamos eliminar todas las posibles trabas entre departamentos. Eso requiere la cooperación entre personas de distintos perfiles y niveles profesionales, ubicadas en distintos departamentos: I+D+i, producción, logística, etc.

Es necesaria la ejecución perfecta de las transiciones entre departamentos, con la aplicación del trabajo en paralelo tanto como sea posible; en la definición de antemano de dónde se aplicarán esas nuevas tecnologías; dónde se lanzará el nuevo producto, en qué segmento de mercado; la logística y el plan de acción. Todo ello deberá contar con contramedidas frente a los posibles riesgos potenciales definidos *a priori*, tanto tecnológicos como comerciales.

100. Delegación de responsabilidad en los equipos

La presión actual en los directores de departamentos hace que dediquen un tiempo insuficiente a pensar cómo mejorar sus procesos de negocio. Solo hay una manera de lograr ese tiempo de reflexión: delegando —no abdicando— en colaboradores que puedan ejecutar el trabajo operativo con mayor conocimiento y experiencia. Hay que descentralizar. Eso implicará más ensayos *estadísticamente independientes*.

Si tenemos, por ejemplo, un portafolio de nuevos productos basado en seis equipos dedicados a seis proyectos distintos, con diferentes líderes de proyecto, aumentaremos las probabilidades de éxito comparadas con el enfoque de una organización funcional clásica. Es necesario delegar. Deben definirse políticas y normas claras de delegación de poder, para ayudar a la ejecución de los proyectos de innovación en los plazos y costes previstos. En particular, se debe dar mayor autoridad a los directores de los equipos de proyecto, hecho que revertirá en una toma de decisiones más rápida y eficaz.

Esto requiere que los directores funcionales estén totalmente alineados con la estrategia de innovación definida por la dirección general, con los objetivos previstos y con las diversas maneras en que vamos a lograr esos objetivos. Solo cuando existe un conjunto claro e inspirador de objetivos se pueden transmitir a la organización. Y cuando todo el mundo los entiende y los hace suyos, será posible la delegación de autoridad. Asimismo, conocer las razones de las decisiones de la dirección general suele crear motivación en los equipos de innovación.

Epílogo

Los principios de la innovación según Steve Jobs

Aunque Steve Jobs tiene muchos detractores, para mí sigue siendo una referencia profesional y personal. Como superviviente, como él, de un cáncer, esa frase suya en su discurso en Stanford en 2005, donde decía que cada mañana nos miremos en el espejo y nos preguntemos: *Si hoy fuese el último día de mi vida, ¿querría hacer lo que voy a hacer hoy?* quedará siempre en mi memoria.

Mientras revisaba el manuscrito final de este libro compré en Nueva York el libro de C. Gallo[7] sobre la innovación en Apple. Me pareció tan bueno que, tras su lectura, decidí reelaborar algunas de sus ideas y añadir como epílogo una serie de principios que estoy convencido que son algunos de los que Steve Jobs aplica en su carrera profesional y que, por tanto, pueden sernos útiles para ayudarnos a pensar de un modo diferente y fomentar las condiciones para innovar con éxito en nuestras empresas.

LOS PRINCIPIOS DE LA INNOVACION SEGÚN STEVE JOBS

1 Haga lo que le apasione.

- Tenga el valor de seguir los dictados de su corazón y de su intuición. Confíe en su pasión, es la clave del genio.
- Ame lo que esté haciendo en su vida profesional. Si no le gusta, dé pasos para encontrar una empresa o una posición compatible con sus habilidades.

---

7 GALLO, Carmine: *The Innovation Secrets of Steve Job*s, McGraw Hill, 2010.

- Busque un propósito en su proyecto profesional. Descubra en qué es usted bueno y explote sus habilidades.
- Si dirige un equipo de personas, desarrolle su talento como emprendedores en la empresa. Déles tiempo, recursos y ánimo para seguir adelante con lo que les apasiona, desarrollando nuevas ideas y su confianza ante un posible fallo.

❷ Cree una visión de cómo mejorará el mundo gracias a ese nuevo producto o servicio.

- Piense diferente. No se autolimite. Piense en grande, piense en el futuro.
- Su visión debe ser específica, concisa y consistente.
- Véase a usted mismo con la visión convertida en realidad.
- La visión debe ser inspiradora para usted y también para sus colaboradores.

❸ Reactive su cerebro.

- La creatividad es el acto de conectar cosas.
- Viva en la intersección del mundo de la tecnología y de la cultura.
- Use metáforas o analogías para pensar en los problemas. Al descubrir similaridades entre cosas distintas, su cerebro logra conexiones profundas.
- Abandone su zona de confort de vez en cuando y asuma riesgos.
- No tema el cambio ni las novedades.
- Acepte la diversidad de opinión y de experiencia.
- Piense fuera de las limitaciones que nos vienen impuestas.
- Desafíe el *status quo*. Formúlese preguntas como: *¿Por qué?* y *¿Qué pasaría si...?*

4 Venda sueños, no productos.

- A sus clientes no les importa su empresa. Les importa realizar sus sueños.
- Ayude a sus clientes a mejorar su vida con sus productos.
- Transmita a todo el mundo en su equipo que la prioridad número 1 del producto o servicio debe ser lograr la mejor experiencia para el cliente.
- Conozca de verdad a sus clientes, sus esperanzas, sus sueños, sus objetivos. No basta con escucharles. Conozca cada detalle de su experiencia como cliente.
- Comprométase a ser excelente en todo aspecto de su producto o servicio. Exija lo mismo de sus colaboradores y proveedores.

5 Mantenga el foco: diga que no a 1.000 cosas.

- ¿Por qué me comprarán de verdad mi producto? La respuesta debe ser el foco de atención. Elimine el resto.
- Busque la sencillez. La sencillez es el nivel de sofisticación más grande
- Elimine lo innecesario de modo que lo necesario pueda ser contemplado.
- Focalícese en lo realmente importante.
- No confunda prestaciones con experiencias de usuario.
- Diseñe pensando en la sencillez, de modo que un niño pueda usar su producto o servicio.
- La tecnología es un medio. El fin es lograr que el cliente esté feliz.
- Elimine los productos no rentables.
- Haga una lista de los proyectos a eliminar, porque no son clave ni para la empresa ni para usted.

6 Cree a sus clientes grandes experiencias.

- Revise todos los puntos de contacto de sus clientes con su marca. Deben ser perfectos. Deben lograr relaciones profundas y duraderas.
- El entorno es importante. Preste atención al local o medio donde se venden sus productos.
- Facilite la compra de su producto.
- Permita que sus clientes prueben el producto.
- Divierta a sus clientes y a sus empleados. Si estos no se lo pasan bien, tampoco lo harán sus clientes.
- Busque ideas en otros sectores para innovar en el suyo.

7 Comunique su gran producto de modo que convenza a los demás de que lo es.

- La comunicación es clave para comercializar con éxito.
- Tenga clara una historia que contar antes de empezar a escribir. La gente asimila bien las fábulas.
- Haga que la historia sea consistente en todas las plataformas: presentaciones, páginas web, anuncios, materiales de marketing y noticias a los medios.
- Busque un *villano* de modo que su marca y su producto sean el *héroe*.
- Limite su presentación en público a solo 3 ideas —no 20—.
- Haga que colaboradores suyos compartan el escenario.
- Use dibujos para facilitar la comprensión. Hágalo simple.
- No use el PowerPoint como un block de notas para leer.
- Persuada a su auditorio a invertir, participar, comprar o vender.
- Tenga confianza en usted mismo y en su producto.
- No deje que el ruido de los demás interfiera con su mensaje interior.

Bibliografía

- 3M: *Crónicas de innovación.* 3M España, Madrid, 1999.
- ANDREW, James P.; SIRKIN, Harol L.: *Explota tu innovación,* LID Editorial, Madrid, 2008.
- ANTHONY, Scott D.; SINFIELD, Joseph V.; JOHNSON, Mark W.; ALTMAN, Elizabeth J.: *Guía del innovador para crecer: cómo aplicar la innovación disruptiva.* Deusto, Barcelona, 2010.
- ANTHONY, Scott D.: *The Silver Lining. An Innovation Playbook for Uncertain Times.* Harvard Business Press, Boston, 2009.
- AREYUNA SANTIAGO, Ariel: *Modelo de competencias para la innovación tecnológica.* Tesis doctoral, UPC, Barcelona, 2010.
- AYMERICH, Ramón: *Fet a casa: la innovació a les empreses catalanes.* Viena Edicions, Barcelona, 2007.
- BARBA, Enric: *La excelencia en el proceso de desarrollo de nuevos productos.* Gestión 2000, Barcelona, 1993.
- BARBA, Enric: *Innovación de productos mediante ingeniería concurrente.* Gestión 2000, Barcelona, 2005.
- BARBA, Enric; BERGMAN, Bo; KROSLID, Drag; MAGNUSSON, Kjell: *Seis Sigma: una estrategia pragmática.* Gestión 2000, Barcelona, 2006.
- BARBA, E. *Ingeniería concurrente.* Gestión 2000, Barcelona, 2008 (2ª ed.).
- BOSSIDY, Larry; CHARAN, Ram: *El arte de la ejecución.* Ed. Aguilar, Madrid, 2005.
- CHESBROUGH, Henry: *Innovación abierta.* Plataforma editorial, Barcelona, 2009.
- CHESBROUGH, Henry; VANHAVERBEKE Wim; WEST, Joel: *Open innovation: Researching a New Paradigm.* Oxford University Press, 2006.
- CHRISTENSEN, Clayton M.: *The Innovator's Dilemma.* Harvard Business School Press, Boston, 1997.
- CHRISTENSEN, Clayton M.; RAYNOR, Michael E.: *The Innovator's Solution.* Harvard Business School Publishing, Boston, 2003.

- CHRISTENSEN, Clayton M.; ANTHONY, Scott D.; ROTH, Erik A.: *Seeing What's Next*. Harvard Business School Publishing, Boston, 2004.
- CIPOLLA, Carlo M.: *Allegro ma non troppo*. Ed. Crítica, Barcelona, edición 2001. Contiene *Las leyes fundamentales de la estupidez humana*.
- CORDÓN, Carlos; VOLLMANN, Thomas E.: *The Power of Two: How Smart Companies Create Win-Win Customer-Supplier Partnerships that Outperform the Competition*. Palgrave Macmillan, New York, 2008.
- CORNELLA, Alfons: *Visionomics: 50 dibujos sobre la nueva dinámica de las organizaciones*. Infonomia, Barcelona, 2009.
- CORNELLA, Alfons; FLORES, Antoni: *La Alquimia de la innovación*. Infonomia, Barcelona, 2006.
- COTEC, Fundación: *Informe COTEC 2010*. Madrid, 2010.
- DÁVILA, Tony; EPSTEIN, Marc; SHELTON, Robert: *La innovación que sí funciona*. Ed. Deusto, Barcelona, 2006.
- DESCHAMPS, Jean-Philippe; RANGANATH NAYAK, P.: *Product Juggernauts*. Harvard Business School Press, Boston, 1995.
- FERRÀS, XAVIER: *Innovación 6.0*. Plataforma Editorial, Barcelona, 2010.
- FERRER-ARPÍ, Josep Maria; PONTI, Franc: *Si funciona, cámbialo*. Gestion 2000, Barcelona, 2010.
- GALLO, Carmine: *The Innovation Secrets of Steve Jobs*. McGraw-Hill, 2010.
- GEORGE, Michael L.; WILSON, Stephen A.: *Conquering Complexity in your Business*. McGraw-Hill, 2004.
- GEORGE, Michael L.; WORKS, James; WATSON-HEMPHILL, Kimberly: Fast *Innovation*. McGraw-Hill, 2005.
- GEORGE, Mark O.: *The Lean Six Sigma Guide to Doing More with Less*. Wiley, New Jersey, 2010.
- GOTTFREDSON, Mark; SCHAUBERT, Steve: *The Breakthrough Imperative*. HarperCollins, New York, 2008.
- GOLDSMITH, David: *Definir nuevos caminos para la innovación*. Harvard Deusto Business Review, núm. 193, septiembre 2010.
- HAMEL, Gary: *Liderando la revolución*. Gestión 2000, Barcelona, 2000.
- HOLMAN, Richard; KAAS, Hans-Berner; KEELING, David: *The future of product development*, Mc Kinsey Quarterly, núm. 3, agosto 2003.

- JACOB, Dee; BERGLAN, Susan; COX Jeff: *Velocidad.* Alienta, Barcelona, 2011.
- JARUZELSKI, Barry; HOLMAN, Richard: *Innovating through The Downturn. A Memo to the Chief Innovation Officer.* Strategy+Business, Booz&Co., 2009.
- JARUZELSKI, Barry; DEHOFF, Kevin; BORDIA, Rakesh: *The Booz Allen Hamilton Global Innovation 1000: Money Isn´t Everything.* Strategy+Business, núm. 41, invierno 2005.
- JARUZELSKI, Barry; DEHOFF, Kevin: *Profits Down, Spending Steady: The Global Innovation 1000,* Strategy+Business, núm. 57, Booz&Co, octubre 2009.
- KELLEY, Tom: *The Art of Innovation.* Doubleday, Nueva York, 2001.
- KELLEY, Tom: *The Ten Faces of Innovation.* Doubleday, Nueva York, 2005.
- KUMAR, Vijay; WHITNEY, Patrick: *Daily life, not markets: customer-centered design. Journal of Business Strategy.* Vol. 28, núm. 4, 2007 páginas 46-58.
- LAFLEY, A.G.; CHARAN, Ram: *Cambio de Juego.* Granica, Barcelona, 2009.
- LEONARD-BARTON, Dorothy: *Wellsprings of Knowledge.* Harvard Business School Press, Boston, 1995.
- LOPEZ, Francisco: *La cuenta de resultados.* Libros de Cabecera, Barcelona, 2009.
- MAUZY, Jeff; HARRIMAN, Richard: Creativity, Inc. *Building an Inventive Organization.* Harvard Business School Press, Boston, 2003.
- MARCET, Xavier: *Cosas que aprendimos después.* Plataforma Editorial, Barcelona, 2010.
- MOORE, Geoffrey A.: *El desafío de Darwin.* Urano, Barcelona, 2007.
- MORITA, Akio: *Made in Japan.* Ediciones Versal, Barcelona, 1987.
- PETERS, Tom: *El círculo de la innovación.* Deusto, Barcelona, 2005 (2ª ed.).
- PETERS, Tom: *Las pequeñas grandes cosas.* Deusto, Barcelona, 2010.
- PONTI, Franc; FERRÀS, Xavier: *Pasión por innovar: De la idea al resultado.* Ediciones Granica, Barcelona, 2006.
- REINERTSEN, Donald G.; SMITH, Preston G.: *Developing Products in Half the Time.* John Wiley & Sons, Inc., New York, 1998 (2ª ed.).
- REINERTSEN, Donald G.: *Managing the Design Factory.* The Free Press, New York, 1997.
- REINERTSEN, Donald G.: *The Principles of Product Development Flow: Second Generation Lean Product Development.* Celeritas Publishing, Redondo Beach,

California, 2009.

- ROAM, Dan: *Tu mundo en una servilleta.* Gestion 2000, Barcelona, 2010.
- SKARZYNSKI Peter; GIBSON, Rowan: *Innovation to the Core.* Harvard Business Press, Boston, 2008.
- SHU SHIN LUH, *Innovar al estilo Sony: conozca sus secretos.* Deusto, 2007.
- TALEB, Nassim N.: *¿Existe la suerte? Las trampas del azar.* Paidós, Barcelona, 2009.
- TALEB, Nassim N.: *El Cisne negro. El impacto de lo altamente improbable.* Paidós, Barcelona, 2008.
- WARD, Allen C.: *Lean Product and Process Development.* The Lean Enterprise Institute, Cambridge, 2007.
- WARD, Allen C.; LIKER, Jeffrey K.; CRISTIANO, John J.; SOBEK, Durward K.: *The Second Toyota Paradox: How Delaying Decisions Can Make Better Cars Faster.* Sloan Management Review, Spring 1995, pág. 43-61.
- WELCH, Jack; BYRNE, John A.: *Hablando claro.* Ediciones B, Barcelona, 2002.
- WELCH, Jack: *Winning (Ganar).* Ediciones B, Barcelona 2005.
- ZUCKERMAN, Marilyn: *Speed: Linking Innovation, Process and Time to Market.* The Conference Board, New York, 2000.

Otros libros publicados
y disponibles en nuestra web:

Gestión de incompetentes

Gabriel Ginebra

Colección: Manuales de gestión

Los jefes hablan de sus subordinados como incompetentes y a la inversa. Este libro está dedicado a aquellas personas que desean gestionar bien y que no lo consiguen. Se trata de un texto ameno y de lectura ágil, lleno de ejemplos y herramientas de rápida aplicación, basado en la experiencia del autor como consultor y formador en el campo de los recursos humanos.

Las grandes gestas de la humanidad, la expansión del cristianismo, un hombre en la luna, la conquista de América, no fueron hechas por un puñado de genios, sino por un montón de incompetentes con más o menos suerte, más o menos coordinados, más o menos gestionados. En este libro se desvela por qué auténticos niños prodigio acaban siendo desastres auténticos, y cómo un síndrome de Down puede llegar a abogado del estado. La clave está en la forma en que el talento ha sido gestionado. Hay personas ordinarias que hacen cosas extraordinarias, y otras personas que se creen extraordinarias, y son por ello de lo más ordinario.

Todos queremos gestionar bien a las personas, pero pocos lo conseguimos, igual que queremos ser más ricos, más sanos o tener hijos estupendos, pero pocos alcanzamos estas nobles aspiraciones. Vivimos en una cultura romántica que da una importancia excesiva a la manifestación de los deseos. Aprender a dirigir personas no es cuestión de buenos deseos.

Otros libros publicados
y disponibles en nuestra web:

La Cuenta de Resultados

Cómo analizarla y gestionarla

Francisco López

Colección: Manuales de gestión

El libro trata de reivindicar la Cuenta de Resultados, la cuenta de pérdidas y ganancias, expresada de forma marginal, como un inmejorable instrumento de gestión, cuando está bien presentada y responde a una lógica de negocio.

La Cuenta de Resultados puede mostrarles a los empresarios cuál es el margen que obtienen realmente y cuál es el punto de equilibrio de su negocio. Puede darles valiosas pistas para entender como mejorar sus beneficios, dónde ganan más y dónde menos, o por qué hay clientes o productos con los que pierden dinero.

La Cuenta de Resultados es un arma decisiva, si se sabe utilizarla. El libro es una invitación a usarla, y a usarla bien.

Incluye los datos resumidos de los márgenes de beneficio obtenidos por las empresas más conocidas de diversos sectores, y la posibilidad de acceder a una base de datos que irá actualizándolos.

Otros libros publicados
y disponibles en nuestra web:

Liderazgo peregrino

Oriol Segarra

Colección: Manuales de gestión

Liderar es entender la naturaleza humana para conectar con las personas, con sus anhelos y sus miedos, y desarrollarlas o hacerlas mejores. Pero todo esto, que es muy bonito, es demasiado conceptual. Para liderar bien hay que actuar, por eso la aproximación correcta al liderazgo es la práctica, la que permite saber qué hábitos y qué herramientas puedo usar para empezar a cambiar las cosas.

Esta aproximación práctica al liderazgo soluciona la gran paradoja: se trata de un tema sobre el que parece haberse escrito todo y se discute de él desde las más antiguas civilizaciones, y, a pesar de todo, hoy en día nos vemos inmersos en una profunda y desesperante crisis de liderazgo.

Un buen líder ha de entender qué es y qué significa serlo, guiándose con las ideas o paradigmas correctos en el terreno de las personas, las empresas o las sociedades. Y entendiendo qué es liderar y qué conlleva, tiene que querer serlo, asumir esa responsabilidad con todas las consecuencias, de forma voluntaria y entusiasta, con auténtica pasión.

Y, además, un buen líder ha de conocer los hábitos y herramientas que puede utilizar para convertir esas ideas y paradigmas acertados de liderazgo en hechos y resultados. Porque, en efecto, ésta es la parte más complicada y difícil; querer y saber qué hacer es sólo el principio, el punto de partida; saber cómo hacerlo es el día a día, la rutina, la capacidad de traducir buenas ideas en realidades tangibles